신新꿈해몽대백과

신新꿈해몽대백과

인쇄일 2018년 12월 15일
발행일 2018년 12월 20일

지은이 정용금
펴낸이 윤옥임
펴낸곳 브라운 힐
편집 김자인
디자인 전지선
출판등록 제10-2428호
주소 서울시 마포구 신수동219번지
연락처 TEL(02)713-6523
팩스 FAX(02)3272-9702
ISBN 979-11-5825-059-1 03810

신新꿈해몽대백과

정용금 지음

브라운힐

■ 책 머리에

1969년 6월 6일(음4월 4일), 마흔 중반의 나이에 접어든 아버지는 늦둥이를 보셨다. 하늘에서 선녀가 연꽃 속에 담긴 여자 아이를 안고 와 품에 안겨주고 가는 태몽을 꾸신 후였다.

아버지는 꿈대로 연꽃 '용'을 넣어 이름을 지으셨다. '정용금'. 아버지가 지어주신 내 이름이다. 이 이름 석 자 앞에 무속인이라는 수식어를 얹어놓고 살아온 지가 벌써 15년이나 되었다.

무속인으로서의 15년, 그리고 그 이전의 시간들. 그 어느 때도 나는 결코 예사롭게 보낸 적이 없었던 것 같다. 태어나면서부터 자주 몸이 아팠고, 4살 때는 새로운 생명의 혼으로 다시 태어났으며, 아버지를 잃은 11살 이후부터는 다가올 미래를 종종 예언해 주위 사람들과 친구들을 깜짝 놀라게 했다. 학창 시절에도 공부를 하려면 집중이 잘 되지 않았고 책에다가 산, 바다, 새, 꽃 이런 그림들을 그리기가 일쑤였다.

그 이후 18살부터는 무섭고 힘든 꿈을 수없이 꾸게 되었다. 산에서 호랑이가 부르는 꿈, 단청 밑에 다섯 명의 장수가 내게 큰 칼과 방패를 던져주는 꿈, 아버지가 하얀 도포에 갓을 쓰고는 한 손에 두꺼운 책을 든 모습으로 나타나셔서 5년을 기다리라고 말씀하시는 꿈. 태백산이란 곳에 방울과 태극기와 내 이름이 걸리어 있고, 하늘에서 황금색의 깃발을 가진 수많은 신의 존재들이 나를 에워싸는 꿈. 꿈의 종류들은 다양했지만 하나같이 의미심장했다. 그리고 이런 꿈들을 꾸고 나서부터 나는 길을 걷다가 여러 번 쓰러졌고, 또한 영혼의 소리들을 듣기도 했다. 점점 이런 현상들이 자주 반복되면서 더 이상 자신을 지탱할 수 없을 정도로 심신은 피폐해져 갔다.

결국 내 나이 24살 되던 해 8월에 나는 무당이 된다는 게 어떤 것인지조차 제대로 알지 못한 채 신의 딸이 되어 버렸다.

이제 15년이란 세월과 함께 신과 한 몸이 되어 나의 운명을 자연스럽게 받아들일 수가 있게 되었다. 신이 내게 내린 운명대로 나는 신당에서 수많은 사람들을 만나서 신의 뜻을 전하고 다가올 미래를 예언하고 있다.

그럴 때 내가 느낀 바는 많은 사람들이 자신이 꾼 꿈이 미래를 예측하는, 예지몽으로서의 역할을 한다고 생각하고 나름대로 해석하려고 애쓴다는 것이다. 소우주인 인간에게 충분히 가능한 일이라고 본다.

꿈을 여는 세상. 그 신비로운 세상의 뜻을 조금이라도 더 헤아릴 수 있다면 막막한 인생길에 나침반을 얻는 것과 같다고 믿는다. 그래서 나는 그동안 모아온 자료들과 나름대로의 경험을 바탕으로 이 책을 내게 되었다. 타고난 천성과 노력에 의해 운명을 얼마든지 새롭게 창조할 수 있다는 믿음을 가지고 이 책을 읽어주기를 당부 드린다.

우러러 하늘의 펼침을 관찰하고
구부려 땅의 다스림을 살핌에서
이런 일로 알아감이, 어둠과 밝음의 일이고
처음을 살피어 마침으로 돌아옴에서
고로 알아감이, 죽음과 탄생의 말함이고

깨끗해진 기운은 만물이 되어지고
떠다니는 정신은 변하게 되어짐에
이런 일로 알아감이, 귀신의 실제 모양이다.

(출전: 계사전)

2007년 1월 정 용 금

❀ 12지신 평생운세

 **쥐띠** 子년 생으로 갑자 병자 무자 경자 임자 생을 말한다. 자년에 태어난 사람은 자신의 주장이 강하며 성품이 예민하고 냉정하다. 낭만적이기는 하나 타인에게 마음을 잘 열지 못한다.

시비곡직을 잘 가리는 편이기도 하여 인색할 때에는 한 없이 인색하고 후할때는 한 없이 후하다.

대사를 처리할 때 도리어 실패하는 수가 많다. 두뇌는 명민하여 자비자선의 뜻도 깊으며 윗사람을 공경하고 아랫사람을 사랑하며 군자다운 풍이 있다. 빈천한 가정에 태어나 자수성가하거나 청빈하고 좋은 가문에 태어나 사회 물정이 어둡고 고상한 성품을 지닌다. 직업면에선 사무직, 기술직, 문학, 교육자 등의 전문직이 좋다.

＊합하는 띠 - 소띠, 용띠, 원숭이띠 / 원진살 - 양띠 / 상충살 - 말띠

소띠 丑년 생으로 을축 정축 기축 신축 계축 생을 말한다. 축년에 태어난 사람은 성품이 인자하고 유순하며 정직하고 참을성이 많은 듯 하나 한 번 화를 내면 잘 풀어지지 않는다.

때로는 편벽된 성질을 써서 고통을 맞이 할 수도 있다. 일찍 고향을 떠나 객지에서 자수성가하며 살아가기도 한다.

열심히 노력하며 작은 흙을 모아 산을 이루는 운명이다. 남에게 쉽게 굴하지 않으며 용기가 많은 편이기도 하지만 스스로 자성하여 깊이 깨달아 인품을 바로 잡는다면 어려운 길을 가더라도 귀인을 만나 도움을 받는다.

초년에 고생해도 중년부터 좋은 소식이 있고 말년엔 자손의 덕망이 있다.

＊합하는 띠 - 쥐띠, 뱀띠, 닭띠 / 원진살 - 말띠 / 상충살 - 양띠

 **호랑이띠** 寅년 생으로 병인 무인 경인 임인 갑인 생을 말한다. 인년에 태어난 사람은 성품이 불과 같은 편이기는 하나 눈이 녹아 내리듯 곧 풀어진다.

의협심이 강하여 불의를 보고 참지 못해 도리어 화를 당하기도 한다.

활동적이며 남에게 지는 것을 싫어하고, 언변이나 외모가 좋은 편이다. 내적인 성품을 잘 다스리면 관운이 있어 우두머리가 될 상이나 외적인 화려함에 눈을 뜨면 허영심이 두려우니 금전의 손재수가 많다.

주변에 많은 인연을 두었으나 마음 의지할 곳이 없다. 운세는 왕성하니 사업, 관직, 관운, 지도자 등이 되는 것이 좋다.

＊합하는 띠 - 돼지띠, 말띠, 개띠 / 원진살 - 닭띠 / 상충살 - 원숭이띠

 **토끼띠** 卯년 생으로 정묘 기묘 계묘 을묘 생을 말한다.

묘년에 태어난 사람은 성품이 비록 급하나 잘 풀어지며 유순하고, 너그러운 편이다. 인정이 많고 신의도 잘 지키는 사람이다. 지혜와 계교는 있는 듯 하나 매사에 유시무종 하는 편이어서 큰 문을 열고 나가기가 때론 힘들다.

의혹심이 많아 돌다리도 두들겨보고 가는 성질이나 이성간의 문제에선 실패수가 많다. 이성끼리 사귐에 있어 질투와 언쟁을 조심하면 아름다운 꽃을 피울 수 있다. 의식 문제에 있어서 궁지에 빠지는 일이 적으며 유족하게 살아간다.

＊합하는 띠 - 개띠, 돼지띠, 양띠 / 원진살 - 원숭이띠 / 상충살 - 닭띠

용띠 辰년 생 무진 경진 임진 갑진 병진 생을 말한다.

진년에 태어난 사람은 성품이 유순하고 총명한 사람이다.

호걸의 풍도 있으며 안락할 때는 한없이 안락하고 괴로울 때는 한없이 괴롭다. 사업 면에선 분투하고 부지런하기는 하나 때론 뒷 생각을 하지 않아 실패수도 많다.

성격이 강인하고 교술이 뛰어나기도 하다. 지혜가 뛰어나 하나 들으면 열을 안다. 때론, 구설 관재에 의하여 자주 이사를 다녀야 하기도 하지만 어떠한 궁지에 빠지더라도 좌절하지 않는다.

처자에 액이 있어 가정에 고통이 있기도 하나 사회적으론 수만의 군졸을 거느리는 대장의 몸이 되거나 갑부가 되기도 한다.

＊합하는 띠 - 닭띠, 쥐띠, 원숭이띠 / 원진살 - 돼지띠 / 상충살 - 개띠

뱀띠 巳년 생으로 기사 계사 신사 을사 정사 생을 말한다.

사년에 태어난 사람은 성품이 정직하고 사상이 민첩하여 외교 수단에 능통하다.

굴하는 성질이 아니므로 때론 변변치 않은 일에도 질투를 잘하며 투기심이 있어 성패가 자주 있다. 남 보기에는 좋은 팔자인 듯하나 외부개빈하다. 하지만 고생 끝에 낙이 오는 팔자이다. 초년에 복록이 따랐다면 중년부터 곤액이 많고 초년에 곤액이 따랐다면 중년부터 복록이 따른다.

인내심이 강하고 자신의 잘못을 알면 즉시 고친다. 때론 자기 마음에 맞지 않으면 몸을 버려도 행하고자 한다. 동정심은 많으나 인덕은 적은 편이다. 직업 면에선 학자, 정치가, 교육자, 종교인, 예술가가 좋다.

＊합하는 띠 - 원숭이띠, 닭띠, 소띠. / 원진살 - 개띠 / 상충살 - 돼지띠

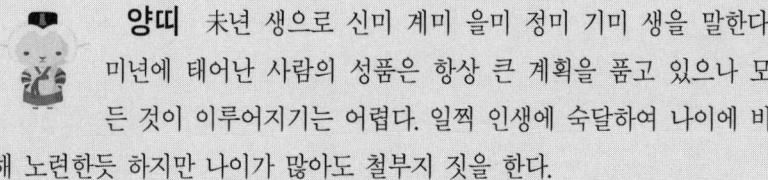

말띠 午년 생으로 경오 임오 갑오 병오 무오 생을 말한다. 오년에 태어난 사람은 성품이 활달하고 급하다.

용모가 단정하며 교제술도 능대하다. 친절한 듯 하면서 속마음은 냉정하고 박정한 면이 있다. 정의를 세우며 곡직을 잘 가려 처신하기도 하지만 때론 거만한 편이기도 하다.

성격이 강하여 남에게 지기를 싫어하며 번화한 것을 즐기고 돈이 헤프다. 없어도 기를 죽기 싫어하며 타인과 친하기도 잘하고 헤어지기도 잘한다. 운명에 굴곡이 심하여 관재, 구설, 손재수 등의 횡액이 잘 따르기도 하니 조심하여야 한다.

하지만 벌판에 서 있는 나무처럼 쉬이 쓰러지지 않는 운명이므로 때론 큰 어려움에서 잘 벗어난다. 부모 형제의 덕망이 작은듯 하나 말년엔 영화를 누린다.

＊합하는 띠 - 양띠, 범띠, 개띠 / 원진살 - 소띠 / 상충살 - 쥐띠

양띠 未년 생으로 신미 계미 을미 정미 기미 생을 말한다. 미년에 태어난 사람의 성품은 항상 큰 계획을 품고 있으나 모든 것이 이루어지기는 어렵다. 일찍 인생에 숙달하여 나이에 비해 노련한듯 하지만 나이가 많아도 철부지 짓을 한다.

일상 생활에 생각이 너무 많아 신경계통에 병이 올 수 있다. 남에게 정성을 다 하지만 자기 뜻을 알아 주는 이가 적다. 자기 일보다 남의 일을 더 잘 살펴주는 성격이다.

특히 인정이 있고 신의을 지키며 군자의 풍도가 있다. 허나 인색할 때에는 각박하여 도리어 사람을 잃는 수가 있다. 의를 중하게 여기어 정도를 지키면 대길할 것이다. 부동산, 부모유산, 땅은 가치가 오르며 재물을 늘리어 부를 누린다.

＊합하는 띠 - 말띠, 돼지띠, 토끼띠 / 원진살 - 쥐띠 / 상충살 - 소띠

 **원숭이띠** 申년생으로 임신 갑신 병신 무신 경신 생을 말한다. 신년에 태어난 사람의 성품은 쾌활하고 선량한 편이다. 사람들과의 교재가 넓으나 성격이 급하여 적은 일에도 노하기를 잘한다. 무슨 일이든지 잘 덤비는 성질이 많아 매사에 분투 노력하는 듯하면서 실상은 결단성이 적은 사람이다.

부모덕이 없어 초년에 일찍 고향을 떠나 풍상을 겪기도 한다.

귀인도 있고 복록도 있으나 자수로 패하기 쉬운 운수이다. 일찍 무술이나 학문을 통달하지 않으면 슬픈 신세를 면하지 못하니, 모든 일을 연구하고 공을 들이면 귀인의 도움으로 고기가 용으로 변하는 격이다.

여색과 투기사업에 조심하여야 한다. 농사를 경영하거나 음식점, 요리사, 군인이 되면 좋다.

＊합하는 띠 - 쥐띠, 용띠, 원숭이띠 / 원진살 - 토끼띠 / 상충살 - 범띠

닭띠 酉년 생으로 계유 을유 정유 신유 생을 말한다.

유년에 태어난 사람의 성품은 유순하고 후덕한 편이기도 하나, 조급한 면이 있다. 애정이 많고 남에게 지기를 싫어하며 무슨 일이던지 잘 처리하고 대인접촉에 특히 재주가 있다. 명예를 소중히 여기며 의리를 지키는 성품이다. 하지만 일시 풍파는 타고난 팔자니 원망할 필요 없다.

남녀 관계에선 고통이 많고 간혹 실패수가 있으며 손재수도 있다. 직장 사업 면에서 일시에 왕성하였다 일시에 패할 수도 있으니 성공하였을 때 금전 관리를 잘 하여야 한다. 어려움 속에서도 문무에 열심히 정진한다면 귀인이 와서 도움을 줄 것이다. 직업면에선 예술가, 종교인, 장사, 교육자 등이 좋다.

＊합하는 띠 - 용띠, 뱀띠, 소띠 / 원진살 - 범띠 / 상충살 - 토끼띠

개띠 戌년 생으로 갑술 병술 무술 경술 임술 생을 말한다. 술년에 태어난 사람의 성품은 급하면서도 용감하고 정직하며 의리를 중하게 여긴다. 남에게 잘 굴하지 않으며 두뇌가 명민하여 담대하기도 하니 자비자선의 뜻이 깊다.

하지만 내뜻에 맞지 않으면 선악을 가리지 못하고 참지 못하는 성질이여서 박정할 때도 있다. 내심을 잘 드러내지 않고 이해심이 없어 인간관계가 좋지 않다. 여색을 탐하는 마음을 조심하여야 한다.

초년에 학문을 많이 닦으면 명진할 것이고 상업을 하면 성패는 다소 있으나 재물 운은 좋은 편이다.

＊합하는띠 - 토끼띠, 범띠, 말띠 / 원진살 - 뱀띠 / 상충살 - 용띠

돼지띠 亥년 생으로 을해 정해 기해 신해 계해 생을 말한다. 해년에 태어난 사람의 성품은 급하고 욕심이 많으나 어질고 효성이 지극하다. 결단력이 빠르기도 하며 남의 말을 안하는 성질이다. 의협심이 많아 의리를 숭상하며 원망을 하지 않고 겸양하는 힘이 많은 사람이다.

자수성가 하는 팔자를 지니고 태어나기도 하며 부모의 세업은 적은 편이나 평생을 두고 의식 걱정은 없는 편이다.

하지만 한번 실패는 불가피한 일이다 파산하는 악운을 겪고 나면 간혹 신경계통의 병으로 고통을 받을 수 있다. 주변 사람들을 잘 통솔하기도 하며 간혹 고집이 있어 남의 말을 잘 듣지 않기도 한다. 또한 시비를 잘 가린다. 중년이 넘으면 재물운 직장운 가정에도 웃음꽃 핀다.

＊합하는 띠 - 범띠, 닭띠, 소띠 / 원진살 - 용띠 / 상충살 - 뱀띠

차례

제5장 식물에 관한 꿈

차례

차례

제13장 문자 · 숫자에 관한 꿈

제14장 건물 · 주택에 관한 꿈

제15장 광물 · 보석에 관한 꿈

제16장 교통 · 통신에 관한 꿈

제17장 문화 · 스포츠에 관한 꿈

제 1 장
하늘에 관한 꿈

✿ 하늘

하늘이 구름 한 점 없이 맑은 꿈
원하던 일이 뜻대로 이루어지고, 아이를 낳는다.

하늘에 구름이 끼어있는 꿈
불행한 일이 닥치거나, 애정문제가 어긋난다.

하늘의 구름이 점점 노랗게 변하는 꿈
명예와 재물을 한 번에 얻는다.

새벽하늘을 본 꿈
상사에게 신임을 얻어 승진하고, 사업가나 회사원은 고객이 늘어나 이득을 본다.

대낮의 하늘을 보는 꿈
재난과 불행의 조짐이 있으니 조심해야 한다.

해질녘 하늘을 본 꿈
일이 성사되지 않는다.

밤하늘을 보는 꿈
모든 병이 낫고 건강해진다.

밤하늘에 밝은 달이 떠 있는 꿈
사랑에 성공한다.

하늘이 깜깜해지는 꿈

불행한 사건이나 사고가 일어난다. 병에 걸리거나 교통사고를 당한다.

캄캄했던 하늘이 밝아지는 꿈

근심·걱정이 사라지며 목표를 달성하게 되고, 사업가는 번창하며 공직자
는 출세한다.

하늘이 갑자기 붉게 물드는 꿈

가정에 불화가 생기거나 위험한 일이 다가온다. 화재가 일어날 수 있으
니 불조심 해야 한다.

하늘이 점점 붉어지다가 빨갛게 된 꿈

가정은 화목해지고, 사회적 지위가 안정되어 행복해진다.

하늘이 두 쪽으로 갈라지는 꿈

회사가 망하고, 가족들이 뿔뿔이 흩어지며, 부부는 이혼하거나 사별한다.

하늘이 무너지는 꿈

교통사고, 화재, 도산, 파산 같은 안좋은 일이 생기거나, 가까운 사람에게
안 좋은 일이 생긴다.

하늘이 내려와 땅과 맞닿는 꿈

미혼 남녀는 결혼에 성공하고, 직장인은 승진한다.

하늘에서 목소리가 들리는 꿈

관공서나 법원의 지시, 명령, 통지, 경고, 영장 등을 받는다.

하늘로 자기 몸이 올라가는 꿈

입신, 출세, 승진 등 성공하며 명예도 높아져 많은 사람들이 우러러본다.

하늘의 문이 열리고 닫히는 꿈

하던 일이 뜻대로 이루어지거나 번창하고, 회사에서 승진을 한다.

하늘의 문을 열고 하늘로 들어가는 꿈

목적이 달성되며 명예로운 자리에 오른다. 수험생은 시험에 합격한다.

하늘로 날개를 달고 날아오르는 꿈

나이 많은 노인의 경우 죽음을 암시한다.

하늘로 사다리를 타고 올라가는 꿈

불운이 행운으로 바뀌어 바라던 꿈을 이룬다.

하늘에 용을 타고 오르는 꿈

입신출세하여 이름을 날린다.

하늘로 승천한 용이 구름 속에 숨는 꿈

중요한 직책을 맡는다.

하늘에서 떨어지는 꿈

꾸지람을 듣거나 모욕을 당하니 언행을 조심해야 한다.

하늘에서 밝은 빛이 자신을 비추는 꿈

기혼 여성은 장차 큰 인물이 될 아이를 낳는다.

하늘에 올라가 배우자를 만나는 꿈

미혼자는 좋은 배우자를 만나고, 기혼자는 가족에게 좋은 일이 있다.

하늘에서 떨어진 돈을 줍는 꿈

적은 금액이면 경제적 어려움을 겪지만, 많은 금액이면 복권 당첨 등 좋은 일이 생긴다.

하늘에서 신선, 천사, 선녀 등이 내려오는 꿈

기쁜 소식을 듣거나 유명인사가 집에 찾아온다.

하늘에 말(천마)이 날아다니는 꿈

사랑 등 모험할 일이 생기고, 여행이나 출장을 간다.

하늘에 꽃이 가득 피어 있는 꿈

재산을 잃거나 명성이 떨어진다.

하늘에 새나 비행기가 날아다니는 꿈

대외적으로 자신의 능력과 기술을 과시하게 된다. 전근이나 이사할 수도 있다.

하늘에 별이 빛나는 꿈

승진을 하거나 해외 진출 등 사업 확장을 한다.

하늘에서 구름을 타고 다니는 꿈

모임이나 단체의 최고 자리에 앉게 되고 사업도 번창한다.

하늘에서 돌비가 내리는 꿈
주변 인간 관계에 모욕을 당하며 불명예스러운 일이 생긴다.

하늘에 하얀 줄이 두 개였다가 하나로 변하며 빛을 발하는 꿈
기혼 여성의 태몽이다. 쌍둥이의 경우 한 자녀를 잃게 된다.

🎎 해

해가 밝게 비추는 꿈
승진이나 시험에 합격한다.

해가 동쪽에서 떠오르는 꿈
초년의 운이 트이고 행운이 찾아온다.

해가 하늘 가운데 떠있는 꿈
중년의 운이 좋아지고 행운이 왕성해진다.

해가 서산으로 지는 꿈
노년의 운이 쇠하고 불운이 시작된다.

밝은 햇빛이 자기 몸에 비치는 꿈
수험생은 합격하며, 환자는 병이 낫고, 부인은 귀한 아이를 갖는다.

해가 가려져 뿌옇게 된 꿈
신상에 불행한 일이나 사고가 난다.

해가 구름에 가려진 꿈

타인의 방해나 장애로 뜻한 일이 진척되지 않고 막힌다.

해가 구름 속에서 나와 밝게 비치는 꿈

어려운 문제가 해결되고 발전하여 성공한다.

해가 지붕 위로 떠오르는 꿈

집안이 화목해지고 총명한 아이를 낳는다.

해가 초원 위로 떠오르는 꿈

막혔던 문제가 해결의 실마리를 찾는다.

해가 산 위로 떠오르는 꿈

돈과 지위와 명예를 얻거나 혼담이 성사 된다.

해가 강에서 떠올라 중천까지 치솟는 꿈

부모 자식이 이별하나 자식이 성공하여 다시 만난다.

해를 보고 절하는 꿈

남성은 성공하고 여성은 연하의 남성을 만난다. 관공서의 청원이 이뤄진다.

해와 별이 같이 떠 있는 꿈

아래 사람의 일로 어려움을 겪거나 고통을 당한다.

해가 눈부셔 쳐다볼 수 없는 꿈

수험생은 불합격하고 사업가는 실패하거나 어려움과 고난이 생긴다.

햇빛을 양산으로 가리고 걸어가는 꿈
불행한 사건 사고를 피해 행운이 들어온다.

해가 나뭇가지나 숲 속에 걸려 있는 꿈
방해를 받거나 장애가 생겨 하던 일이 정체되고, 병에 걸려 시달린다.

해가 수평선으로 넘어가는 꿈
가족이나 부모님의 병환으로 근심 걱정이 는다.

해가 햇무리에 둘러진 꿈
가정이 화목해지고 혼담이 이루어진다.

해가 빙빙 도는 꿈
신념이나 의지가 흔들린다.

해를 단숨에 꿀꺽 삼키거나 손으로 잡는 꿈
권력을 얻거나 업적을 남긴다.

떨어지는 해를 치마로 받는 꿈
위대한 인물이 될 아이를 낳는다.

떨어진 해를 받아서 방으로 안고 들어가는 꿈
노년에 부귀영화를 누린다.

해가 비치는데 비가 오는 꿈
애정 문제로 다투게 되고 부부싸움이 일어난다.

해를 화살로 쏴 맞추어 떨어뜨리는 꿈

정권 획득, 연구 결과, 합격, 승진 등을 이룬다.

해가 두 개 떠 있는 꿈

밝으면 행운이나, 어두우면 불운이다. 두 가지 일을 동시에 하게 된다.

해가 두 쪽으로 갈라지는 꿈

회사나 단체, 모임이 분열되고 해산한다.

해 옆에 앉아 있는 꿈

빛나는 미래가 보장되고 탄탄대로가 열리며 성공한다.

햇빛에 의해 나뭇잎이 시드는 꿈

애정 문제가 생기거나 자식의 건강 문제로 걱정하게 된다.

해와 달이 떨어지는 꿈

부모나 형제를 잃거나 협력자, 후원자가 떠난다.

해와 달이 겹쳐 있는 꿈

두 가지 사업체, 모임, 단체 등이 하나로 합쳐진다. 미혼자는 혼인한다.

달이 해의 일부나 전부를 가리는 꿈

어려움을 극복하고 발전하는 계기를 맞는다. 임신할 태몽이기도 하다.

햇볕이 유난히 따뜻하게 느껴지는 꿈

타인에게 사랑과 자비를 베풀 일이 생긴다.

해가 찌그러진 꿈
하는 일이 발전이 안된다.

햇빛이 들 수 없는 곳에 햇빛이 환히 드는 꿈
남에게 축하 받을 일이 생긴다.

✿ 달

쟁반같이 둥근 보름달을 보는 꿈
미혼자는 배우자를 맞게 되고 기혼자는 아이를 갖는다. 가정이 화목하며 좋은 일이 생긴다. 신의을 얻어 대인관계가 원만해진다.

반달을 보는 꿈
보름달이 되어가는 반달은 행운을 암시하지만, 초승달로 기우는 반달은 불운을 나타낸다. 달빛이 밝으면 좋은 일이 있지만, 침침하고 흐릿하면 불운이 찾아온다.

초승달을 본 꿈
목표를 달성할 기회나 행운을 잡는다. 여행이나 새로운 일, 사람과 관계를 맺는다.

달이 떠오르는 꿈
가까운 사람의 후원으로 하던 일을 이루거나 출세한다. 복권에 당첨될 꿈이기도 한다.

달이 구름에 가려있는 꿈

남에게 사기를 당하거나 꼬임에 빠져 손해를 본다. 가정불화로 부부싸움을 한다.

달이 구름 사이로 빠져나오는 꿈

근심 · 걱정이 사라지고 새 출발하게 된다.

달이 달무리 져서 흐릿하고 침침해진 꿈

어려움과 고통이 따르지만 불운이 지나면 행운이 온다.

달이 바다에서 떠오르는 꿈

큰 이득을 보거나 재산, 재물을 얻는다. 남성은 여성의 도움을 받는다.

달이 붉은 빛을 띠는 꿈

훌륭한 업적을 쌓아 즐겁고 기쁜 일이 있다. 신임과 명예를 얻는다.

달이 온누리를 환히 비추는 꿈

부부 사이가 좋아지며, 집안도 화목해지고 자신이나 가족에게 경사스러운 일이 생긴다. 여성은 남과 다툴 일이 있다.

달이 호수나 강물 위를 비추는 꿈

공훈과 업적을 인정 받아 명성을 날리고 명예를 얻는다.

달빛이 창문 틈으로 들어와 방안을 비추는 꿈

집안에 즐겁고 기쁜 일이 생긴다. 반가운 소식을 듣는다.

달을 보고 절하는 꿈

윗사람의 신임을 받아 높은 자리에 오르거나 꿈을 이룬다. 관공서에 청원한 일이 뜻대로 이뤄진다.

달을 품에 안거나 등에 업는 꿈

공적을 인정 받아 지위가 오르고, 사업가는 큰 이득을 본다. 훌륭한 자녀를 갖을 태몽이기도 하다.

달이나 별이 입안으로 들어오는 꿈

아랫사람의 도움으로 입신출세한다. 영리하고 얌전한 딸아이를 낳을 태몽이기도 하다.

달을 쏘아 맞추는 꿈

기쁘고 즐거운 일, 바라던 일이 이루어진다. 경쟁상대와 겨루어 이긴다.

달의 한쪽이 일그러진 꿈

행운이 불운으로 기우므로 일의 범위와 규모를 줄이고 매사 신중히 처리해야 한다. 구설수나 송사에 휘말릴 수 있다.

달과 해가 나란히 또는 맞서 있는 꿈

나란히 있으면 부부간의 금슬이 좋아지고 가정은 화목해진다. 하지만 맞서 있는 경우 경쟁할 일이 생기고 사기를 당하거나 실패, 손실이 있다.

달이 어둠 속으로 사라지는 꿈

가족이나 친근한 여성 중에 불행한 사건, 사고가 일어난다. 어머니가 중병에 걸리거나 위독해지는 등 재난과 병마가 닥친다.

달빛이 비추는 밤길을 걸어가는 꿈

달이 서쪽에서 뜨면 좋은 일이 있고, 동쪽으로 지면 불행한 일이 있다.

달이 산이나 바다 너머로 지는 꿈

남편이나 큰 아들이 병에 걸려 고통을 받거나 갑자기 목숨을 잃을 수 있다. 자기 자신의 신상에 안 좋은 일이 일어난다.

달무리가 무지개빛으로 빛나는 꿈

부부사이가 좋아 가정이 화목하고 공훈, 업적이 드러나 칭송을 받으며 표창장 등 영예로운 일이 있다.

달이 지구 그림자에 가리는 월식을 보는 꿈

어머니나 아내에게 위태로운 사고가 일어난다. 주택 문제로 말썽이 나거나 싸울 염려가 있다. 매사에 언행을 조심해야 한다.

✇ 별

은하수를 건너가는 꿈

애인을 만나 결혼하며, 사업가는 사업이 번창한다.

은하수를 보는 꿈

애인과 헤어지거나 부부는 이혼, 사별하며 환자는 죽음을 암시한다.

은하수가 끊어져 있는 꿈

혼담이 깨지거나 회담이 결렬 되며, 여행 중의 교통사고, 화재, 익사 등 불운의 징조이다.

별과 달이 합쳐진 꿈

근심 걱정이 사라진다. 억울한 누명이나 의심받던 일이 해결된다. 의처증, 의부증도 사라진다.

샛별(금성)이 반짝이는 꿈

예술가는 작품이 세상의 이목을 받아 인기를 끈다. 구혼자는 혼담이 이뤄지며, 연인이 없는 자는 새로운 연인을 만난다.

혜성이 떨어지는 꿈

자신의 잘못이나 단점 등이 남에게 드러나 싸우거나 구설수에 오른다. 하던 일도 장애에 부딪친다. 환자는 병세가 악화되어 목숨이 위태롭다.

북두칠성 일곱 개가 반짝반짝 빛나는 꿈

주위 사람의 후원을 받아 지위가 오르고, 사업이 번창하여 출세한다.

북두칠성이 흐릿하게 보이는 꿈

노력한 결과가 좌절되고, 바라던 일은 뜻대로 되지 않아 근심 걱정이 생긴다.

별이 이쪽에서 저쪽으로 움직이는 꿈

전근, 이사, 전직 등 신변의 변동이 있다. 별이 날아가는 꿈이면 애정에 문제가 있다.

많은 별 중에 유독 하나의 별이 반짝이는 꿈

남보다 뛰어난 인물임을 인정받아 출세할 길이 열린다. 주위 사람들의 추천으로 지도자나 책임자가 된다.

별이 두 개 나란히 반짝이는 꿈

대인 관계가 원만해져 좋은 친구를 만나고 성실한 후배를 만나게 된다.

별이 세 개가 가까이서 반짝이는 꿈

인간관계의 협동을 의미한다. 회사나 단체가 협력하여 일을 추진하거나 합병을 하게 된다.

수많은 별이 반짝이는 꿈

미혼자는 청혼을 받거나 결혼할 연인을 소개 받는다. 기혼자는 자녀들에게 좋은 소식이 있다.

별과 함께 내 모습이 강물이나 호수에 비치는 꿈

부부간에 서로 의심할 일이 생기거나 남에게 의심을 받지만, 억울하더라도 참고 있으면 진실은 곧 밝혀진다.

별이 흐릿하게 보이는 꿈

하던 일이 방해를 받거나 정체된다. 물거품이 되는 수도 있으므로 시련을 잘 인내하여 반성하고 신중히 대처해야 한다.

별이 구름에 가려져 잘 안 보이는 꿈

믿었던 사람이 배반하거나 애써 노력한 일이 실패를 거듭하므로 겸허한 자세로 다음 기회를 기다려야 한다.

별이 떨어질 듯하며 반짝이는 꿈

계획이 예정대로 되지 않는다. 환자는 병이 악화되고, 주위 친척 중에 불행한 일이 있거나 갑자기 떠나야 할 일이 있다.

별이 땅에 떨어져 된 돌을 보거나 줍는 꿈

행운과 횡재할 일이 있다. 하던 일이 결실을 이루어 어려움에서 벗어난다.

별이 비 오듯 쏟아져 내리는 꿈

최고 권력자, 위대한 학자, 예술가가 갑자기 사망하거나 전쟁, 대형 폭발 사고, 화재, 교통사고 등이 일어난다.

별이 떨어지다 갑자기 사라지는 꿈

가족의 일원이 사망하거나 불행한 사고로 눈물을 흘리게 된다.

별이 잠자리에 떨어지는 꿈

생각지 못했던 기쁜 일이나 축하 받을 일이 있다.

별과 해와 달이 나란히 있는 꿈

계획한 일이 뜻대로 되지 않아 손해가 있다. 경쟁자로 인해 상품을 덤핑 처리하여 이득이 없다. 아랫사람으로 인해 재난을 당할 수 있다.

별과 달이 빛나는 밤길을 정처 없이 헤매는 꿈

실직당하거나 따돌림을 당해 의욕을 잃고 실의에 빠진다. 방랑하다 객사 의 위험이 있다.

별이 빛나는 밤에 뱀이 나타난 꿈

뜨내기 생활을 청산하고 안정된 생활을 한다. 직업과 지위가 확고해져 발판을 마련한다.

별이 빛나는 밤에 박쥐를 본 꿈

아랫사람의 꼬임에 빠져 불행한 일에 휘말릴 수 있다. 미심쩍거나 꺼림

칙한 일은 삼가야 한다.

별이 빛나는 밤에 새가 날아다닌 꿈
숨은 공로와 업적이 드러나 이름을 날린다. 새로운 취미생활을 하게 된다.

별이 반짝이는데 강물이 흐르는 꿈
그리운 연인에게서 반가운 소식이 온다.

별이 대낮에 떠 있는 꿈
걱정거리가 사라지고 출세하게 된다.

❀ 구 름

구름이 하늘에 가득 덮여 있는 꿈
검은 구름이면 근심이 생기고, 흰 구름이면 좋은 일이 생긴다.

구름이 여기저기에 떠 있는 꿈
장사에 이득을 보니 적극적으로 활동하는 게 좋다.

오색구름이 떠 있는 꿈
하던 일은 번창하며, 싸움에는 승리한다.

꽃구름이 떠 있는 꿈
회사원은 지위가 오르고, 농부는 풍년을 이루며, 집안에 경사가 있다.

구름이 조각처럼 비늘 모양으로 펼쳐진 꿈

직장인은 이직하거나 상인은 거래처나 가게를 옮긴다.

구름이 노랗거나 누런 꿈

장사에 많은 이익을 보고, 기쁜 일이 있다.

구름이 검거나 파란 꿈

남과 다투기 쉽고 싸움에 말려들어 좋지 않은 일을 겪는다. 특히 질병에
걸리거나 병이 악화될 조짐이니 건강에 좀더 유의하는 것이 좋다.

구름이 기다랗게 뻗어 있는 꿈

다툼이나 경쟁에서 패배하다가 순간 역전되어 마침내 승리를 거두게 될
징조이다.

위로는 뭉게구름 모양으로 높이 솟아오르고 아래로는 비를 머금은 짙은 구름이 있는 꿈

남에게 협박당하거나 위협받을 일이 생긴다. 그러나 협박당하거나 위협
당하더라도 하나의 으름장과 같은 것이니 그렇게 두려워할 것은 못된다.

구름들이 갑자기 흩어져 걷히면서 파란 하늘이 보이는 꿈

상담이나 회담 결과가 결렬되었다고 다시 성립될 징조이다.

구름들이 바람에 흩어져 버리는 꿈

괴로움이나 근심 걱정거리가 사라지고 상황이 호전될 것이다.

구름 위에 높은 산봉우리가 솟아 있는 꿈

사업가는 사업이 순조롭게 이루어지고 많은 사람들로부터 존경을 한 몸

에 받는다. 그러나 산봉우리를 구름이 둘러싸고 있다면 사소한 일에 방해를 받아 뜻을 잘 이룰 수 없게 된다.

큰 나무가 구름 속으로 올라가 가지 끝이 보이지 않는 꿈
머지않아 불행한 일이 닥쳐 뜻을 이루지 못한다. 매사 언행에 조심해야 한다.

구름 사이로 새들이 어지럽게 날아다니고 있는 꿈
좋지 않은 일이 다가오고 있음을 암시해 주는 꿈이니 매사를 신중히 처리하여야 한다.

구름 속에 무엇인가 있는 것 같은데 잘 알 수 없는 꿈
주변의 일에 의문점이 생겨 고민하게 될 것이다. 자칫 남에게 속아 넘어가거나 사기를 당할 염려가 있다.

하늘에 갑자기 먹구름이 끼고 새들이 지저귀는 꿈
가족이나 친척 중에 걱정거리가 생기거나 가족 친척 문제로 고민하게 될 것이다.

구름 속에 별 하나가 반짝거리는 꿈
좋은 지도자나 선배를 우연히 만나 도움을 받게 될 것이다.

구름 위를 걸어가는 꿈
매우 불안정한 심리상태로 마음을 다스려 줄 귀인을 만나야 한다.

구름을 타고 가는 꿈
바라던 일이 뜻대로 이루어진다. 자신의 잠재력을 발휘하여 수많은 사람들로부터 인정을 받고 신임을 얻게 된다.

온 하늘을 갑자기 검은 구름이 뒤덮어 어두워지는 꿈

머지않아 불행한 일이 일어날 것이다. 특히 관제를 조심해야 한다. 즉 경찰, 재판, 세무에 관한 문제로 괴로움을 겪게 된다.

구름 사이로 햇살이 분산되어 흐릿하게 비치는 꿈

구름 사이로 내비치는 햇살을 보면 머지않아 좋은 선배나 지도자를 만나게 되어 앞길이 트인다.

구름 속으로 용이 날아 올라가는 모습의 꿈

때를 만나 자신의 역량을 충분히 발휘하게 되어 인재로서 인정을 받아 놓은 자리에 오르거나 리더가 되어 많은 사람들을 거느리게 된다.

붉은 구름이나 하얀 구름이 보인 꿈

모든 일이 순조롭게 이루어지고 좋은 일이 있을 것이다.

✿ 비

비가 조용히 부슬부슬 내리는 꿈

자칫 인정에 끌리어 일을 그르치거나 사람의 감정에 빠져 신세를 망치는 수가 있다.

소나기가 오는 꿈

전혀 생각지도 못했던 좋은 일이 찾아온다. 그러나 이 때 비에 흠뻑 맞은 것을 지나치게 걱정하면 도리어 근심 걱정스런 일이 찾아오게 된다.

하늘이 파랗고 날씨가 맑은데 갑자기 비가 잠깐 뿌리다 그치는 꿈

여우빈데, 감추고 숨겼던 사물이나 사건이 세상에 드러나 밝혀질 것이다.

비가 지붕이나 천장에서 새는 꿈

돈이 들어오는 꿈이다. 새는 빗물을 그릇을 놓고 받는 꿈이면 재산이 불어나는 등 최고의 행운을 의미한다.

비를 맞으며 걸어가는 꿈

생각지도 못했던 곳에서 돈이나 재물이 들어온다. 그러나 비에 신발이나 양말이 젖는 꿈은 병에 걸리거나 생각지도 않은 데서 손실을 보게 된다.

비가 내리는데 등산을 하는 꿈

난처한 경우를 당하지만 노력을 하여 마침내 목적을 이루게 된다.

비가 내리는 빗속을 우산을 받고 걸어가는 꿈

자연적인 혜택을 받거나 사회적인 혜택을 받아 행복하게 된다.

비는 오는데 쓰고 갈 우산이 없는 꿈

주변 사람이나 선후배의 도움이나 간섭을 받지 않고 혼자 자신의 길을 걸어가게 될 조짐이다. 그래서 앞길이나 하는 일이 정체 되거나 막히는 경우가 많다.

비 오는데 우산을 둘이서 같이 쓰고 가는 꿈

협력자를 만나서 새로운 일을 도모한다.

누군가가 자신을 기다렸다가 우산을 씌워 준 꿈

어려운 기로에서 이끌어 줄 귀인을 만나게 된다.

비가 내리는 가운데 강이나 내, 바다를 건너는 꿈
소원이나 목적이 이루어지게 된다. 그러나 배를 타고 건너는 꿈은 애인이나 남녀 사이에 고민이 생긴다는 암시이다.

우산이 작아서 비를 맞는 꿈
주변 사람들이나 중개인 등의 적극적인 협조를 받지 못해서 손해를 보거나 피해를 당하게 된다.

비가 못자리나 묘판에 내리는 꿈
자손에게 좋은 일이 있을 조짐이다.

빗속을 개나 고양이가 달려가는 모습을 본 꿈
소매치기나 도둑을 맞을 조짐이니 주의하여야 한다.

비가 많이 쏟아져 냇물이나 강물이 불어난 꿈
소원이나 목적을 이룰 수 있는 기회가 온다.

비를 맞아 다른 사람의 우산 속으로 뛰어드는 꿈
생각지도 않은 좋은 일이나 기쁜 일이 찾아올 것이다.

빗속을 동물이 달려가는 광경의 꿈
목적한 목표나 소원이 이루어지지 않을 것이다. 특히 사기를 당하거나 도둑맞을 염려가 있으므로 조심할 일이다.

비가 풀숲이나 나무에 쏟아지는 모습의 꿈
목적한 일이나 소원이 머지않아 이루어지게 된다.

큰 비가 내리는데 배를 띄우는 꿈

여자 문제로 사건이나 사고가 생길 조짐이다.

오던 비가 그치고 날씨가 맑아지는 꿈

순간적인 욕망이나 욕구를 해결하게 되어 얼마 동안은 기쁨과 즐거움으로 지내게 된다.

비가 그치고 무지개가 서는 꿈

남에게 돈을 빌려주게 된다든지 갑자기 물건을 사야 한다든지 하여 가지고 있던 돈이 많이 지출하게 된다.

비가 창문이나 문틈으로 들이치는 꿈

하던 일, 사업이나 그 동안에 쌓아 왔던 업적이 세상에 알려져 인정을 받게 된다.

❀ 눈

눈이 내리기 시작하는 꿈

온몸에 눈을 맞는 꿈은 하는 일이나 소원이 이루어져 성공을 하게 된다. 그러나 눈을 맞고 있는데 머리나 옷에 눈이 묻지 않는 꿈은 재난을 당하거나 병에 걸릴 것을 암시한다.

내리는 눈을 맞으며 등산하는 꿈

고난과 어려움을 참고 견디면 마침내 피땀의 노력의 결실을 맺어 소원이나 목표가 달성될 것이다.

눈 속에서 낚시질하여 고기를 낚은 꿈

장사하는 사람은 큰돈을 벌게 되고 사업은 크게 번창할 것이다.

눈이 사방에 내려 온 세상이 눈의 세계가 되어 있고 끝없이 펼쳐진 쓸쓸한 은세계를 본 꿈

이러한 은세계는 수면과 죽음, 고독과 슬픔, 인내를 상징하므로 자식이나 부모와 떨어지거나 부부간에는 헤어져 고독한 생활을 한다는 암시이다.

붉은 눈이 내리거나 눈이 붉게 물드는 꿈

생각지도 않은 돌발 사고로 상처를 입거나 불행한 일을 당한다는 조짐 이니 주의하여야 한다.

눈이나 눈 더미가 물을 따라 흘러가는 꿈

그 동안의 노력이 물거품처럼 되어 버린다는 좋지 않은 꿈이다. 그 좋지 않은 정도는 눈 더미나 눈의 크기에 따라 크기도 비례한다.

눈이 내리는 눈 속에서 뛰어 노는 아이들을 본 꿈

바라던 희망이나 계획한 일이 뜻대로 되지 않고 좌절하게 된다.

눈이 내리는데 여름옷 차림으로 돌아다니는 꿈

병에 걸리거나 건강에 문제가 생길 염려가 있거나 손실, 손해를 입을 조 짐이다.

눈 덮인 산봉우리에 서 있는 꿈

사회적으로 인정을 받아 책임자가 되거나 높은 자리에 올라설 조짐이다. 미혼 남녀는 머지않아 훌륭한 배우자을 얻는다.

눈 덮인 길 위에 발자국이 나 있는 꿈

경쟁 상대나 다른 사람에게 선두를 빼앗기게 되어 낙망할 일이 있을 것이다.

눈 속에 꽃이 피어 있는 꿈

생각지도 못한 데에서 손실이나 손해를 보게 되니 매사를 신중하게 행동해야 한다.

눈이 소복이 쌓여 있는 꿈

하얀 눈이 높이 쌓여 있는 광경을 보면 살림이 불어나 생활이 넉넉해지거나 수입이 좋아 살기가 편하게 될 조짐이다.

산봉우리 위에 눈이 쌓여 있는 것을 본 꿈

걱정거리나 고민해야 할 일일 잇달아 생겨난다.

사방에 눈이 내려 눈 속에서 길을 잃고 헤매는 꿈

하는 일이 정체되거나 슬럼프에 빠질 것이며 자칫 실패로 끝날 염려가 있다.

눈을 먹는 꿈

주변에 협력자나 후원자가 생기게 되어 정신적으로나 물질적으로 도움을 받게 된다. 청춘 남녀는 연인이 생기게 되어 즐거운 나날을 보낸다.

지붕 위에 눈이 소복이 쌓여 지붕이 무너질 듯한 꿈

머지않아 불행한 일이나 재해를 당하여 살기가 어려워질 것이다.

나뭇가지에 눈이 쌓인 꿈

맡은 책임이 무거워지거나 앞뒤가 가로막혀 곤궁에 빠질 염려가 있으나 눈이 살짝 쌓여 있으면 머지않아 좋은 일이 있다.

첫눈이 내려 쌓이는 것을 본 꿈

금전 거래나 상업상의 교섭이나 혼담 등이 생각대로 잘 진전된다.

다른 사람이 눈을 맞고 있는 모습을 본 꿈

남에게 고소당하거나 부모님의 병환이 위독하게 되거나 부모를 여의게 될 조짐이다.

눈이 오는 눈 속에서 아름다운 여인을 만나는 꿈

혼담이나 사랑이 깨질 우려가 있다.

눈 더미가 무너지거나 눈사태가 나는 꿈

실패나 좌절을 체험하거나 질병에 시달리게 될 것이다.

눈을 쓸어내는 꿈

아직 해결되지 못한 일이 차차 풀리기 시작한다.

큼직큼직한 눈송이가 방안에 내려 쌓이는 꿈

난데없는 재물이나 돈이 들어올 조짐이다.

눈송이를 뭉쳐 눈덩이를 만드는 꿈

주문이나 청원이 많이 들어오거나 사업 자금 등 자금이 들어올 조짐이다.

눈덩이를 던져 상대방을 때리거나 맞히는 꿈
경쟁하는 상대와 더욱 치열하게 경쟁을 벌여야 할 일이 생긴다.

눈이 대나무 위에 내려 대나무 가지가 휘는 꿈
노력한 결실을 맺고 머지않아 승급 승진할 조짐이다.

눈 속에서 죽순을 캐는 꿈
뜻밖에 진귀한 물건을 얻거나 싸게 매입하게 될 것이다. 실직자는 직장을 얻게 될 것이고 직장인은 승급을 하게 된다.

눈과 서리가 내리는 꿈
매사가 순조롭게 이루어진다는 조짐이다.

✿ 안개 · 아지랑이 · 서리 · 이슬

동쪽 하늘에 안개가 자욱이 끼는 광경의 꿈
모든 일이 계획한 대로 잘 되어 가고, 적극적으로 추진해도 좋다. 혼담이나 사업적인 상담도 뜻대로 이루어지고 수험생은 시험에 합격한다.

짙은 안개가 바람에 걷히거나 깨끗이 사라지는 꿈
걱정거리나 신경 쓰던 일이 사라지고 바라던 일이 이루어진다.

짙은 안개 때문에 사방이 어둑해지는 꿈
병에 걸리지 않도록 조심해야 하며 헛소문 때문에 뒤로 물러서거나 막히는 사태가 일어날 조짐이니 유의해야 한다.

짙은 안개가 걷히지 않고 계속 끼어 있는 꿈

걱정거리나 근심할 일이 많고 자칫 남과 말다툼할 조짐이 있다. 또한 병에 걸릴 염려가 있으니 건강에 조심해야 한다.

안개 속에 자동차, 기차, 배 등이 움직이는 모습이 아련히 보이는 꿈

해 오던 일이나 진행 중의 일이 방해를 받아 막히거나 정체되어 예상 밖의 사태가 일어날 징조, 모든 일이 난항을 겪게 될 조짐이다.

아지랑이가 피어오르는 꿈

지금까지 막혀 있거나 정체된 불운이 트이고 행운이 찾아온다는 조짐이다. 그러나 자칫 다른 사람이나 경쟁자와 말다툼할 일이 생기게 된다.

이슬에 옷이 젖은 꿈

이슬은 정신적인 정서와 풍요를 상징하므로 대접을 받는 등 먹을 것이 생긴다. 또한 수많은 사람들에게 환대를 받는 등 좋은 일이 있을 것이다.

이슬이 내린 길을 걸어가는 꿈

자신이 지닌 기량이나 솜씨를 인정받아 목적을 이루게 된다. 청춘 남녀는 사랑을 이루게 될 것이다.

풀잎의 이슬방울이 햇살을 받아 반짝이는 꿈

이익이 나거나 재물이나 돈이 들어와 저축하게 된다. 환자는 병이 차차 나아진다.

이슬을 먹는 꿈

활발하게 활동하는 시기임을 암시하므로 적극적으로 나서면 좋은 성과를 거둘 것이다. 환자가 이슬을 먹으면 그 동안의 치료가 효험을 보아 머지않아 완쾌된다. 그러나 환자가 이슬에 흠뻑 젖은 꿈은 병세가 악화되거나 중태에 빠진다는 뜻이다.

이슬방울을 손으로 잡는 꿈
가까운 시일 안에 문제가 해결되거나 받을 돈을 받게 되어 돈이 들어올 것이다. 부인이 이 꿈을 꾸면 임신한다는 태몽이기도 하다.

싸리나무 가지에 맺힌 이슬을 본 꿈
미혼 남녀는 혼담이 있을 것이다. 또한 사업가나 일반 남성은 좋은 일이 있을 것이다.

이슬을 그릇에 담는 꿈
재산이 낭비되거나 병에 걸릴 염려가 있으니 건강에 주의해야 한다.

이슬이 내린 길에서 아침 해를 보고 절을 하는 꿈
사회적으로 인정을 받고 높이 되거나 유명해질 징조이다.

서리가 내려 사방이 하얗게 덮인 광경을 본 꿈
하던 일이나 사업이 하향하는 불운을 나타낸다.

하얗게 서리가 내린 길 위에 개의 발자국이 있는 꿈
도둑을 맞거나 물건을 잃어버리고 아랫사람이 자신의 돈을 가로채는 등 좋지 않은 일이 일어난다.

서리가 내려 숲이나 나무, 꽃이 말라 죽은 꿈
하던 일이나 사업이 진척되지 않고 자칫하면 파산까지 이르게 된다. 가정불화가 일어날 수도 있으니 유의해야 한다.

서리가 내리는데 나무들이 꽃을 피우고 있는 꿈

번민이나 고민으로 정신이 집중되지 않아 자칫하면 큰 실수를 하거나 추태를 보여 망신을 당할 염려가 있다.

🎎 얼음, 우박, 천둥, 번개, 벼락, 바람, 무지개, 지진

얼음이 어는 것을 본 꿈

힘든 처지를 참지 못하여 마침내 실패로 끝난다는 조짐이 있다.

우박이 많이 쏟아지는 꿈

집안이나 회사 안의 내분이 일어날 조짐이 있음을 알리는 예지몽이다.

천둥소리를 자동차 안이나 배 위에서 듣는 꿈

여자에 관한 기쁜 일이 있거나 여자로 인하여 즐겁거나 좋은 일이 생길 것이다. 또는 바람날 일도 있을 수 있으니 행동을 조심하도록 한다.

천둥소리가 들려오는 꿈

소식을 모르던 사람이 갑자기 나타나서 깜짝 놀라거나 장사하는 사람은 갑자기 물건이 불티나듯 팔리는 등 큰 이익이 생긴다. 사회적으로 신임을 받아 지위가 오르고 출세를 하게 될 조짐이다. 이사를 가거나 이전을 하는 등 장소나 거래처 등을 옮기면 좋은 일이 생긴다.

싸라기가 내리거나 내린 꿈

아차 하는 순간에 잘못하여 큰 불행한 사건을 일으키게 된다.

천둥소리에 놀라서 사람들이 무서워 떨고 있는 꿈
사고, 재난을 당할 조짐이고 때에 따라 목숨도 잃어버릴 수 있다.

천둥소리가 땅에서 울려오는 꿈
하는 일마다 뜻대로 이루어진다.

번갯불을 본 꿈
하는 일마다 순조롭게 되고 좋은 곳으로부터 초대를 받기도 한다.

번갯불이 하나의 띠처럼 길게 번쩍이는 것을 본 꿈
부부 사이에 불화가 생기거나 별거 또는 이혼하게 되거나 생이별하게 될 징조이다. 실연의 아픔을 겪게 된다.

번갯불이 집안으로 들이비치는 꿈
재물이나 보물을 얻게 된다.

번갯불이 배 위를 비추는 꿈
내분이나 갈등이 해소되고 서로 융합하게 된다.

번갯불이 자신의 몸에 비추는 꿈
사회적으로 인정받고 신임을 얻어 지위가 높아지고 이름이 세상에 널리 알려지거나 집안에 경사가 생긴다.

번갯불이 바다 속에서 불기둥처럼 솟아오르는 광경을 본 꿈
의심받거나 혐의를 받은 일이 환하게 밝혀져 누명을 벗게 된다.

벼락을 맞는 꿈

슬픈 일이나 불행을 맞게 되리라는 예지몽이다. 그러나 벼락을 맞을 뻔 하거나 벼락이 다른 데에 떨어지는 꿈은 좋은 일이 있을 것이다.

벼락이 떨어져 불이 난 광경을 본 꿈

생각지도 않았던 좋은 일이 생기거나 국가나 사회적인 명예를 얻게 되어 이름을 날리고 포상을 받게 된다.

벼락이 떨어져 나무가 부러지거나 기울어지는 꿈

가족이나 친족의 누군가에 불행한 일이 일어난다는 조짐이다. 또는 강력한 압력을 받아 사업이 정체되거나 수술해야 할 병에 걸린다.

벼락이 떨어져 바위가 부서지는 광경을 본 꿈

국가나 사회적으로 큰 변혁이나 개혁 또는 쿠데타가 일어날 조짐이다.

벼락 때문에 전기가 나가거나 등불이 꺼지는 꿈

한 집안이나 회사의 기둥이 되는 주요한 사람에게 큰 재난이 닥치거나 사업이 잘 진척되지 않음을 예고한다.

비가 오는데 벼락이 치는 꿈

윗사람이나 선배가 후원해 줘나 이끌어 주어 마침내 입신출세할 징조이다. 사업하는 사람은 사업이 크게 번창할 것이다.

벼락이 산길에 떨어지는 것을 본 꿈

소원이나 소망이 뜻대로 이루어지고 목표를 달성할 조짐이다. 수험생은 시험에 합격한다.

천둥 벼락이 치는 가운데 내나 강을 건너가는 꿈

시련을 이겨 내고 마침내 자기가 바라던 목적을 이루게 된다. 자동차로 달리는 꿈은 좋은 곳으로 인도되어 성공하게 된다는 조짐이다. 그러나 천둥 벼락 치는 빗속을 우산을 쓰고 가는데 우산이 부서지는 꿈은 좋지 않은 일이 일어난다.

바람을 향하여 걸어가는 꿈

괴로움이나 시련을 극복하여 마침내 목적을 이루게 된다.

바람을 등지고 걸어가는 꿈

순풍에 돛단 듯 모든 일이 순조롭게 잘 되어 나간다. 큰 어려움이나 난관 없이 주변 사람들의 협력과 후원을 받아 마침내 목적을 이루게 된다.

옷을 벗길 정도로 바람이 세차게 부는 꿈

질병에 걸릴 염려가 있으니 건강에 유의해야 한다. 바람에 옷자락이 날리는 꿈은 몰래 간직했던 비밀이 세상에 알려지게 되니 조심해야 한다.

바람에 나뭇가지가 꺾어지거나 나무가 쓰러지는 꿈

외부의 세력이나 압력 때문에 인재를 잃거나 재산상 손해를 보거나 집안이나 화시가 몰락하게 될 것이다.

바람을 타고 공중을 날아가는 꿈

남에게 속아서 선두를 뺏기거나 사기당할 수가 있으니 유의하여야 한다.

불길이 바람을 타고 더욱 세차게 치솟는 광경을 본 꿈

사회적으로 신임을 얻어 협조를 받거나 후원을 받아 사업이 더욱 번창하게 된다.

비와 함께 강한 바람이 세차게 불어대는 꿈

계속해서 괴로움과 시련에서 벗어나지 못하게 된다.

바람에 빨래가 날아가는 꿈

남에게 속거나 사기당할 염려가 있으니 조심하여야 한다.

강풍으로 기왓장이 날아가는 꿈

앞뒤가 막혀 어떻게 할 수가 없게 될 것이라는 조짐이다. 집이나 거처를
옮겨야 운이 트인다.

강풍으로 모래 먼지가 뿌옇게 날아가는 꿈

친구나 잘 아는 사람이 갑자기 죽게 된다는 암시이다.

큰 비바람이 세차게 불어 닥치는 꿈

다른 사람의 방해를 받거나 자신도 모르게 실수를 하여 일을 그르치거
나 일이 잘 풀리지 않는 등 어렵고 힘든 처지가 계속된다.

폭풍이 불어 닥치는 꿈

갑자기 사건 사고가 잇달아 그 동안 쌓아 온 재산, 부동산, 증권, 주식, 보
석 등을 잃게 되거나 큰 돈을 쓰지 않으면 안 되게 된다. 어쩌면 가장 소
중한 가족의 사랑마저도 잃어버리게 될지도 모른다.

폭풍이나 태풍으로 집이나 건물 등이 쓰러지는 꿈

폭풍이 불어 닥치는 꿈과 같이 정신적으로나 물질적으로 위기가 닥쳐왔
음을 알린다.

동쪽에 뜬 무지개를 본 꿈

윗사람이나 선배의 도움이나 후원을 얻어 행운의 기회를 맞아 불운하고 불행한 일이나 걱정거리 등은 모두 해소된다.

서쪽에 뜬 무지개를 본 꿈

도난을 당하거나 사기를 당할 염려가 있다.

남쪽에 뜬 무지개를 본 꿈

진수성찬의 대접을 받게 된다.

쌍무지개가 떠 있는 꿈

부부 사이나 부모 자식 사이에 불화가 생기어 따로 떨어져서 별거하거나 반목을 하게 될지도 모르니 주의해야 한다.

무지개가 절반밖에 보이지 않는 꿈

하던 일이 중도에서 흐지부지해지기 쉬워 목적을 이룰 수가 없다.

땅에 떠 있는 무지개를 본 꿈

아랫사람이나 주변 사람들에게 배신당하여 재물이나 목돈을 빼앗긴다.

비가 내리는데 무지개가 떠 있는 꿈

머지 않아 기쁜 일이 찾아오고 또한 음식 대접을 받게 된다.

무지개가 떠 있는 다리를 건너가는 꿈

바라던 일이나 목표가 이루어질 것이다.

무지개 아래로 냇물이나 강물이 흐르는 꿈

의논하는 일이나 사업상 교섭이 바라는 대로 이루어질 조짐이다. 결혼 상대와의 혼담도 성사되고 또한 승진, 입학, 취직도 뜻대로 된다.

무지개가 산 사이에 걸려 있는 꿈

명예를 얻거나 재물, 돈이 들어온다.

무지개 속으로 태양이 비춰 보이는 꿈

뜻밖의 사람으로부터 신임을 받고 후원을 받아 마침내 성공하게 된다.

무지개를 타고 건너가는 꿈

바라는 일이나 희망이 뜻대로 이루어지고 기쁜 일이 있을 것이다.

무지개가 있고 새들이 떼를 지어 날아다니거나 지저귀는 꿈

즐거운 놀이에 빠져 재산을 낭비하게 될 조짐이다. 지나치면 가산을 탕진하고 망신을 당한다.

지진이 일어난 꿈

운수가 기울어지고 있음을 나타내며 가벼운 미진일 경우에는 주소나 직장을 옮기는 정도의 변동을 예고한다.

지진으로 물건이 떨어지거나 유리창이 흔들리는 꿈

부부 간의 불화나 사업의 정체나 소송 사건에 시달림을 받게 된다.

지진으로 산이 무너져 내리는 꿈

머지않아 걱정거리나 번민하던 문제가 한꺼번에 터져서 문제가 된다.

제 2 장
땅에 관한 꿈

✿ 땅

땅바닥에 앉은 꿈

글공부나 어떤 수련을 하게 됨을 나타낸다. 따라서 술과 음식 등 환대를 받게 될 것이다.

땅바닥 위에 드러눕는 꿈

질병에 걸리거나 고생스러운 생활이 시작됨을 알리는 예지몽이다.

땅바닥을 청소하는 꿈

머지않아 하는 일이 막히거나 정체되어 재산을 탕진하거나 재물을 낭비하게 될 조짐이므로 주의해야 한다.

땅바닥이 왠지 붉거나 하얗게 되는 꿈

좋지 못한 일이 일어날 것임을 알리는 예고몽이므로 매사에 주의하기 바란다.

땅이 온통 파랗게 되어 있는 꿈

노력한 보람이 있어 모든 일이 잘 된다. 수험생은 시험에 합격하고, 실직자는 직장을 얻는다. 사업가는 목표를 이루고 직장인은 승진한다.

땅 속이나 땅굴 속에 들어가는 꿈

자신의 현실에서 해결하기 어렵고 번거로운 고민이나 관재, 질병, 액운이 따른다.

땅을 파는 꿈

집안이나 회사 안에 분규와 갈등으로 다툼이 일어날 조짐이 있으니 다툼에 말려들지 않도록 조심해야 한다.

땅에 도랑을 파는 꿈

마침내는 목표를 달성하고 즐거운 생활을 누리게 된다. 그러니까 끙끙거리며 괴로워하지 말고 꾸준히 열심히 노력하며 즐거운 나날을 보내도록 해야 할 것이다.

땅에서 검은 연기나 연기 같은 것이 피어오르는 것을 본 꿈

가족이나 친족 중에 누군가가 죽음을 맞는다.

마치 땅바닥을 미끄러지듯 아주 신나게 달려 나가는 꿈

꿈과 같이 순풍에 돛을 단 듯 모든 일이 순조롭게 나가게 된다.

나무에 꽃이 피고 열매를 맺은 지상 낙원을 본 꿈

꿈과 같이 모든 일에 행복이 넘쳐흐르고 사업은 날로 번창하며 직장인은 승진에 승진을 거듭하게 된다.

대지가 둘로 갈라지는 꿈

목표는 달성하게 되지만 가정이나 회사에서 내분이 생길 징조이다. 따라서 세력 다툼이나 분규에 신경을 쓰도록 한다.

지면의 한 쪽이 떨어지거나 깎이어 나가는 모습을 본 꿈

주변에 재난이나 불행한 사고가 일어나게 되니 조심해야 한다.

널따란 대지가 온통 마른 풀로 덮여 있는 꿈

어려움이나 시련이 가까이 다가올 것이다. 평소에 마음의 준비와 함께 실력을 쌓아 놓도록 해야 한다.

대지의 흙을 손으로 움켜쥐는 꿈

부동산 등 재물이 손안에 들어올 것이다.

흙을 나르는 꿈

개인적인 자기 사업을 일으키게 될 조짐이다.

모래벌판을 걸어가는 꿈

하는 일이 잘 진척이 되지 않아 자꾸 정체되거나 허덕거리게 되고 뜻대로 일이 이루어지지 않음을 나타낸다.

흐린 날 들판을 바라보는 꿈

방해하는 사람이 있어 일이 계획했던 대로 풀리지 않는다.

땅을 파는 꿈

부인이 이 꿈을 꾸면 훌륭한 아이를 얻게 되는 태몽이다. 부동산, 증권, 주식 등에 투자한 자본이 큰 이득을 가져온다.

흙덩이를 남에게 던지는 꿈

다른 사람으로 인하여 손해를 보게 된다.

진흙투성이가 된 꿈

부끄럽고 창피당할 사건이 일어나게 된다.

흙이나 땅 속에 들어간 꿈

집이나 부동산이 손안에 들어오고 합격, 취직 등 기쁜 일이 있다.

땅 속에 몸을 엎드려 있는 꿈

환자는 죽을 시기가 다가왔음을 알리는 꿈이다.

흙으로 사람이나 동물 또는 도자기 등을 빚는 꿈

어려운 고비를 넘기고 좋은 작품을 만들어 내거나 새로운 사업을 벌려 큰 이득을 올릴 조짐이다.

나무 밑에서 황토 흙으로 산을 만드는 꿈

집안에 초상이 나 커다란 우환이 생긴다.

황토 흙이 신발이나 옷에 묻은 꿈

초상집에 갔다오면 질병을 조심해야 한다.

모래무더기나 모래 언덕을 쌓아올린 꿈

학문 연구에 깊이 몰두하거나 자기 발전을 위해서 많은 서적을 읽는다.

모래사장에 자기의 발자국을 남긴 꿈

어떤 기관에 자기의 행적을 남기게 된다.

강변 모래밭에서 여러 가지 물건을 캐낸 꿈

어떤 사업 기반에서 여러 방면으로 자원을 얻거나 권리가 주어진다.

모래산 중간이 허물어지고 폭포같이 물이 터져 흐른 꿈

입학시험이나 고시에 합격하게 된다.

흙에다가 씨앗을 뿌린 꿈

스스로 열심히 노력하면 좋은 결과가 있다.

사막 중간에서 길을 찾아 헤맨 꿈
어떤 단체에서 자기의 실력을 제대로 발휘하지 못한다.

몸이나 옷에 흙이 묻은 꿈
질병에 걸리거나 다른 사람 때문에 자신이 누명을 쓰게 된다.

남이 파 놓은 함정에 빠진 꿈
하는 일마다 제대로 풀리지 않고 몸에 병이 생기게 된다.

흙으로 정원을 돋우는 꿈
하는 일이 점차 기반을 튼튼히 잡아 날로 번창된다.

흙벽돌을 많이 만들거나 쌓아놓은 꿈
많은 지식을 얻거나 사업 자금이 생긴다.

진흙이나 수렁에 빠진 꿈
하는 일마다 제대로 풀리지 않아 곤경에 빠진다.

논밭의 흙이 검게 보인 꿈
사업상 자기에게 유리한 조건을 확보하게 된다.

자기 주변에서 흙먼지가 부옇게 일어난 꿈
사회적으로 불안하고 유행병이 번진다.

흙을 파서 금은보화나 고고학적 유물을 얻은 꿈
어떤 기관에서 연구나 사업성과를 얻고 권리나 횡재가 생기게 된다.

몸이 저절로 땅 속으로 빠져 들어간 꿈
토지를 많이 확보하거나 단체에서 세력을 쥐게 된다.

누런 흙탕물이 흐르는 것을 본 꿈
진리가 담긴 서적을 읽거나 특수 사업체와 관련을 맺게 된다.

흙을 빚어 여러 가지 형태를 만든 꿈
어려운 고비를 극복하고 성과물을 얻게 된다.

붉은 흙산이 갑자기 생긴 것을 본 꿈
사회적으로나 국가 방위상 불안한 일이 생긴다.

흙을 파서 집으로 가져온 꿈
뜻밖의 사업 자금이 여러 곳에서 생기게 된다.

흙을 파서 물건을 얻은 꿈
단체에서 그 물건이 상징하는 어떤 이득이 생긴다.

대지가 갈라지거나 금이 가 있는 꿈
나라에 재해가 닥치고 전염병이 퍼질 것이다.

땅 속에서 동물이나 불길이 나온 꿈
여러 방면으로 자기의 발전을 위해서 연구를 하게 된다.

지진이 난 꿈
가정 내에 언쟁이 일어나고 환자가 생겨 조용할 날이 없다.

땅

지진이 오랫동안 지속된 꿈
사업이나 장사가 호전된다.

자기가 땅에서 기어다니는 꿈
미혼녀는 자기보다 못한 남성에게 시집가며, 환자는 병이 더디게 호전된다. 상인은 물건 값의 시세가 떨어진다.

땅바닥을 연속 치는 꿈
승진하는 데 장애물이 없어진다. 파산 지경인 경우 좋은 꿈이다.

땅을 파는 꿈
길한 징조로 상인은 큰돈을 벌고 군인은 관운이 형통하나, 여성은 가난한 이에게 시집가는 등 좋지 않다.

진흙탕을 걸어서 지나간 꿈
위험과 불행에 부딪친다. 기혼 여성은 지잘수레한 일로 시끄러울 수 있다.

수렁에 빠진 꿈
병으로 앓아누워 일어나지 못한다.

진흙탕에 돌을 던진 꿈
부하와 말다툼을 하여 명예가 훼손된다.

온몸이 진흙으로 엉망이 된 꿈
신체가 건강해 진다.

여러 섬들이 보인 꿈
친구와 사이가 멀어진다.

어떤 섬에 기어오른 꿈
환자는 머지않아 건강해진다.

불모지를 본 꿈
남성은 건강이 나빠지고, 환자는 병이 잘 낫지 않는다.

양식을 저장한 땅굴을 본 꿈
마음에 드는 사람과 결혼을 하게 된다. 남성의 아내는 현모양처로 집안이 평안하고 화목할 것이다.

양식을 저장한 굴이 텅 빈 꿈
파산을 예고한다.

땅굴에서 연기 나는 꿈
재난이 닥칠 것이다.

지하도나 지하실에 숨은 꿈
남성은 재난에 봉착하고, 기혼 여성은 중병에 걸리거나 유산한다. 환자는 병이 낫지 않는다.

다른 사람이 지하도나 지하실에 숨은 꿈
관운이 형통한다.

아내가 지하에 숨은 꿈
부유해진다.

친구가 지하로 숨은 꿈
그 친구의 도움을 받게 된다.

구덩이가 보인 꿈
재난에 떨어진다.

구덩이에 빠진 꿈
사업이 실패하고 여성은 모욕을 당하며, 회사원은 강직을 당할 수 있다. 환자는 병상 기간이 길어지며, 상인은 장사가 망한다.

구덩이를 파는 꿈
여행자는 강도에게 도둑맞고, 재판 중인 자는 형을 길게 받으며, 군인은 전쟁에 나가 공을 세우고 훈장을 받는다.

배뇨 구덩이를 판 꿈
사업상 거래처를 확보하고 학자는 창작물의 기초를 마련한다.

먼지가 많은 꿈
좋은 이득이 있다.

먼지를 쓸어버리는 꿈
명예가 추락한다.

먼지 속에 뒹구는 꿈
재산을 모두 탕진할 징조이다.

토지를 받은 꿈
미혼 남성은 아름다운 아내를 맞이하고, 기혼 남성은 아내의 재산이 늘어난다.

토지가 끝없이 넓고 많은 꿈
생활이 부유하고 행복할 징조이다.

검은 색 토지를 본 꿈
장사에 손실이 있다.

곡식이 자란 토지를 본 꿈
큰 돈을 벌게 된다.

땅갈이를 하는 꿈
농사가 풍년이 된다.

땅을 사는 꿈
신체가 건강해진다.

땅을 파는 꿈
굶주림에 시달린다.

밭을 사는 꿈
선량하고 아름다운 아내를 얻거나, 장사가 잘된다.

밭을 파는 꿈
가족이 헐벗고 몰락한다.

밭, 가축, 가구를 본 꿈
노력이 성공한다.

농기계와 밭을 본 꿈
바다 건너 먼 곳에 가 장사를 하면 큰 돈을 번다.

아무 곡식도 심지 않고 묵힌 밭을 본 꿈
고난과 역경에 부딪친다.

곡식을 가득 심은 밭을 본 꿈
생활이 부유해진다.

묵은 땅에 곡식을 심은 꿈
집안에 말다툼이 생기거나 다른 사람과 언쟁이 발생한다.

불모지에 곡식을 심은 꿈
자녀가 없는 부부는 못생기고 게으른 자식을 낳고, 상인은 장사가 밑진다.

밭들이 빗물에 잠긴 꿈
수해를 입게 된다.

논밭에서 많은 농민이 경작하고 있는 꿈
큰 장사를 한다면 경영을 잘하여 아주 큰돈을 벌게 된다.

여성이 밭에서 일하고 있는 꿈

병에 걸리게 된다.

논이 보인 꿈

돈을 벌게 된다.

남의 소유지가 보인 꿈

경쟁 상대와 맞써 이겨 사업이 성공한다.

아내의 소유지가 보인 꿈

부부가 신혼처럼 언제나 화목하다.

널따란 정원을 본 꿈

기혼자는 자식이 번창하고, 환자는 건강을 회복하게 된다. 죄수는 석방될 좋은 꿈이다.

정원에서 잠을 잔 꿈

신체가 건강해지고 장수하게 된다.

다른 집 정원에 들어간 꿈

남성은 권세가 커지지만, 여성은 모욕당할 일이 생긴다.

화원을 산책한 꿈

큰 돈을 벌게 된다. 죄수는 석방된다.

화원에 나뭇잎이 떨어지고 꽃이 쓰러진 꿈

고통과 불행이 다가온다.

화원에 갖가지 아름다운 꽃이 가득한 꿈

미혼의 경우 좋은 배우자를 만나 결혼한다.

✿ 길

좁고 더러운 길을 가는 꿈

근심 걱정거리가 잇달아 생기고 자칫 질병에 걸릴 염려가 있다.

고속도로를 본 꿈

직접 차를 운전하고 있다면 앞으로 목적한 일이 이루어진다는 암시이며,
운전기사 옆에 앉아 있다면 좋은 협력자나 후원자를 얻는다.

길을 혼자서 쓸쓸히 터벅터벅 걸어가는 꿈

가까운 사람들과 떨어져 쓸쓸히 고독한 생활을 보내게 될 것이다.

모래사장 길을 걸어가는 꿈

모래 길은 발이 푹푹 빠져 걷기가 힘들다. 실제로 하는 일도 모두 곤란
한 상태에 빠지게 되어 정체되거나 목표를 이루지 못한다.

모래사장 길을 가는데 모래 먼지가 부옇게 일어나는 꿈

집안이나 친족 간에 문제나 말썽이 일어날 조짐이다. 하는 일도 진퇴양
난의 기로에 서게 될 것이다.

길에 검은 연기 같은 것이 피어오르는 꿈

갑자기 재난을 당하거나 불행한 일이 발생할 것이라는 조짐이다.

거친 들판이나 들판 길을 혼자서 걸어가는 꿈

걱정거리나 고민이 쌓이거나 실패 또는 재물을 잃어버리고 고독하게 될 조짐이다.

가는 길가에 수목이 울창한 꿈

하는 일이 번성하게 되고 큰 이득을 보게 된다. 그러나 수목이나 수풀이 너무 울창해서 발을 디딜 수가 없을 정도면 잘못 판단해서 일을 그르치거나 병에 걸릴 염려가 있다.

길을 따라 가는데 갑자기 앞의 길이 없어져 다른 길로 나아가는 꿈

지금까지 하던 일을 그만두고 다른 일을 하게 되거나 인생 항로를 바꾸게 되는데 자칫 좋지 않은 길로 들어서기가 십상이니 아주 신중히 조심해서 바꾸어야 한다.

길에서 갑자기 나비가 춤을 추며 앞길을 어지럽히는 꿈

난데없는 유혹의 손길에 현혹되기 쉬우니 조심해야 한다.

갈림길을 만나는 꿈

머지않아 근심, 걱정거리가 생기게 된다. 왼쪽보다 오른쪽으로 가는 길이 좋다.

여러 갈래로 갈라진 길을 만나는 꿈

걱정, 근심거리가 많이 생길 것을 암시해 준다.

질펀질펀한 진흙길을 걸어가는 꿈

계획 세웠던 일이 어려움이나 장애에 부닥쳐 난항을 겪게 된다. 갈수록 문제나 말썽이 잇따른다.

진흙이 튀겨 몸이 더럽혀지는 꿈

재난을 당하거나 사고가 나서 어려움을 겪게 될 것이다. 또 생각지도 않은 창피를 당하는 수가 있다.

막다른 길에 이르는 꿈

그 동안 노력한 보람도 없이 계획이 좌절되어 버리고 만다는 암시이다.

길을 여럿이 함께 걸어가는 꿈

같은 길을 가는 협조자나 경쟁자가 나타날 꿈이다. 이들을 어떻게 활용하느냐 포용할 수 있느냐에 따라 일의 성패가 달라진다.

산길을 걸어가는 꿈

재산과 돈이 들어올 길몽이다. 직장인은 지위가 오르고 자식을 둔 부모는 자식 덕을 보게 되고 사업하는 사람은 벌이는 일이 번창하다.

내리막길을 내려오는 꿈

불운이 행운 쪽으로 기울어 운수가 상승하는 시기임을 나타낸다. 따라서 모든 일이 잘 되어 나간다.

오르막길을 올라가는 꿈

운세가 하강하고 있음을 나타낸다. 따라서 모든 일이 정체되거나 침체되어 뜻을 이루지 못하게 된다.

길을 포장하고 있는 것을 본 꿈

사업 기반을 닦거나 일을 착수하게 된다.

기차 철교를 걸어서 건너는 꿈

자기 분수에 맞지 않는 일을 시작하여 항상 불안해하고 초조하다.

암흑 속에서 길을 찾아 헤매는 꿈

하고 있는 모든 일이 암담하게 느껴지고 미개척 분야에 종사하게 된다.

길이 매우 질펀질펀하여 빠지고 걷기가 힘든 꿈

질병에 걸려 신음하거나 생활에 불편을 느끼게 된다.

길에서 물건을 주운 꿈

일하는 도중에 방해물이 생겨 여러 번 고비를 겪게 된다.

눈앞의 길이 움직이듯 구불구불 뻗어나가거나 깃발이 나부끼듯 휘날린 꿈

자기의 정당성을 주장하지만 뜻대로 이루어지지 않는다.

호수를 중심으로 여러 방면으로 길이 뻗어 있는 것을 본 꿈

많은 지식이 있는 사람과 서로 이야기를 주고 받는다.

집 마당에서부터 큰 길이 나 있는 꿈

여러 방면으로 모든 일이 순리대로 풀린다.

길에 파놓은 함정을 뛰어넘거나 차를 탄 채 뛰어넘은 꿈

어렵고 힘든 여건을 잘 극복해 나간다.

거리가 사람들로 가득한 꿈

사람들이 놀랄만한 무서운 사고가 생긴다.

땅

좁디 좁은 거리를 걷는 꿈

주변 사람들과 심리적으로 불편한 관계를 반영한 꿈이다.

넓은 거리를 걷는 꿈

업무적으로 어려운 상황에서 벗어나게 된다.

낯선 사람이 걷던 길을 걷는 꿈

사업이 성공한다.

한 길을 원수와 동행한 꿈

원수와 다시 만나 경쟁해야 한다.

벗이나 아내가 동행하여 길을 걷는 꿈

의견이 불일치된다.

혼자 길을 걷는 꿈

경쟁자들이 늘어나게 된다.

여러 갈래 길에서 갈팡질팡한 꿈

생각지도 않던 소식을 듣게 되고, 새로운 연인을 만나게 된다.

길을 잃은 꿈

노력만 하면 돈을 벌 수 있다. 미혼 남성은 연인을 만나며, 환자는 건강을 회복하고, 회사원은 발탁되고 승진한다.

철도가 보인 꿈

장거리 여행을 떠나게 된다. 기혼 여성은 남편과 헤어지게 되고, 미혼 여성은 멀리 시집가게 된다. 죄인은 다른 감옥으로 이감되며, 군인은 적에게 기습을 당할 수 있다.

철도를 건너는 꿈
위험이 닥친다.

철도를 건설하는 꿈
권력이 더욱 커진다.

❀ 산

백두산이나 한라산 같은 명산을 우러러보는 꿈
이상이나 목표가 이루어졌음을 암시한다. 그러나 겨울철 눈이 덮여 있는 모습이나 등산하는 꿈은 오히려 고생과 어려움이 많다는 것을 나타낸다.

산을 정복하는 꿈
어려움과 시련이 있음을 암시한다. 하는 일이 정체되거나 좌절되는 일이 있을 것이다.

산을 오르다가 다른 사람을 만나는 꿈
주변이나 선후배들로부터 후원이나 협조를 받게 되어 뜻을 이루게 될 것이다. 수험생은 시험에 합격될 것이고 연인은 결혼을 할 것이며 실직자는 직장을 얻게 되는 등 좋은 결과를 가져올 것이다.

산을 내려오는 꿈
산을 천천히 내려오는 것은 하는 일이나 사업 등이 큰 문제가 없이 순조

땅

롭게 진척될 것이나 황급하게 내려오는 꿈은 반대로 모든 일이 막히고 침체되거나 큰 손실을 보게 될 것이다. 자칫 병에 걸리는 수도 있다.

땅

높은 산봉우리 아래에 구름이 가로 길게 뻗쳐 있는 꿈

사업을 하거나 공부를 하거나 무슨 일을 하든 선두 주자로 명성을 얻을 것이다.

산 속에 꽃이 피어 있는 것을 본 꿈

지금 하고 있는 일을 통한 사람들과 교제하는데 많은 돈을 낭비하게 된다.

야산을 거닐거나 산책하는 꿈

모든 일이 갈피를 잡을 수 없게 된다. 환자는 병세가 더 악화된다.

야산이 울창한 숲으로 덮여 있는 모습을 본 꿈

하는 일이 뜻대로 이루어지고 사업은 더욱 번창할 것이다.

산 속에 상여를 메고 가는 모습을 보는 꿈

현재 일하고 있는 직장에서 승진하거나 급여가 오르는 등 금전적으로 좋은 일이 생긴다.

산 속의 동굴 안으로 들어가는 꿈

좋은 집이나 좋은 자리를 얻게 되어 생활이 안정될 것이다.

산 속에서 무덤을 보는 꿈

어려운 고비를 넘기고 마침내 큰 이득을 얻게 된다.

봄과 여름에 산 속에서 사는 꿈

자연적인 혜택이나 주변의 도움을 받는 등 큰 행운을 잡게 된다.

산봉우리에서 빛이 나는 것을 본 꿈

인간관계나 이성간의 관계가 원만해져 편하게 일할 수 있게 된다.

산을 급히 뛰어오르는 꿈

불운에서 행운 쪽으로 호전되어 감을 암시한다. 주변 사람들 특히 윗사람의 후원으로 마침내 큰 일을 해낸다. 반대로 산을 뛰어 내려오는 꿈은 손해를 보게 된다.

산의 케이블카로 천천히 내려오는 꿈

직장인은 승진하게 될 것이고 사업가는 날로 재산이 불어날 것이다.

무거운 짐이나 등산 장비를 짊어지고 산을 오르는 꿈

그 동안 노력한 보람이 있어 뜻을 이루게 된다. 여성이 이 꿈을 꾸면 임신하게 되는 태몽이다.

산에 올라 옷을 흔드는 꿈

그 동안 골머리를 앓고 있던 걱정거리 문제들이 말끔히 사라져 힘차게 나아갈 수 있게 된다.

산에 올라 나뭇가지를 꺾는 꿈

모든 일이 남의 방해나 압박을 받아 좋지 않은 일이 일어날 조짐이다.

산불이 난 광경을 보거나 산불이 타오르는 것을 본 꿈

상업적인 상담은 순조롭게 이루어지고 수험생은 시험에 합격하고 연구가는 좋은 결실을 맺는다.

산 속에서 금, 은이나 보물을 캐내는 꿈
실제로도 재물이 들어오고 사업이 번창하거나 직장인은 승진하는 등 좋은 일이 잇따를 것이다.

산 속에서 논밭을 일구는 꿈
재물이 들어오고 의식이 풍부해져 풍족한 생활을 하게 된다.

산 속에서 길을 잃어 헤매는 꿈
주변 사람이나 믿었던 사람에게 배신당하거나 사기를 당하여 엄청난 손실을 보게 된다. 또한 수험생은 시험에 실패할 징조이다.

산 위에 올라 멀리 바다를 내려다보는 꿈
부부간이나 친족 간에 화목하게 지내 집안이 잘 살게 되고 가업이 번창하게 된다.

산 위에 올라 멀리 배가 떠가는 것을 바라다 본 꿈
무심코 베푼 호의가 인정을 받아 큰 도움을 받게 되고 일이 순조롭게 풀린다.

산과 산을 날아다니는 꿈
오지랖이 넓어 남의 일에 곧잘 참여하여 스스로 위험을 끌어안거나 고생을 사서 하게 된다. 또한 감언이설에도 조심해야 한다.

높은 산에 올라 파란 하늘을 쳐다보는 꿈
노력한 보람이 있어 풍부한 결실을 맺는다.

소나 말을 끌고 험한 산을 오르는 꿈

큰 재난이나 난리가 있을 징조이다. 어려운 결단이나 결심을 해야 하는 좋지 않은 꿈이다.

산에 갔다가 조난을 당하는 꿈

모든 일에 매우 위험하게 된다는 암시이다. 회사라면 부도 직전, 수험생이라면 불합격, 환자라면 죽음의 직전임을 알린다.

산에 오르는데 매우 험한 곳에서 두려움에 떠는 꿈

직장인은 승진을 하고 사업가는 재운의 혜택을 받게 된다.

산이 높고 바위가 가려 길이 보이지 않는 꿈

고생하고 애쓴 보람도 없이 모두 수포로 돌아간다는 암시이다. 이 때 밀고 나가면 더욱 곤란에 빠지니 조심해야 한다.

등산하는데 산이 무너져 내리는 꿈

재난이나 사고 등으로 다시 돌이킬 수 없는 지경에 이른다. 그 원인은 실력이나 재력이 부족했기 때문이므로 나은 실력이나 재력을 기르는 것이 급선무이다.

산사태가 나는 광경을 본 꿈

지금까지 애써서 쌓아올린 성과가 한꺼번에 무너져 내릴 조짐이다. 또 윗사람이나 선배의 신상에 걱정거리가 생겼음을 알리는 꿈이다.

높은 산에서 살고 있는 꿈

얼마 후에 기쁜 소식이 온다. 산이 봄이나 여름이면 소식은 더욱 좋은 소식일 것이다.

골짜기 밑으로 굴러 떨어지거나 발을 헛디뎌 추락하는 꿈

사업가는 도산하게 되고 직장인은 직장을 잃게 된다. 그러나 골짜기 밑에서 다시 살아 올라온 꿈이면 주변 사람이나 친지로부터 협조를 받아 다시 일어날 수 있다.

험한 골짜기를 만나 앞으로 더 나아가지 못하는 꿈

현실에서도 좌절하게 되어 앞으로 더 진척하지 못하게 된다.

아름다운 계곡을 만나게 되는 꿈

한동안 휴식을 얻게 된다는 암시이며, 휴식이나 휴양이 필요함을 알려 주는 꿈이다.

아주 황폐한 계곡을 본 꿈

행운에서 불운 쪽으로 운수가 기울고 있음을 알려 주는 꿈이다. 자중하면서 때를 기다려야 한다.

깊은 산중에서 신적인 존재가 내려온 꿈

큰 협조자를 만나게 된다.

산맥의 모형도를 그린 꿈

사회적으로 자기의 실력이나 작품을 인정받아 세인의 관심을 끌게 된다.

산에서 지도를 그린 꿈

윗사람에게 청원할 일 혹은 신앙에 의지할 일이 생기게 된다.

산을 짊어지거나 산을 떠밀고 들어올린 꿈

강대한 세력이나 단체를 자기 마음대로 움직일 수 있는 실력자가 된다.

적진의 산 정상을 점령한 꿈
어떤 현상 모집에서 입선을 하거나 단체 경기에서 우승을 하게 된다.

날아서 산 정상에 오른 꿈
가장 빠른 방법으로 목적을 달성하게 된다.

산속에서 신발을 잃어버린 꿈
자기 작품이나 일거리가 보류된 채 발표되지 않는다.

지팡이를 짚고 산을 오른 꿈
협조자가 유리한 방향으로 일을 진행시켜 나간다.

바라보고 있는 산이 짐승이나 사람으로 변한 꿈
정치가, 사업가로서 큰 세력을 얻게 된다.

산 정상 또는 언덕 위에 사람이 많이 모여 있는 꿈
자기와 뜻을 같이 하는 사람을 만나게 된다.

산 정상까지 오르는데 멀다고 느껴진 꿈
목적한 일이 자기 뜻대로 쉽게 이루어진다.

산 속에서 길을 잃고 헤매는 꿈
원수의 속임에 꼬여 들어 곤경에 빠진다.

숲에서 사냥터를 본 꿈
상대편에게 경쟁에서 진다.

산에서 군부대가 천막을 치는 꿈
질병에 걸린다.

산 정상에서 큰 소리로 외친 꿈
관심을 한 몸에 받거나 자기 신변에 관한 일을 타인으로부터 듣게 된다.

높은 산 정상에서 사방을 굽어 살펴본 꿈
사회적으로 큰 업적을 이루거나 신분이 고귀해질 것이다.

등산하거나 나무에 기어오른 꿈
좋은 운이 열려 부자가 되거나 승진하게 된다.

산에서 내려오는 꿈
운수도 사나우며 명예도 훼손된다.

등산한 다음 곧이어 하산한 꿈
어려운 고비를 넘길 수 있다.

남이 하산하는 것을 본 꿈
상대방의 위신이 더 낮아진다.

혼자서 산굴에 들어간 꿈
재난과 불행이 발생한다.

굴에서 무사히 빠져나온 꿈
어려운 고비를 무사히 넘긴다.

벼랑이 보인 꿈

생명, 재산이 모두 위협을 받게 된다.

낭떠러지에 다가선 꿈

가족에게 재난이 닥친다.

벼랑에서 떨어진 꿈

기혼 여성은 남편의 업신여김을 받고, 젊은 남녀는 연인과 헤어진다. 상인은 장사가 안 되고, 회사원은 해고당할 위기에 처한다.

낯선 사람이 벼랑에서 떨어지는 꿈

자신의 경쟁자를 이길 수 있으나, 지지하는 사람과 갈라서게 된다.

누군가가 자신을 낭떠러지에서 떠민 꿈

주변사람이 해를 입거나 목숨이 위태롭다.

산골짜기에서 즐거웠던 꿈

남성의 경우 병을 앓게 되고, 여성은 남편과 별거하게 된다.

연인과 산골짜기에서 즐거웠던 꿈

연인과 헤어지게 된다.

타인이 산골짜기에서 먹고 마시며 즐기는 것을 본 꿈

직장운이 형통할 좋은 꿈이다.

자신이 골짜기를 기어다닌 꿈

생활에 장애가 생긴다.

좋은 자리에 발탁된다.

친구와 함께 언덕을 오른 꿈

곤란할 때 친구의 도움을 받게 된다.

❀ 돌

돌멩이를 던지는 꿈

주위 사람이나 친척, 가족끼리 불화하여 갈등을 빚거나 다툴 염려가 있으니 언행을 조심해야 한다.

돌멩이로 놀이를 하는 꿈

주변친지나 친구의 협력을 받게 될 조짐이다. 부인이 이 꿈을 꾸면 머리 좋은 아이를 낳는다.

돌멩이들이 정원이나 마당에 깔려 있는 꿈

머지않아 좋은 일이 있다.

자갈밭을 걸어가는 꿈

좋은 운이 트인다. 돈이 들어올 일이 생긴다.

수도꼭지에 물과 돌이 함께 나오는 꿈

경제적 혜택을 받는다.

정원에 돌을 배치해 놓은 꿈

바윗돌이나 정원석 같은 돌은 경제적 행운을 암시하므로 돈이나 재물이 들어올 것이다.

돌계단을 올라가는 꿈

업무, 사업 등 일을 추진하는데 장애에 부닥치거나 방해를 받는다.

돌을 줍거나 쌓아 올리는 꿈

현실은 어렵지만 정신적으로 이겨 낼 수 있음을 암시한다. 마음도 넓어져 원만한 대인 관계를 유지할 수 있게 된다.

돌이 갈라지거나 돌을 깨뜨리는 꿈

지금까지 정체되거나 침체되었던 사업이 슬럼프에서 벗어나 새롭게 재충전될 것이며 의욕도 넘쳐 큰 이득을 얻게 된다.

돌로 쳐서 짐승을 죽인 꿈

여러 방면으로 권력을 행사하여 목적을 달성시킨다.

길에 자갈을 깔아놓은 꿈

교리를 설파하거나 여러 사람에게 일에 대한 방법과 도리를 알려준다.

타인에게 돌로 얻어맞은 꿈

쌍방 간에 서로 의견 대립이 있어 다투게 된다.

타인을 돌로 때린 꿈

타인에게 바른 말을 해서 깨우쳐 주거나 자기주장을 강력히 내세운다.

돌에 꽃이 핀 꿈

하고 있는 사업이 점차 활발하게 움직여 번창해 나간다.

돌로 울타리를 쌓은 꿈

다른 사람의 협조를 얻어 직책이나 사업이 새로워진다.

돌탑을 바라본 꿈

학문 연구에 깊이 몰두하거나 다른 사람에게 요청할 일이 생긴다.

❀ 바위

큰 바위 위로 오르거나 올라앉는 꿈

장애물을 극복하고 마침내 큰 목표를 이룰 기회가 온다.

큰 바윗돌을 바라다보는 꿈

돈과 재물 등 일석이조의 수확을 얻는다.

큰 바윗돌에서 뛰어내리는 꿈

이사, 직장을 옮기거나 어떤 큰 변동이 있을 조짐이다. 또한 정신을 딴 곳에 팔리고 있으니 정신 차리라는 암시이다.

바위 밑에 깔리는 꿈

자신도 모르는 사이에 잘못을 저지르거나 시대적 착오에 빠져 엉뚱한 것을 하게 된다.

바윗돌에 머리를 얻어맞은 꿈
목숨도 앗아기는 큰 재난을 당할 조짐이다. 특히 교통사고를 조심해야 한다.

길에 큰 바윗돌이 박혀 있는 꿈
다른 사람의 방해 공작으로 애 먹거나 고통을 받을 것이다.

바위 속에서 불길이 솟아오르는 꿈
갑자기 불행한 일을 겪게 될 터이니 말과 행동을 각별히 조심해야 한다.

바위가 널려 있는 곳을 건너 뛰어간 꿈
여러 방면으로 일을 진전시킨다.

바위에 기어오르기가 무척 고통스러운 꿈
어떤 일을 성사시키는데 많은 어려움이 뒤따른다.

돌덩이가 변해 큰 바위가 된 꿈
작은 사업이 점차 확대되어 큰 사업으로 번창한다.

큰 바위를 자갈로 만든 꿈
어떤 일을 서로 분담하여 작업을 시작하게 된다.

주먹이나 돌로 바위를 쳐서 물을 얻어 마시는 꿈
좋은 아이디어로 많은 재물을 얻게 된다.

바위가 터져 폭포가 흐른 꿈
진리적인 교화를 크게 베풀거나 많은 재물을 얻게 된다.

바위 위에 앉거나 서 있는 꿈

어떤 단체를 이끌어 나갈 지도자가 되거나 하는 일마다 순리대로 잘 풀려나간다.

주먹으로 바위를 쳐서 산산조각을 낸 꿈

어떤 단체에서 자기의 주장을 내세워 서로 화합할 수 있게 만든다.

로프나 징을 사용해서 바위를 오른 꿈

일을 시작하는데 협조자의 도움을 받아 소원을 달성하게 된다.

🎟 들 판

땅 속에서 동물이나 불길이 나온 꿈

자기 발전을 위해서 여러 방면으로 연구한다.

넓은 들판에서 일하는 꿈

어떤 기업체에서 새로운 사업을 진행시킨다.

고향에서 객지로 나온 꿈

어떤 사업을 계획성 있게 적극적으로 밀고 나간다.

땅이 갈라져 한없이 깊은 곳까지 내려다 본 꿈

학문 연구를 깊이 있게 공부한다.

한번 왔던 곳이라고 생각된 장소의 꿈

자기가 기억하고 있는 장소나 유명한 곳을 가보게 된다.

지진이 일어나거나 지축이 흔들린 꿈

사회적으로 파업이 일어나거나 어떤 기관에서 사소한 일로 소송 사건이 일어난다.

지평선 위에서 검은 연기나 검은 구름이 피어 오른 꿈

훗날의 불길한 소식을 전해 듣게 된다.

장비를 땅에 박아 땅이 갈라진 꿈

자기주장을 내세워 기존의 관념을 타파할 수 있다.

풀밭이 보인 꿈

신체가 건강해지고 풍년이 든다.

풀밭에 물을 대는 꿈

술을 끊게 된다.

풀밭을 깨끗이 정리하는 꿈

장사가 순조롭게 된다.

마른풀이 보인 꿈

손해를 입게 된다.

풀밭에 누워 잠을 잔 꿈

국외로 쫓겨나지만 심정은 유쾌하다.

풀밭에서 달리기를 한 꿈

신체가 건강해진다.

❀ 다리

비바람이 심하게 불어 다리를 건너지 못한 꿈
고위층의 압력으로 자기 뜻대로 일을 진행시키지 못한다.

다리 위에서 사람을 기다린 꿈
어떤 기관에 부탁한 일이 풀리지 않아 고민하게 된다.

다리 위에서 아래를 내려다 본 꿈
윗사람이 아랫사람에게 충고를 하거나 지시를 한다.

다리가 장비 또는 기타의 힘으로 절단되거나 파괴된 꿈
장애물이 없어지고 자기 소원을 성취하게 된다.

다리가 끊어지거나 부숴진 꿈
소원했던 일이 뜻대로 이루어지지 않는다.

다리 위로 많은 사람들이 지나가는 것을 본 꿈
어떤 기관을 통해서 부탁한 일이 이루어지지 않는다.

다리를 건너는 꿈
노력만 하면 사업에서 성과를 얻을 수 있다.

다리에서 떨어지는 꿈
하는 일이 수포로 돌아간다.

땅

다리 밑으로 지나간 꿈

운수가 사운 일이 있다.

다리 위에 서 있는데 누군가 부르는 꿈

소송, 언쟁 등 관공서와 관련된 어려운 일이 있다.

다리 위에서 하천, 강물이 흐르는 것을 본 꿈

일이 순조롭게 풀리고 안정되며, 이성 친구를 만날 수도 있다.

강을 건너지 못하고 있는데 사람들이 뗏목을 놓아준 꿈

하고 있는 일이 난관에 부딪쳤을 때 여러 곳에서 도움을 준다.

❀ 집

초가집이 불타는 것을 멀리서 본 꿈

자기가 하고 있는 일이 점차적으로 번창하기 시작한다.

시골에 초가집이 나란히 있는 것을 본 꿈

자서전을 쓰거나 역사책을 감명 깊게 읽게 된다.

주택이 꽉 차 있는 거리를 자신있게 활보한 꿈

소설을 쓰거나 문화 활동에 종사한다.

외가 동네에서 하룻밤을 잔 회사원의 꿈

외근과 관련된 부처에서 근무하게 된다.

고급 주택 가운데 초가집이 한 채 있는 꿈
고고학 방면의 연구에서 성과를 얻는다.

많은 상품이 진열된 상가를 들여다보면서 지나가는 꿈
남의 신상 문제를 알아보거나 진지한 대화를 나눌 일이 생긴다.

전시장에 진열된 어떠한 물건에 큰 관심을 가진 꿈
어떤 사람에 관해서 알고 싶어 하거나 남에게 청탁할 일이 생긴다.

산꼭대기에서 소변을 누어 서울을 잠기게 한 꿈
국가나 사회적으로 권력을 행사한다.

집안을 깨끗이 청소하는 꿈
귀인이 오거나 부실했던 일을 정리하고 우환이 없어진다.

주택이나 건물의 일부분이 훼손되는 꿈
건강에 이상이 오거나 재물을 잃는다.

헌 집을 고치거나 새롭게 수리하는 꿈
집에 재물이 늘고 편안한 삶을 누린다.

집에 문을 새로 달거나 고치는 꿈
총명한 자녀를 낳거나 명성을 날린다.

제 3 장
신체에 관한 꿈

❀ 얼굴

자기의 얼굴과 남의 얼굴이 모두 검게 보이는 꿈
평소 좋아하지 않던 사람을 만나거나 거래를 하게 된다.

얼굴과 얼굴이 겹쳐지는 꿈
서로 다른 상표의 선물을 받거나 집안의 가구 등을 옮기게 된다.

얼굴이 검은 아이를 본 꿈
많은 사람들이 싫어하는 일을 떠맡게 된다.

깨끗하게 세수를 한 꿈
합격, 승진을 하매 그동안 쌓였던 근심·걱정거리가 사라진다.

얼굴 부위를 치료하거나 수술한 꿈
주위에서 무언가 옮기거나 고치는 일을 하게 된다.

얼굴 전체를 붕대로 감은 사람을 본 꿈
누군가에게 사기를 당하거나 소식을 전해 듣게 된다.

얼굴의 한 부분을 수술하는 꿈
관직에 있는 사람에게 심문을 받는다.

얼굴에 주사를 맞는 꿈
직장이나 집안일에 변화가 있다.

얼굴에 부스럼이나 종기가 나는 꿈

자신의 행동이나 일들로 구설수에 휘말리게 된다.

얼굴을 가린 사람을 만난 꿈

전혀 모르는 사람에게 폭행당하거나 피해를 입는다.

얼굴이 무섭게 추악하게 변하는 꿈

재물이 풍족해지고 소망과 계획이 순탄하게 이루어진다.

얼굴에 먹칠이나 물감을 칠하는 꿈

집안에 자녀 문제로 근심이 생기며 수치스러운 구설수에 오른다.

상대방이 얼굴에 화장을 곱게 하고 나타난 꿈

상대방에게 명예나 지휘권을 빼앗긴다.

내 얼굴에 곱게 화장하는 꿈

숨기고 싶은 일이 있으나 화장한 내 모습에 만족하면 좋은 일이 생긴다.

🮠 치아

이가 빠져서 피가 흐르는 사람을 본 꿈

방해 됐던 상대가 사망하거나 사직을 당해 자신에게 큰 이득이 되는 일이 생긴다.

이가 부러지는 꿈

병에 걸리거나 사업에 지장이 있다.

앓던 이가 빠지는 꿈

병을 앓던 환자가 사망하거나 부하 직원이 떠나간다.

거울을 통해서 자신의 덧니를 보는 꿈

부인 외의 여자와 관계를 맺거나 동업자가 나타나게 된다.

이 하나가 빠지는 꿈

친척 중 누군가가 죽거나 좋은 사람과 이별을 하게 된다.

아이의 이가 새로 나는 꿈

모든 일들이 성취되거나 부족했던 것이 채워진다.

윗니 중 하나가 빠지는 꿈

윗사람 중 한 명에게 변동이 생긴다. 아랫니는 아랫사람, 어금니는 친척, 덧니는 사위나 양자와 관계가 있다.

이가 검거나 누렇게 변하는 꿈

집안이나 직장에서 좋지 않은 일이 일어난다.

이가 남김없이 모조리 빠지는 꿈

현재 진행하고 있는 일 전체에 큰 변화가 생긴다.

이의 일부가 빠지는 꿈

현재 진행 중인 일 중 일부분에 변화가 생긴다.

자기도 모르는 새에 이가 빠지는 꿈

평소 존경하던 사람이 죽거나 좋지 않은 소식을 듣게 된다.

빠진 이 대신 새로운 이를 해 넣은 꿈

관계없던 사람과 만나 친분을 맺게 된다.

새로 해 넣은 이가 밝게 빛나는 꿈

능력 있는 직원을 얻거나 훌륭한 사람과 만나게 된다.

❀ 성기

이성이 성기를 보여준 꿈

사업상 유혹을 받거나 실력을 발휘할 일이 생긴다.

남성이 여성의 성기를 만지는 꿈

동업자가 생겨 사업을 같이 하거나 남의 물건을 감정할 일이 생긴다.

거리낌 없이 사람들에게 자신의 성기를 꺼내 보이는 꿈

자기가 만든 작품이나 자식을 남 앞에서 자신있게 자랑할 일이 생긴다.

강한 성욕을 느꼈으나 관계를 갖지 못한 꿈

모든 일이 꼬이고 자식과 불화할 일이 있다.

여성이 남성의 성기를 만지는 꿈

가까운 사람들 때문에 정신적으로 괴로움을 당하게 된다.

남성이 여성의 성기를 만지는 꿈

활동적인 사업을 시작하게 되고 진행 중인 일이 좋은 결과를 얻게 된다.

이성의 성기가 훌륭하다고 생각하며 최상의 성관계를 한 꿈
자신이 한 일로 인해 주위에서 칭찬을 듣는다.

여성이 소변보는 모습을 본 꿈
경쟁자에게 뒤떨어지거나 경쟁했던 사람이 크게 성공한 것을 보고 패배
의식에 괴로워하게 된다.

타인이 자신의 성기를 볼까봐 고심하는 꿈
자기의 행동에 대해 부끄러움을 느끼며 의기소침해질 일이 생긴다.

여성이 두 남성의 성기를 비교해 보는 꿈
모든 일에 있어서 삼각관계가 형성되어 쉽게 결론을 내리지 못한다.

노력에도 불구하고 성기가 발기 불능하여 초조해 하는 꿈
하고 있는 일에 애착이 가지 않으며 결국 실패하게 된다.

타인의 성기와 자신의 성기를 비교한 꿈
모든 일을 남과 비교할 일이 생긴다.

여성의 성기에 남성의 성기가 같이 나타난 꿈
어려운 일이 순조롭게 풀어진다.

여성의 성기에 여성의 성기가 같이 나타난 꿈
몸에 질병이 따르고 근심할 일이 생긴다.

부부관계에 다른 여자가 나타난 꿈
부부 사이에 오해할 일이 생겨 다투게 된다.

🐾 알몸

상반신을 벗고 일을 한 꿈
윗사람으로부터 협조를 받지 못한다.

하반신을 벗고 일한 꿈
아랫사람에게 협조를 받지 못한다.

나체쇼를 구경한 꿈
자신과 전혀 무관한 싸움 구경을 하게 된다.

거울을 앞에 놓고 옷을 모두 벗는 꿈
반가운 사람을 만나지만 신세한탄만 듣게 된다.

알몸이 됐는데 그 알몸을 가리지 못해 몹시 당황해 한 꿈
사업상 자신을 도와줄 사람이 없어 근심·걱정으로 애태우게 된다.

옷을 말쑥하게 입고 있는 꿈
하는 일 모두가 순조롭게 풀려서 거리낄 것이 없다.

옷을 벗었는데도 부끄럽지 않은 꿈
자신과 관계된 모든 일을 추호도 숨김이 없이 만인에게 공개하게 된다.

벗은 채 서서 대소변을 보면서도 부끄러워 하지 않는 꿈
자기만이 숨겨 왔던 좋지 않은 비밀을 누군에겐가 털어놓고 후련해한다.

목욕을 하기 위해서 옷을 벗는 꿈
무슨 일을 하든 정직하게 행동해서 감출 것이 없게 된다.

속옷만 입고 돌아다닌 꿈
직책을 제대로 보장받지 못하게 되어 심한 고독감에 빠지게 된다.

몸의 일부를 노출시키는 꿈
믿었던 곳에서 실망을 하거나 과시할 일, 공개할 일 등이 계속된다.

옷을 벗고 몹시 부끄러워한 꿈
숨겨왔던 일이 탄로날까봐 조바심 내거나, 탄로나 창피를 당하게 된다.

자신의 알몸에 자신이 도취된 꿈
남이 자신을 우러러볼 일이 생기며 알게 모르게 형제들의 도움을 받는다.

화가 앞에서 알몸인 채로 모델이 되는 꿈
자신의 미래에 대해 상의할 일이 생긴다.

부부가 함께 목욕하는 꿈
재물의 이익이나 직장에 좋은 일이 생기고, 가정에 편안함이 있다.

✿ 머리 · 목 · 어깨

남에게 머리를 숙인 꿈
머지않아 누군가에게 복종할 일이 생긴다.

전쟁에서 적장의 머리를 얻거나 본 꿈

추진하던 큰일이 순조롭게 성취되며 권리와 명예도 동시에 얻는다.

맹수의 머리를 얻는 꿈

진행 중인 큰일이 성사되거나 권리와 명예를 한꺼번에 얻는다.

동물이나 사람의 머리에 쫓기는 꿈

하는 일이 심하게 꼬여서 정신적, 육체적으로 큰 괴로움을 당한다.

여러 개의 동물 머리가 한 곳에 붙어 있는 꿈

단체가 두 가지 사상이나 이념으로 인해 두 파로 갈라질 것을 뜻한다.

잘린 머리를 천장에 매단 꿈

곧 처리해야 할 급한 일이 생기거나 다른 곳에 부탁할 일이 생긴다.

자신의 머리가 짐승의 머리로 변한 꿈

어떤 단체나 모임 등에서 단체의 리더를 맡게 된다.

자신의 뒤통수를 본 꿈

자신을 반성하는 등 모든 관계를 재검토할 일이 생긴다.

타인의 뒤통수를 본 꿈

다른 사람에게 어떤 일을 시키면 자기 뜻대로 잘 들어준다.

타인의 목을 때린 꿈

부정을 저지른 사람에게 그 죄를 추궁하게 된다.

타인에게 목을 졸리는 꿈
사업이 방해를 받아 중단되거나 심한 어려움을 겪게 된다.

남이 자신에게 머리를 숙인 꿈
자기가 주장하는 일을 많은 사람들이 받아들인다.

자신의 목에 누군가가 목말을 탄 꿈
타인에게 심한 간섭을 받게 된다.

자신이 남의 목에 목말을 타는 꿈
많은 사람의 추대를 받아 높은 위치에 오르게 된다.

목에 있는 때를 깨끗이 씻는 꿈
혼자서 뒤집어 썼던 억울한 누명이 벗겨지게 된다.

목구멍의 가래를 뱉어내는 꿈
막혔던 일이 잘 풀리고 원했던 모든 것을 이루게 된다.

송곳에 목을 찔린 꿈
편도선과 관련된 병을 얻게 되어 한동안 고생하게 된다.

어떤 물질이 목에 걸려 호흡이 곤란한 꿈
부탁한 일이 성사되지 않으며, 뇌물을 받은 걸로 인하여 말썽이 생긴다.

타인의 목을 때려서 죽인 꿈
시험을 보면 수석으로 합격하며 어떤 일이든 행하면 성취할 수 있다.

🎴 눈 · 코 · 귀

눈이 멀었다가 사물이 보인 꿈
막혔던 운세가 한꺼번에 뜨이게 된다.

눈병에 걸린 꿈
사업이 잘 풀리지 않아서 고통을 받거나 집안에 좋지 않은 일이 생긴다.

눈이 유난히 빛나는 사람을 본 꿈
특출한 능력을 가진 귀인을 만나게 된다.

눈물을 흘리는 꿈
남이 자신을 알아주게 되고 기쁜 일들이 생기게 된다.

코가 큰 사람을 본 꿈
물질 등 모든 면에서 풍요로운 사람과 관계를 맺는다.

코를 다친 꿈
남과 크게 싸울 일이 생기거나 어느 누군가에게 중상 모략을 당한다.

코를 수술한 꿈
일과 관계되는 기관에서 간섭을 받게 된다.

코가 없어져 버린 꿈
힘들여 쌓아올렸던 명예로 인해 기관에서 간섭을 하게 된다.

귀머리가 된 꿈
기다리던 소식이 결국엔 오지 않고, 누구에겐가 소식을 전하려 하던 일도 어렵게 된다.

남의 귀를 자른 꿈
가까이 지내던 사람과 등을 돌릴 일이 생기고, 그로 인해 자신이 손해를 보게 된다.

❀ 혀 · 입

혀가 길어진 꿈
모든 일이 생각대로 잘 풀린다.

혀가 두 개씩이나 있는 사람을 본 꿈
거짓말을 잘 하는 사람과 사귀게 된다.

혀가 없어지는 꿈
타인과 싸움이나 다툼이 끝나고 사이좋게 될 징조이다.

입이 몹시 큰 사람을 만난 꿈
부자나 권력가 등 유명인사와 만난다.

여러 가지 물건을 한번에 삼킨 꿈
회사나 집안에 사무집기나 가재도구 등을 들여놓게 된다.

입에서 벌레가 나온 꿈

근심 걱정이 없어지고 무슨 일이든 만사형통한다.

누군가와 키스하는 꿈

숨기고 싶은 이성 문제가 생기고 비밀스러운 일들이 일어난다.

❀ 손 · 팔 · 다리 · 발

자신의 엄지 손가락을 본 꿈

현재 하고 있는 사업이 점점 나빠지거나 큰 손해를 본다.

구부러진 손가락을 본 꿈

부정한 일로 돈을 벌게 된다.

손을 사용하여 어떤일을 했던 꿈

많은 사람들이 함께 힘을 모아야 하는 일이 생긴다.

오른손을 사용하여 어떤 일을 한꿈

누구보다도 정의롭고 옳은 일을 하게 된다.

왼손을 사용하여 어떤 일을 한꿈

옳지 못한 일에 협조하거나 자신이 일을 저지르게 된다.

자기 손이 잘리는 꿈

가까운 사람이나 동업자와 헤어지게 된다. 손가락이 잘리면 자기 식구나 자손에게 나쁜 일이 생긴다.

손톱이 짧아진 꿈
장사를 해도 돈을 벌 수 없고 걱정거리에 싸이게 된다.

손톱이 빠지는 꿈
아내와 자식이 가출할 조짐이 있거나 병에 걸릴 수가 있다.

자신의 팔이 잘 발달되고 건강한 꿈
남에게 의지하지 않고 자신의 힘으로 승진하게 된다.

팔이 부러진 꿈
지금껏 쌓아올렸던 공든탑이 무너지거나 협조자와도 헤어진다.

팔이 아프거나 팔을 제대로 쓸 수 없는 꿈
직장에서 곤란한 일에 빠진다. 여성은 남편이나 자식이 죽을 운이다.

한쪽 다리에 상처를 입은 꿈
지난날을 평가받을 일이 생기거나 은인이나 자손이 해를 입는다.

다리가 무거워서 걸을 수가 없던 꿈
자신이나 가족에게 병이 생기거나 사업 등 모든 일이 어렵다.

발로 차는 꿈
남에게 모욕당할 조짐이므로 매사에 유의해야 한다.

발뒤꿈치를 본 꿈
어려움이 닥쳐도 용기를 가지면 벗어날 수 있다.

발바닥에서 피가 난 꿈

아랫사람에게 재산상의 피해를 본다.

발을 다친 꿈

직원이나 친구에게 속아 손해를 보고, 타향에서 사고나 병이 날 수 있다.

발톱이 끊어진 꿈

걱정거리가 사라지고 행운이 찾아든다.

🎴 등 · 배 · 유방 · 가슴

등뒤에 혹이 난 꿈

자기 능력 밖의 짐을 지거나 힘겨운 일을 맡게 된다.

남의 등을 본 꿈

조금나 참고 기다리면 좋은 날이 올 것이다.

남에게 업힌 꿈

믿음과 신뢰가 있는 귀인을 만나게 된다.

배가 무척 부른 임산부를 본 꿈

뜻하지 않았던 재물이 생기거나 기발한 생각으로 이득을 본다.

배를 수술하거나 찢어진 꿈

커다란 이익을 보거나 행운을 잡게 된다.

아이를 밴 것처럼 배가 불러오는 꿈
골치 아팠던 일이 모두 잘 해결되어 행복하게 될 징조이다.

유방이 있는 그림이나 사진 등을 본 꿈
멀리 있는 사람의 소식을 듣거나 사진이나 메시지 등을 받게 된다.

아름다운 유방을 본 꿈
기대하지 않았던 기분 좋은 일이 생긴다.

유방을 수술을 받는 꿈
가족 중 여성에게 불길한 일이 있을 수 있으니 조심해야 한다.

여성의 가슴이 커져 있는 모습을 본 꿈
사업에 금전운이 따르며 좋은 소식을 듣는다.

가슴에 훈장을 단 자신의 사진을 본 꿈
자기가 발표한 작품에 대해 좋은 평가를 받게 된다.

가슴뼈를 드러낸 꿈
부모 중 한분이 돌아가실 징조이다.

남에게 가슴을 눌리는 꿈
불안과 공포스러운 일이 있고, 도난의 위험도 있으니 조심해야 한다.

누군가의 가슴을 때린 꿈
상대 회사에 큰 타격을 주어 자기가 하는 일이 이득을 본다.

❀ 항문·엉덩이

항문으로 삐져나온 창자를 깨끗이 닦아서 다시 넣는 꿈
지금까지 벌여놓은 사업, 연구, 시험 등의 마무리를 해야 할 시기이다.

여성의 엉덩이를 손바닥으로 때린 꿈
무슨 일을 하든 처음 단계에서 실수를 저지르게 된다.

여성의 엉덩이를 똑똑히 본 꿈
전혀 예기치 않았던 좋지 않은 일을 당하게 된다.

❀ 털·머리카락

털이 난 남의 몸을 본 꿈
사업상 만난 사람이 솔직하게 표현을 하지 않아 싸움을 하게 된다.

뱃속에 들어 있는 털을 꺼낸 꿈
만나기 어려웠던 친지나 보고 싶었던 사람을 곧 만나게 된다.

몸에 원숭이처럼 털이 나 있는 꿈
어떤 단체의 리더로 추대되거나 사람들에게 존경을 받는다.

머리를 감거나 말쑥하게 빗은 꿈
걱정하던 일이 잘 해결되고 멀리서 반가운 손님이 찾아온다.

이발소에 갔는데 자기보다 앞서 이발을 하는 사람을 본 꿈
회사나 어떤 단체에서 동료가 자기보다 먼저 승진을 한다.

머리카락이 실뭉치처럼 엉켜서 빗기가 어려운 꿈
걱정거리가 생기며 하고 있는 일도 잘 풀리지 않는다.

눈썹이 하얗게 변한 꿈
어떤 모임에서든 높은 중책을 맡게 된다.

눈썹이 머리카락처럼 길게 난 꿈
어떤 형태로든 금전적인 이익을 얻는다.

머리를 빗을 때 비듬이 눈처럼 많이 쏟아지는 꿈
지금까지 꼬이기만 하던 일이 이제는 잘 풀리게 된다.

눈썹이나 수염 등 몸에 난 털을 깎은 꿈
가족이나 가까운 사람 중의 누군가가 죽거나 망신당하는 일이 생긴다.

긴 머리의 처녀나 총각을 본 꿈
고집이 조금 세긴 하지만 정열적이고 솔선수범하는 협력자를 만난다.

멋을 내기 위해 머리를 깎거나 손질한 꿈
원하고 있던 소원이 이루어지거나 뜻하지 않던 기쁜 소식을 듣게 된다

배우자나 애인이 머리 카락을 풀어 헤친 꿈
남녀 교제나 부정한 이성 간의 만남이 생기니 다툼을 조심해야 한다.

제 4 장
동물에 관한 꿈

✿ 개

개를 본 꿈
친구나 친지 등 인간관계가 아주 나빠질 조짐이다. 나쁜 관계를 가지게
된 데에는 당신에게도 그 원인의 일부가 있으므로 조심해야 한다.

개가 짖어대는 모습의 꿈
집안에 불화가 생기거나 환자는 병이 잘 낫지 않는다.

개들끼리 서로 싸우는 꿈
사람을 헐뜯고 비난하다 오히려 화를 입는다.

개에게 물려서 흉터가 남는 꿈
주어진 일이 성사된다. 물린 자리에서 피가 나는 꿈은 가까운 사람에게
화를 당하게 된다.

개가 손을 물고 놓지 않는 꿈
자기의 작품이나 능력 등을 평가받을 일이 생긴다.

개를 죽이는 꿈
하고자 하는 일이 성사되며 남에게 끼친 폐를 갚게 된다.

해질 무렵에 개가 달려가는 것을 본 꿈
경찰이나 기자가 직업인 사람들은 능력을 발휘할 수 있다.

개를 따라다니는 꿈
부탁받은 일을 해결하지 못해 남이 해결을 본다.

개가 두 발로 서서 움직이는 꿈
남이 자신을 인신공격하거나 구타할 일이 생긴다.

집을 나갔던 개가 다시 돌아와서 기뻐하는 꿈
생각지도 못했던 곳에서 좋은소식이 온다.

개가 사납게 짖어 집안으로 못 들어갔던 꿈
들어가야 할 곳에 들어가지 못해서 난처한 입장에 빠진다.

어느 집을 방문했을 때 개에게 물리는 꿈
하고 있는 일이 잘 풀리게 된다.

개를 잡아서 먹은 꿈
자본금을 마련해 사업을 시작하거나 빌려준 돈을 못 받는다.

남의 집 개가 자기 집에 접근하려 했던 꿈
새로운 소식을 듣거나 나쁜 영향을 끼칠 사람이 나타난다.

개가 귀여워서 쓰다듬어 준 꿈
가까운 친척이 큰 실수를 저지르게 된다.

개 짖는 소리를 들은 꿈
사이가 안 좋은 사람과 싸움을 하게 된다.

사나운 개나 여러 마리의 개가 물려고 덤벼드는 꿈
신변에 위험한 일이 생기거나 남에게 시기를 당한다.

개에게 물린 꿈

사이가 안좋은 사람에게 피해를 입거나 중병에 걸린다.

개가 자기를 물려고 덮쳐드는 꿈

친구와 의견 충돌이 생기고 고립을 당할 징조이다.

개가 자기에게로 걸어오는 꿈

좋은 친구를 사귀어 곤경에서 친구의 도움을 받는다.

수캐가 암캐 뒤를 쫓아다니는 꿈

친구가 안좋은 속셈을 가지고 있음을 의미한다.

어미 개가 강아지와 함께 있는 꿈

친구가 좋은 일을 가져다 준다.

개가 다리를 저는 꿈

친구와 사이가 멀어진다.

개를 때린 꿈

자기에게 충성하는 사람을 잘못 의심하게 된다.

개가 주인을 무는 꿈

하는 일이 잘 되지 않아 재물을 잃고 나쁜 일이 생긴다.

개를 처음으로 기르는 꿈

남과 말다툼이나 경쟁을 하게 된다. 또는 새로운 친구를 사귀게 된다.

개집을 본 꿈
남에게 융숭한 대접을 받는다.

개가 떼지어 집으로 들어오는 꿈
남에게 돈을 빌리면 사이가 나빠진다.

개가 밥을 먹는 것을 본 꿈
재난이나 불행한 일들은 모두 사라지고 행운이 시작된다.

개들이 싸움을 하는 것을 본 꿈
형사 사건으로 고발되거나 소송 문제로 재판을 받게 된다.

개가 주인에게 꼬리를 흔들며 다가가는 꿈
가족 모두가 저마다 맡은 일을 잘하고 화목할 것이다.

개가 힘이 없거나 병들어 있는 꿈
가족 중에 누군가 병에 걸리거나 재산을 잃는다.

개가 멀리서 짖어대는 소리를 들은 꿈
가족이나 주변에 말썽이나 놀라운 일이 일어날 징조이니 조심해야 한다.

개를 길들이는 꿈
친구나 부하 직원이 자기와 뜻이 맞아 함께 하게 된다.

들개가 싸우는 꿈
위험한 일이 일어날 것을 암시한다.

미친개를 본 꿈
생각지도 않은 어이없는 일을 당하게 된다.

사냥개를 산 꿈
도둑이 들 수 있으니 주의해야 한다.

영리한 사냥개가 자기를 뒤쫓은 꿈
타인의 모든 음모를 간파하게 된다.

용모가 추한 사람이 많은 사냥개를 몰고 집에 들이닥친 꿈
친척이 고치기 힘든 질병에 걸리게 된다.

수족이 묶인 자신이 사냥개에게 물어 뜯기는 꿈
죄수자는 사형 판결을 받게 된다.

두 마리 이상의 강아지가 장난하는 것을 본 꿈
여행지에서 선물을 가져오거나 오랫동안 만나지 못했던 사람을 만나 쌓였던 얘기를 나눈다.

✿ 고양이

고양이를 기르는 꿈
돈과 관련된 좋은 일이 있을 것이다.

방안 또는 집안으로 들어온 고양이를 기르는 꿈
재산이나 돈에 대한 기쁜 일이 있을 것이다.

고양이를 귀여워해 주는 꿈
사람을 포용할 일이 생기며 힘든 일을 맡게 된다.

호랑이라고 생각했는데 자세히 살펴보니 고양이인 꿈
세력 다툼을 하거나 서로 잘못을 따지는 일에 휩쓸린다.

고양이의 눈이 반짝거리는 꿈
작품이나 학설 등이 돋보여 사람들에게 감동을 준다.

고양이가 집에서 바깥으로 나가는 꿈
재산이나 돈에 관련한 좋지 못한 일이 있을 것이다.

고양이가 쥐를 잡는 모습을 본 꿈
일은 뜻대로 순조롭게 되고 큰 이득이나 이익을 얻을 것이다.

고양이가 쥐를 쫓다가 놓치는 것을 본 꿈
재산을 잃거나 손해를 본다.

고양이가 물고기를 먹는 것을 본 꿈
기울어진 가세가 일어나고 사업이 번창할 징조로 큰 이득을 얻는다.

고양이 고기를 먹는 꿈
실망스러운 일이 생긴다.

고양이가 나비를 먹는 것을 본 꿈
갑자기 재산이나 돈의 손실이 있을 것이다.

고양이를 잡아 죽이는 꿈
모든 일이 순조롭게 해결된다.

고양이를 때린 꿈
위선자의 의중을 간파해 낼 꿈이다. 하지만 까닭도 없이 고양이를 때렸다면 이웃과 사이가 안 좋아지게 된다.

고양이가 화를 내는 꿈
집안에 불화가 생겨 분란이 일어나고, 몸에 병이 들거나 건강상 이상이 생길 징조이다.

집 고양이가 스커트 · 바지 안이나 웃옷 안에 슬그머니 들어온 꿈
돈이나 재물이 들어온다.

고양이가 물놀이를 하는 꿈
금전상 다툼이 시작되었다면 빨리 끝내는 것이 좋다.

고양이와 강아지가 함께 있는 꿈
모든 일이 순조롭게 해결된다.

닭장을 들여다보는 고양이를 본 꿈
손해를 끼칠 사람이 나타나거나 재산을 보호해 줄 고용인을 채용한다.

❀ 돼지

돼지가 보인 꿈
승리의 소식이 연이어 전해 올 것이다.

돼지를 두 번 본 꿈
입을 것이 들어온다.

돼지를 세 번 본 꿈
운이 나쁘거나 상서롭지 못한 일이 생긴다.

돼지가 움직이고 있는 꿈
많은 복을 받게 된다.

돼지가 도망치는 꿈
곤란이 생길 꿈이다.

돼지고기를 먹는 꿈
남에게 음식 대접을 받는다.

주방에서 돼지를 잡은 꿈
내장에 병이 생길 징조이다.

돼지코를 본 꿈
돼지코만 보아도 기쁜 일이 생긴다. 그러나 매사를 경솔하게 처리하
면 괴로움을 겪게 되고 실패하게 된다.

돼지 떼가 있는 꿈
식구가 늘어날 조짐이다.

어미돼지를 본 꿈
자녀가 잘되고 번창할 조짐이다.

돼지가 둔갑을 하여 사람이 된 꿈
관청과 관계되는 일이 생긴다. 그러나 아이들에게 재난이 닥칠 염려가
있다.

돼지를 죽이는 꿈
매우 좋은 일이 생긴다.

돼지 떼가 집으로 들어오는 꿈
좋은 일이 생긴다. 그러나 집을 나가는 꿈은 좋지 않은 꿈이다.

돼지에게 쫓기는 꿈
남에게 대접을 받는다. 또는 건강에 이상이 생길 염려가 있다.

돼지를 붙잡으려 쫓아다닌 꿈
힘써 하는 일이 헛수고가 된다.

돼지고기로 반찬을 만들던 꿈
여성은 생활이 빈곤해진다.

돼지가 당신을 향해 달려온 꿈
전염병에 걸릴 수 있으니 유의해야 한다.

두 돼지가 싸우는 꿈
사업에서 실패하게 되니, 과도한 욕심을 내지 말아야 한다.

사냥개가 돼지를 쫓는 꿈
도난의 위험이 있으니 도둑과 강도를 조심해야 한다.

돼지가 새끼를 낳는 꿈
위장병에 걸리거나 고생스러운 일이 많이 생길 조짐이다.

돼지우리를 본 꿈
재산이나 돈이 생긴다.

돼지가 강이나 내를 건너는 꿈
어려운 일들이 사라진다. 환자는 병이 완쾌된다.

돼지들이 싸우는 꿈
재산이나 돈이 생긴다.

돼지고기를 많이 사는 꿈
뜻하지 않은 많은 재물을 얻게 된다.

돼지를 파는 꿈
자기 소유의 물건을 잃어버리거나 남에게 일거리를 빼앗기게 된다.

방에서 돼지와 싸우다가 돼지의 목을 누르는 꿈
사업을 일으키거나 재물을 소유하여 경쟁 혹은 재판에서 시비가 있으나 곧 해결된다.

돼지 한 마리가 갑자기 여러 마리로 변하는 꿈
재물이 생기며 사업이 번창한다. 연구하는 직업을 가진 사람은 좋은 결실을 맺게 된다.

돼지 머리를 제삿상에 올려 놓은 꿈
자신의 작품 등이 타인에게 칭찬을 받거나 누구에겐가 물질적인 보답을 받게 된다.

돼지를 차에 가득 실어다가 우리에 넣은 꿈
뜻하지 않은 재물이 들어온다.

돼지가 새끼를 낳아서 우리 안에 가득찬 꿈
부동산이나 증권에 투자한 돈이 몇 배로 불어날 조짐이 있다.

황소만한 돼지가 가는 곳마다 따라오는 꿈
재산이 많은 사람의 도움을 받아 경제적으로는 풍족해지지만 심적 부담을 느끼게 된다.

수십 마리의 멧돼지가 한꺼번에 몰려오는 꿈
직계 가족, 일가 친척 중에 자식을 낳을 사람이 있으면 그 자손의 앞날은 밝다.

돼지가 우리 밖으로 뛰쳐 나가는데도 붙잡지 못한 꿈
하는 일이 심하게 꼬이거나 물질적인 손해를 보게 된다.

사나운 돼지가 방에서 갑자기 사람으로 변하는 꿈
상대하는 사람의 겉과 속이 다를 수가 있다.

죽은 돼지를 어깨에 걸머지고 오는 꿈
가정에 화근이 생긴다.

돼지를 사다가 잡아서 파는 꿈
재물을 잃거나 다른 사람에게 주게 된다.

사람을 물려고 덤벼드는 멧돼지를 죽인 꿈
힘들고 어려운 일이 생기지만 막을 수 있다.

돼지머리를 삶아서 칼로 썰어 그 일부를 감추어 둔 꿈
장부를 위조해서 세금의 일부를 급한 곳에 활용할 수도 있게 된다.

죽여야 할 돼지나 싸워야 할 돼지가 갑자기 사람이 되는 꿈
경쟁 상대가 우세해지거나 동정과 실의 등으로 매사에 좌절하게 된다.

여러 마리의 돼지가 교미하고 있는 꿈
하는 일이 번창하거나 축하금을 받을 일이 생긴다.

돼지를 통째로 구워서 잘라 먹는 꿈
논문 작품이 좋은 평가를 얻거나 많은 사람들에게 축하를 받게 된다.

돼지의 크기와 수효가 정비례한 꿈
많은 재물이 생긴다.

가까운 친척 중의 한 사람이 돼지를 몰고 오는 꿈
친척 중의 한 사람이 가까운 시일 내에 돈을 가져온다.

새끼돼지를 사는 꿈

적은 돈을 얻지만 그 돈을 이용하여 큰 재물을 만들 수 있다.

새끼 돼지를 쓰다듬은 후 아이를 낳은 꿈

태몽이라면 재물복이 많은 자식을 낳겠지만 그 자식으로 인해서 마음고
생을 한다.

여러 가지 색깔의 새끼 돼지들이 태어나는 것을 보고 출산한 꿈

직계 가족 중에서 이별을 하거나 자손들이 제각기 다른 사업에 손을 대
게 된다.

멧돼지를 잡는 꿈

원했던 일이 뜻대로 성사된다.

❀ 소

소가 집으로 들어오는 꿈

재산이나 돈을 모을 수 있는 운이 트이어 부자가 되거나 사회적 지위를
얻게 된다.

시골에서 소가 나오는 것을 본 꿈

사업이 크게 번창한다.

소를 기르는 꿈

집안 식구나 협조자가 방황하게 된다.

소가 산으로 오르거나 소를 끌고 산으로 올라가는 꿈
큰 이득을 보거나 재산이나 돈을 모으고 지위가 오른다.

소에게 쫓기는 꿈
윗사람이나 상급자·상관에게 후원을 받는다.

두 마리 소에게 쫓기는 꿈
두 가지 일이나 문제가 한꺼번에 몰려 몹시 바쁘게 움직여야 한다.

논밭을 갈고 있는 소를 본 꿈
재물과 돈이 불어난다.

소들이 싸우는 것을 본 꿈
난데없이 기쁜 일이 생긴다.

소를 타는 꿈
고난을 극복하고 마침내 성공하여 사회적으로 이름이 날리게 된다.

도살되는 소를 본 꿈
비참한 일을 보게 된다.

뿔에 피가 묻은 소를 본 꿈
승진을 하거나 높은 직책을 맡게 된다.

물을 마시는 소를 본 꿈
도난을 맞거나 강도에게 강탈당할 징조이다.

변을 보고 있는 소의 꿈
물심양면으로 성과가 좋다.

소의 한쪽 다리가 부러진 모습을 본 꿈
위험한 일을 당하지만 다행히 몸은 무사할 징조이다.

소가 송아지 낳는 것을 본 꿈
바라는 일이 뜻대로 이루어진다.

머리가 없는 소를 본 꿈
재산과 돈이 들어와 넉넉한 생활을 하게 된다.

소가 뿔로 사람을 받는 것을 본 꿈
고난과 어려움이 끝나려면 아직 멀었다.

소가 집으로 들어와 방바닥을 밟는 꿈
하는 일이 실패해서 손실을 가져온다.

소가 양을 끌고 집에 들어오는 꿈
기쁜 일이 생긴다.

소를 죽이는 꿈
살림이 매우 넉넉해지고 사회적 명예나 지위가 오른다.

쇠고기를 날로 먹는 꿈
남과 싸우게 된다.

꼬리가 둘인 소를 본 꿈
가까운 친척이나 동료, 동업자가 배반할 징조이다.

소와 말을 불 질러 태우는 꿈
건강에 이상이 생길 징조이다.

소를 타고 성안으로 들어가는 꿈
바라던 일을 이루고, 기쁘고 좋은 일이 있다.

큰 소를 본 꿈
힘이 센 아이를 낳을 태몽이다.

들소가 뒷동산에서 살고 있는 것을 본 꿈
모든 걱정 근심이 사라지게 된다.

암소가 많이 있는 것을 본 꿈
지금 처한 상황에 들뜬 마음을 가라앉히고 모든 일을 신중히 처리하라는 암시이다.

억센 소가 자신의 옆을 지나간 꿈
건강을 곧 회복한다.

앙상하게 마른 소가 자기 앞에 누워 있는 꿈
중병으로 병석에 누워 일어나지 못할 꿈이다.

죽은 소를 묻으려고 하는 꿈
집안에 화근이 생긴다.

밖으로 뛰쳐나간 소를 잡지 못한 꿈

믿었던 사람이 배신하거나 재물의 손실을 가져온다.

여러 사람이 소의 등을 타고 가는 꿈

여러 사람들과 협조할 일이 생긴다.

소를 팔고 사는 꿈

집안 식구, 사업, 재물 등이 바뀐다.

소에게 받힌 꿈

신임하고 있던 사람에게 배반당하거나 정신적인 고통을 받게 된다.

자신을 보고 소가 웃는 꿈

관계하고 있는 사람들이 서로 다투거나 나쁜 일이 생긴다.

아픈 사람이 깊은 산 속으로 소를 끌고 들어간 꿈

사람을 잃거나 재물의 손실을 가져온다.

많은 소가 목장에서 평화롭게 놀고 있는 꿈

많은 사람을 대하거나 할 일이 생긴다.

여러 마리 황소가 매어져 있는 꿈

태몽이라면 자녀를 많이 낳거나 자수성가할 인물을 낳는다.

뿔이 잘 생기고 털에 윤기가 있는 소를 본 꿈

좋은 사람을 만나고 뛰어난 작품을 접하게 된다.

소가 논두렁이나 함정에 빠져 있는 것을 구해준 꿈

가까운 곳에 있는 사람들이 병들거나 모함에 빠지고 기울던 가산, 사업 등을 일으킨다.

소의 다리를 묶어 매단 것을 본 꿈

자신을 내세워 내면의 모든 것을 남에게 보여준다.

소가 수레를 끌고 가는 꿈

많은 사람과 협력하여 하고자 하는 일이 이루어진다.

소를 타고 거리로 나가는 꿈

공공단체나 협조자에 의해서 일이 잘 추진된다.

짐을 가득 실은 소가 지쳐 있는 꿈

하고 있는 일이 너무 힘들어서 고통을 받는다.

소에다 쟁기를 매고 농사일을 하고 있는 꿈

협조자의 도움을 받아 일을 추진하게 된다.

살찌고 힘센 송아지를 본 꿈

돈을 모으고 아들을 낳을 것이다.

작고 바싹 마른 송아지를 본 꿈

곤경에 빠지게 된다.

외양간을 본 꿈

기쁜 일이 생긴다.

외양간에서 소와 함께 잠자는 꿈
생각지도 않았던 돈과 값진 물건들이 들어온다.

외양간에 매어진 소가 머리를 밖으로 향한 꿈
집안에 있는 사람이 오래 머물지 않는다.

누군가가 당신에게 암송아지를 선물한 꿈
친구의 도움이 있어야만 큰 돈을 벌 수 있다.

암송아지를 도둑맞은 꿈
회사에서 퇴직당하게 된다.

암송아지가 다리를 저는 꿈
당신 삶을 벗의 도움에 의탁해야 함을 상징한다.

누런 암소가 검정 송아지를 낳은 꿈
태몽이라면 자녀가 여러 사람과 자주 다툰다.

여러 가지 빛깔의 털을 가진 소를 본 꿈
사람, 재물, 작품 등이 다양하기는 하지만 탐탁치 못하다.

붉은 빛깔의 소가 집에 들어오는 꿈
재산이 넉넉해질 것이다.

젖소들이 목장에서 유유히 풀을 뜯어먹는 꿈
평안과 부유함의 징조이다.

젖소가 살찌고 거대한 꿈

생활이 부유해질 것이다.

많은 젖소를 기르거나 몰고 가는 꿈

큰 돈을 벌게 된다.

남이 젖소를 몰고 가는 꿈

재산을 잃게 된다.

개가 젖소를 마당 안으로 몰아넣은 꿈

친구의 도움을 받아 크게 돈을 번다.

한 젖소가 다른 젖소의 추격을 받는 꿈

제대로 일을 못하다가 노력 끝에 마침내 좋은 결과를 본다.

젖소를 집안으로 몰아넣은 꿈

동료나 후원자의 도움을 받아 많은 돈을 벌게 된다.

젖소에서 우유를 짜는 꿈

기쁜 일들이 연이어 생긴다. 그러나 여성이 소젖을 짜는 꿈을 꾸었다면 이는 불길한 꿈이다.

젖소의 우유가 많이 나오는 꿈

좋은 일이 생기고, 큰 돈이 들어올 것이다.

어미 젖소 뒤에 송아지가 따라가는 꿈

지금 하고 있는 일들이 결실을 맺게 된다.

젖소끼리 서로 싸우고 있는 꿈
눈 코 뜰 새 없이 바쁘지만 많은 이득을 보게 된다.

🐴 말

말을 타는 꿈
말을 타고 천천히 가는 꿈은 좋지 않으나 빠른 속도로 달리는 꿈은 매우 좋은 일이 생긴다.

많은 말이 모여 있는 꿈
집안에 걱정거리는 있으나 재운이 열려 큰 부자가 될 징조이다.

말에게 물리는 꿈
직장이 생기거나 직장인은 승진이 된다. 사업가는 재운이 열린다.

말을 타고 내나 강을 건너간 꿈
어려웠던 일이 지나가고 행운이 찾아온다.

말을 보고 놀라는 꿈
질병에 걸릴 염려가 있다.

말이 마당에서 춤추듯 뛰어다니는 꿈
좋지 않은 일이 없어진다.

말을 타고 멀리 달려가는 꿈
좋은 일이 생긴다. 여성은 혼담이 이루어질 조짐이다.

말을 타다가 낙마하는 꿈

수험생은 시험에 불합격하고, 정부 각료는 실각당하며, 입후보자는 낙선을 하게 된다.

아무도 타지 않은 말이 자기 뒤에 바싹 따라오는 꿈

명예로운 직책을 받게 된다.

말을 사들인 꿈

혼담이 이루어져 약혼을 하게 되거나 혼인을 하게 된다.

말을 길들이는 꿈

나라에서 당신에게 특수한 직무를 내릴 징조이다.

수많은 말들이 모여 있는 꿈

머지않아 결혼할 꿈이다.

말이 집으로 들어오는 꿈

남에게 축하받을만한 좋은 일이 생긴다.

말에게 물을 먹이는 꿈

당신이 받을 직책이 하찮을 징조이다.

말에 돈을 싣는 꿈

공무원이 되거나 승진한다.

말이 뒷발질을 하는 꿈

제일 힘들 때 친구가 배반할 징조이다.

말을 놓아 버린 꿈
조상이 물려준 가업을 탕진할 징조이다

말이 떼지어 집을 에워싸는 꿈
좋지 않은 일이 사라진다.

죄인이 말을 타고 가는 꿈
재난이 모두 사라진다.

말을 때리거나 혹은 말이 죽는 꿈
곧 직장에서 해직을 당할 위험성이 있다.

말이 상처 입은 꿈
운이 좋지 않은 꿈이다.

사람이 타지 않은 말이 뒤를 바짝 따라오는 꿈
명예로운 일을 맡는다.

말을 선물로 받는 꿈
높은 지위를 맡게 되며 특히 군(軍)에서 고위 직무를 맡게 된다.

말을 대기해 놓는 꿈
먼 길을 떠나게 된다.

집안에서 망아지를 낳는 꿈
매우 좋은 일이 생길 것이다.

남편과 함께 말을 타는 꿈

결혼식에 초청된다.

말을 죽이는 꿈

어디에 가든 융숭한 대접을 받는다.

네 마리 말이 끄는 마차를 타는 꿈

기쁜 일이 도리어 슬픈 일이 된다.

말 두 마리가 서로 발길질하는 꿈

사업상의 협상이 깨져 손실을 본다.

말을 타고 산과 들을 달리는 꿈

부를 누리고 집안에 경사스러운 일이 이어진다.

말을 타고 장가가는 꿈

직장인은 승진하고 수험생은 합격하며 사업가는 일이 잘 풀린다.

말을 풀어놓은 꿈

대를 이어온 가업이나 재산을 잃게 된다.

집안사람이나 조상이 말을 끌어다 집안에 매는 꿈

며느리를 맞게 되거나 도움이 되는 부하 직원을 얻게 되는 등 새식구를
맞게 된다.

몇 마리의 말들이 앞 다투어 달리는 꿈

모든 일이 뜻대로 이루어진다.

곡마단을 위해 말을 훈련시키는 꿈
전국에 이름을 날릴 징조이다.

말을 물로 씻는 꿈
행복한 가운데 괴로움이 뒤따르는 부분도 있다.

말을 마구간에서 끌어내는 꿈
여행을 가거나 멀리 떠날 징조이다.

말이 마구간으로 들어가는 꿈
먼 곳에서 좋은 소식이 온다.

마구간에서 말을 볼 수 없는 꿈
바라던 일이 뜻대로 되지 않는다.

말이 우는 것을 본 꿈
말다툼이나 구설수가 있다.

마구간에서 말이 미친 듯 날뛰는 꿈
화재가 날 조짐이다.

마구간이 파손된 것을 본 꿈
뜻밖에 불행한 일이 생길 조짐이다.

마구간을 고치는 꿈
바라던 일이 뜻대로 이루어져 결실을 맺는다.

마구간에서 잠자는 꿈
배우자가 외도를 할 조짐이다.

말을 탈 때 두 발을 디디는 등자를 얻는 꿈
좋은 일이 생긴다.

말안장을 얹어놓는 꿈
직위나 생활이 안정될 조짐이다. 미혼자는 혼담이 오간다.

말안장을 구입하는 꿈
곧 여행을 떠나게 된다.

말안장을 수리한 꿈
군사 부문에서 사업하게 될 기회가 온다.

말안장에 보물을 싣는 꿈
일이 어렵게 되거나 생활이 곤궁하게 될 징조이다.

백마를 타는 꿈
사회적으로 인정받고 높은 자리에 오르나 질병에 걸릴 염려가 있다.

백마를 타고 하늘을 나는 꿈
최고 행운의 꿈이다. 평화로운 나날만 계속된다.

백마가 집안으로 들어오는 꿈
큰 행운이 찾아올 것이다.

검정말을 본 꿈
좋지 않은 일이나 슬퍼할 일이 생길 조짐이다.

얼룩말이 보인 꿈
재물이 넘쳐날 것이다. 여성은 친정에서 재물을 받게 된다.

얼룩말을 탄 꿈
학생은 유학을 가게 되고, 사업가는 사업을 해외로 뻗어 나갈 징조이다.

얼룩말 암컷을 본 꿈
재물이 많이 들어오게 된다.

❀ 당나귀

당나귀를 본 꿈
곤경에서 점차 벗어나게 된다.

당나귀를 타는 꿈
재산이나 돈을 얻게 되고 좋은 일이 생긴다.

자신이 당나귀를 탔는데 느낌이 안개처럼 옅은 느낌인 꿈
머지않아 운명할 징조이다.

당나귀가 매를 맞는 꿈
사회적 지위가 위태로워져 다른 직장을 알아봐야 할 것이다.

당나귀가 짐을 잔뜩 실은 꿈

명성도 높아지고 돈도 많이 벌게 된다.

당나귀가 뒷발질하는 꿈

가까운 친구가 당신의 명예를 손상시키게 된다.

강이나 늪에 당나귀 시체가 떠 있는 꿈

멀리 바다 여행을 떠나게 된다.

당나귀 우는 소리를 들은 꿈

구설수가 있으니 언행을 조심해야 할 것이다.

당나귀가 옷을 입고 신발을 신은 꿈

가까운 친구들로부터 놀림을 당하고 곤경에 빠진다.

당나귀가 지붕 위에 올라가 있는 꿈

하는 일마다 망할 징조이다.

❀ 노 새

노새를 본 꿈

많은 돈과 재물이 생길 것이다.

노새를 타는 꿈

뜻밖에 좋은 일이 생기며 재물을 얻는다.

노새의 고삐를 쥐고 있는 꿈

고집을 너무 세워 벗들의 미움을 사게 된다.

많은 노새를 본 꿈

군대나 지방의 운수부문이나 공급소에서 일하게 된다.

노새가 물건을 짊어지고 있는 꿈

남들에게 물건을 대책 없이 줄 징조이다.

⽊ 원숭이

원숭이를 본 꿈

사기를 당해 재산을 잃거나 좋은 사람과 이별을 하게 된다. 아니면
소송이나 재판을 하는 등 다투어야 할 일이 생긴다.

원숭이가 벌컥 성내는 꿈

이웃과 사이가 좋지 않게 되고 명예도 훼손된다.

원숭이가 으르렁거리며 덤벼드는 꿈

불행한 사고로 재산을 잃고, 심지어 집안사람이 죽게 된다.

원숭이를 만나는 꿈

남에게 사기를 당할 징조이다.

원숭이가 귀찮게 구는 꿈

좋지 않은 사람과 경쟁하여 고민할 일이 생긴다.

원숭이가 기뻐 날뛰는 꿈

사이가 나빴던 친구와 관계가 다시 회복될 징조이다.

원숭이가 무엇인가를 먹는 꿈

도난을 당하거나 물건을 잃어버릴 징조이다.

원숭이끼리 싸우는 꿈

인간성이 좋지 않은 사람과 다툴 일이 생긴다.

원숭이가 걸어가거나 뛰어다니는 모습을 본 꿈

좋지 않은 일이 생길 징조이다.

원숭이가 깊은 잠에 든 꿈

조만간 멀리 여행을 떠나게 된다.

원숭이에게 총을 쏘아 죽이는 꿈

경쟁 상대자를 이길 수 있게 된다.

원숭이를 기르는 꿈

친구나 친지가 사기를 쳐서 큰 손해를 보게 된다.

원숭이가 놀고 있는 꿈

공무원이나 회사원은 지위가 오르고 명성을 얻게 된다.

작은 원숭이 얼굴이 보였다가 큰 원숭이의 얼굴을 본 꿈

작은 문제가 점점 큰 문제가 될 징조이므로 처음에 잘 대처하라는 뜻으로 조그마한 일이라도 신중히 처리해야 한다.

원숭이가 앉아 있는 모습을 본 꿈

건강에 이상이 생길 조짐이다.

원숭이들이 나무 위를 오르락내리락 하는 모습을 본 꿈

경쟁자 또는 주변 사람에게 속아 생각지도 않은 손해를 보게 된다.

원숭이가 깊은 잠을 자고 있는 모습을 본 꿈

곧 여행을 가거나 멀리 떠나게 된다.

원숭이가 높은 곳으로 기어오르는 꿈

하고 있는 일이 잘 된다. 원숭이가 위에서 내려다보는 꿈은 헤어진 사람이 항상 자신의 주위를 맴돌고 있다는 뜻이다.

원숭이가 시합하는 꿈

당신의 명성이 널리 알려진다. 공무원이 이런 꿈을 꾸면 고위직으로 승진된다.

원숭이의 귀가 떨어진 꿈

나쁜 근성을 가진 사람과 인연이 끊어지게 된다.

흰 원숭이를 본 꿈

남에게 신임을 얻고 지위가 오른다. 미혼자는 좋은 배우자를 만나게 되고 부를 누리게 된다.

❀ 토끼

토끼를 본 꿈
낯익은 사람을 만나게 된다.

토끼를 잡은 꿈
이득이 얻게 될 좋은 징조이다.

토끼를 기르는 꿈
남이나 경쟁 상대에게 속아 넘어가지 않도록 조심하라는 암시이다.

기르는 토끼가 말라보인 꿈
의식주가 불안하고 가족 중에 누군가 병이 들 염려가 있다.

기르는 토끼가 살찌고 튼튼한 모습인 꿈
의식주가 풍족하고 집안이 평안하여 생활에 걱정이 없게 된다.

누가 토끼와 함께 당신 곁으로 온 꿈
남의 속임에 속지 말도록 조심해야 한다.

토끼 떼가 하늘로 올라가는 모습을 본 꿈
실업자 무직자는 직장을 얻고 직장인은 승진을 한다.

토끼가 달아나는 모습을 본 꿈
부하 직원이나 데리고 있는 사람이 등지고 돌아설 징조이다.

토끼고기를 먹는 꿈

합격이나 승진될 징조이다. 자기 관리를 잘해 젊음이나 매력이 넘치게
된다.

토끼에게 총을 쏘는 꿈

이득이 되는 원천이 없어져 버리게 된다.

토끼가 산으로 뛰어가는 것을 본 꿈

일이 잘 성사되나 싶었는데 생각이 너무 앞서 결국에는 실패로 끝나고
만다.

토끼 뒤를 쫓아가는 꿈

곧 혼담이 이루어져 결혼하게 된다.

토끼 뒤를 사냥개가 쫓아가는 꿈

좋지 않은 사람이나 집단에서 벗어나게 된다.

토끼가 새끼를 낳거나 한 마리가 갑자기 여러 마리로 변하는 꿈

재산이나 돈이 늘어나고 사업가는 사업이 번창하게 된다.

토끼를 끌어안는 꿈

일은 성공하고 직위가 낮은 사람은 승급하고 환자는 병이 완쾌된다.

한 쌍의 토끼나 새끼토끼를 본 꿈

연인과의 애정이 두터워질 것이다.

큰 길에서 토끼 한 마리를 잡아 품안에 안은 꿈

여성이 이 꿈을 꾸면 그녀는 시댁 전체의 경제를 책임지게 된다.

토끼장에서 토끼가 나오려고 하는 꿈

소속되어 있는 곳에서 나오게 된다.

산토끼가 숲 속이나 바위 속으로 몸을 숨긴 꿈

좋은 일이 있을 뻔하나 성사되지 않고, 하고 싶지 않은 일을 하게 된다.

많은 토끼들이 들판에서 노는 꿈

맡고 있는 일을 활동적으로 추진해 나간다.

흰토끼를 본 꿈

근심 걱정이 사라지고 환자는 병이 나아질 길몽이다. 그러나 주위의 이야기에 너무 신경이 예민하여 일을 그르칠 수가 있다.

검정이나 점박이, 얼룩 토끼를 본 꿈

좋지 않은 일이 생길 불길한 꿈이다. 이런 꿈을 남성이 꾸었으면 그와 비슷한 연인을 만나게 될 징조이다.

🐾 양

양을 본 꿈

식구끼리 대화가 통하고 부부가 화목하며 평온한 나날이 계속 된다.

마르고 허약한 양을 본 꿈

집안 운세가 쇠퇴하게 된다.

양을 때리거나 죽이는 것을 본 꿈

건강에 이상이 생기게 된다.

양들이 모여 있는 꿈

큰 기업이나 대형 백화점 등의 기획 책임자가 된다.

면양(털이 많은 양)이 달아나는 꿈

재산을 도둑맞거나 강제로 뺏기게 된다.

양을 타고 가는 꿈

재산이나 돈을 얻게 된다.

양을 잡아 양요리를 하는 꿈

재물이나 돈이 없어 어려움을 겪게 된다.

양이 비를 그대로 맞고 서 있는 것을 본 꿈

큰 이득을 얻은 듯하나 실속은 손실이 많다. 처음에 계획을 잘못 세운 탓이므로 앞으로 일을 할 때에는 계획을 치밀하게 세워야 한다.

양을 방목하는 목장을 본 꿈

적은 돈을 버는 사업을 시작하게 된다.

풀을 뜯고 있는 양을 본 꿈

자기 일에 충실하면 좋은 날이 온다.

물

양을 몰아다 집에 매어놓은 꿈

좋은 사람이 들어오고 재물을 얻기도 한다.

양끼리 싸우는 모습을 본 꿈

정부의 초청을 받아 정부 일에 참여하게 된다.

양이 수레를 끄는 것을 본 꿈

하는 일이 뜻대로 순조롭게 이루어진다.

양떼를 몰고 가는 꿈

재산이나 돈이 들어온다. 또는 종교인이 되거나 학교의 선생님이 되어 인재를 육성하게 된다.

양떼가 암컷들로만 구성된 꿈

자금이 풍부한 대기업의 정책 결정자가 될 것이다.

어미양과 새끼양이 함께 있는 모습을 본 꿈

몸이 건강해지고 불만이나 부족함이 없어 행복한 생활을 하게 된다. 임산부는 사내아이를 낳을 태몽이다.

어미 양의 털을 깎는 꿈

차차 유산을 계승하게 된다.

암양을 본 꿈

재물이나 돈이 들어온다.

얼룩덜룩한 양 암컷, 백색 양 암컷을 본 꿈

재물운이 트이게 된다.

암양이 우는 것을 들은 꿈

애써 모은 재산을 잃을 염려가 있다.

암양을 채찍으로 때리는 꿈

공적인 돈을 불법으로 사용해 큰 손해를 입게 된다.

숫양을 본 꿈

재산과 돈이 들어올 징조이다. 친지 중에 누군가 결혼을 하게 된다.

숫양 떼를 본 꿈

사업이나 장사가 점점 번창하게 될 조짐이다.

숫양이 뒤를 따라오는 꿈

함께 고생을 하고 기쁨을 나눌 마음이 맞는 친구를 사귀게 된다.

요리를 하기 위해 숫양을 잡은 꿈

머지않아 경제적 어려움을 겪게 된다.

새끼양을 본 꿈

좋은 소식을 듣는다.

새끼양이 많이 모여 있는 것을 본 꿈

하는 일이 안팎으로 평안하게 된다.

동물

새끼양을 품에 품은 꿈

잘생긴 아들을 하나 낳을 태몽이다.

새끼양을 몰고 가는 꿈

재물과 돈이 들어올 징조이다. 친지 중에 누군가 결혼을 한다.

새끼양을 가볍게 두드린 꿈

결혼을 하게 될 것이다.

양을 남에게 선물하는 꿈

친지나 주변 사람의 결혼을 주선하게 된다.

양젖을 마시거나 양젖 짜는 것을 본 꿈

생각지 않은 돈이 생기거나 외부로부터 좋은 방법이나 가르침을 받는다.

🐏 염소

검정 암염소를 본 꿈

잘 이루어지지 않던 일이 잘되어 좋은 성과를 가져올 조짐이다.

염소 암컷을 본 꿈

가족이 늘어나고 생활이 부유해질 징조이다. 하지만 흔히 여성이 이 꿈을 꾸면 내장에 병이 생길 징조이니 검사를 해봐야 한다.

숫염소 두 마리가 싸우는 꿈

일이 늦어지고 어떤 문제로 근심 걱정이 많아진다.

⊛ 사 자

사자를 본 꿈
재산과 사회적 지위를 얻을 꿈이다. 처녀가 이 꿈을 꾸면 재산가의 배우자를 만날 조짐이고 임산부가 이 꿈을 꾸면 건강한 아이를 낳는다.

사자를 잡아 죽이는 꿈
수험생, 고시생은 수석 합격을 하고 입후보자는 당선될 조짐이며 사업가는 큰 규모의 사업이 이루어진다.

사자와 맞부딪친 꿈
병이 나거나 강한 자와 원수지는 사이가 된다.

사자를 타고 가는 꿈
회사에서 크게 승진해 출세할 징조이다. 또한 훌륭한 성과를 남기게 된다.

사자와 싸워 이긴 꿈
도박을 한다면 최고의 행운이 찾아온다.

사자를 사냥한 꿈
경쟁자를 내 편으로 만들게 된다.

사자에게 쫓긴 꿈
추진하고 싶은 일이 난관에 부딪친다.

사자가 덤벼드는 꿈
어려움이 잇달아 닥칠 조짐이다.

사자가 배우자나 혹은 친구를 향해 덮친 꿈

좋지 않은 일이 생길 것이다.

사자에게 물려 상처를 입은 꿈

지금 처한 고난을 이겨내게 된다.

사자가 울부짖는 꿈

세상에 좋은 평판으로 이름을 알리게 된다.

사자와 싸우는 꿈

경쟁자와 겨루어 낙오된다.

사자가 자신을 피해서 도망친 꿈

일반적으로 권리 상실, 사업 실패 등이 뒤따른다.

사자고기를 먹는 꿈

높은 직위에 오른다.

사자와 큰 뱀이 싸우는 꿈

사업가는 경쟁 사업사와 상품 경쟁을 벌일 징조이다.

암사자가 걸어가는 꿈

임산부는 건강한 아이를 낳을 태몽으로 재물운을 가진 아이를 낳을 것
이다. 그러나 화가 나 있는 암사자라면 좋지 않은 일이 생길 수 있다.

사자가 코끼리를 덮치는 꿈

경쟁상대가 불화가 생겨 힘들이지 않고 이기게 된다.

아버지 사자와 새끼 사자가 놀고 있는 모습을 본 꿈

가정이 화목하고 평화로워진다.

🎴 호랑이

호랑이를 본 꿈

남에게 미움을 사서 언짢은 일이 생기거나 죽음 같은 불행한 일이 닥친다. 귀한 아이를 낳는다는 태몽이기도 한다.

호랑이가 집으로 들어오는 꿈

노력한 결과 승진을 하게 되고 집을 옮길 징조이다. 태몽이라면 훌륭한 자손이 태어나게 된다.

들판에서 여러 마리의 호랑이가 서로 어울리는 꿈

단체에 소속되거나 책 읽을 일이 생긴다.

호랑이가 무서워 떨었던 꿈

타인에게 정신적인 고통을 당한다.

호랑이를 타고 달리는 꿈

권력자나 공공단체 등의 도움을 받는다.

호랑이를 끌고 다니는 꿈

사람들을 통솔하거나 큰 일을 성사시키게 된다.

호랑이가 물거나 덤비는 꿈

임산부는 사내아이를 낳을 태몽이다. 작가는 작품을 완성할 운세이며 사업가는 새로운 사업을 시작할 조짐이다.

사방에서 호랑이가 개처럼 졸졸 쫓아다니는 꿈

타인에게 도움을 받거나 계획한 일을 추진해 나간다.

호랑이가 우는 소리를 듣은 꿈

남의 주목을 받게 된다.

호랑이를 붙잡는 꿈

친구가 당신을 원수로 대하게 된다.

호랑이와 맞싸워 이기는 꿈

사업가는 신상품을 만들어 내고 작가는 작품을 내어 인기를 얻는다.

호랑이를 총으로 쏘거나 죽이는 꿈

하는 일이나 추진하던 사업이 결실을 맺을 것이다.

호랑이가 다른 사람을 덮치는 꿈

대형 사고를 당하나 간신히 목숨을 건지게 된다.

호랑이를 집에서 기르는 꿈

좋은 협력자가 생긴다.

호랑이가 외양간에 갇혀 있는 모습을 본 꿈

아주 소중한 사람을 잃을 염려가 있다.

호랑이가 다른 짐승을 덮치는 꿈
친구나 친지에게 걱정스러운 일이 생긴다.

호랑이를 타고 가다 다른 동물로 바꿔 탄 꿈
맡고 있는 일을 그만두거나 직장을 옮기게 된다.

궁궐 같은 집으로 호랑이를 탄 채 들어간 꿈
권력자가 되고 재물을 얻는다.

호랑이가 자신을 피해서 도망친 꿈
일반적으로 권리 상실, 사업 실패 등이 뒤따른다.

호랑이에게 쫓긴 꿈
추진하고 싶은 일이 난관에 부딪힌다.

토끼만 하던 동물이 점차 커져서 호랑이가 된 꿈
작은 일부터 시작하여 점차 번창해진다.

✸ 표 범

표범을 본 꿈
남에게 미움을 사거나 표적의 대상이 되므로 앞날이 순조롭지 못하다.

표범이 마당이나 집 안에 들어오는 꿈
사회적으로 인정을 받아 지위가 오르나 재산이 도난 당할 염려가 있다.

표범이 호랑이에게 덤비는 꿈
하찮게 생각한 경재상대에게 뜻밖의 수난을 당하게 된다.

표범의 습격을 받는 꿈
상대방에게 좋지 않은 일을 당한다.

표범을 물리치는 꿈
항상 공격의 기회를 엿보는 상대방을 역습하여 물리친다.

표범을 붙잡는 꿈
친지나 주변 사람에게 미움을 사거나 오해가 생긴다.

표범의 가죽을 얻는 꿈
재산이 많아지고 사회적 입지가 높아진다.

어떤 사람이 표범을 타고 당신을 향해 오는 꿈
당신의 명성이 세상에 크게 떨쳐질 것이다.

표범이 밤에 사람이 타고 가는 자동차 앞길을 가로막는 꿈
사업가에게는 회사의 판로를 가로막는 일이 생김으로 이에 대비해야 하고 운수업자라면 야간 수송 특히 터널이나 낙석에 유의해야 한다.

돼지를 해치러 온 표범을 때려잡는 꿈
임산부는 출산이 순조롭게 이루어진다.

❀ 여우 · 늑대 · 이리 · 승냥이

여우 · 늑대 · 이리 · 승냥이를 본 꿈

남을 잘 이용하여 돈을 잘 벌고 사업을 잘해 나간다. 다만 남에게 따돌림을 당하고 미움을 살 수 있으므로 대인 관계에 신경써야 한다.

여우 · 늑대 · 이리 · 승냥이가 자기를 향해 점점 다가오는 꿈

당신이 친척의 병원비를 부담해야 되는 상황이 올 것이다.

여우 · 늑대 · 이리 · 승냥이가 묘지를 어슬렁거리는 꿈

집안 사람들 중 누군가가 죽게 된다.

여우 · 늑대 · 이리 · 승냥이가 장난질하는 꿈

남에게 이용당하여 손실을 보게 된다.

여우 · 늑대 · 이리 · 승냥이를 때리는 꿈

중병에 걸려 고생할 징조이다.

여우 · 늑대 · 이리 · 승냥이가 덤벼드는 꿈

결혼한 여성이 이 꿈을 꾸면 아이를 갖게 된다.

여우 · 늑대 · 이리 · 승냥이가 다리를 무는 꿈

다리쪽에 이상이 생긴다.

여우 · 늑대 · 이리 · 승냥이가 가축을 물어가는 꿈

남에게 속아 큰 피해를 입게 된다.

여우 · 늑대 · 이리 · 승냥이가 당신의 친구 뒤를 쫓아가는 꿈
그 친구가 미덥지 못한 사람임을 알리는 꿈이다.

여우 · 늑대 · 이리 · 승냥이가 집안에 기어들은 꿈
임산부는 쇠약한 자식을 낳을 꿈이다. 미혼여성은 건강이 좋지 않은 남성에게 시집가게 된다.

여우 · 늑대 · 이리 · 승냥이가 때로 있는 꿈
사이가 안 좋은 사람에게 시달림을 당하게 된다.

여우 · 늑대 · 이리 · 승냥이에게 포위당한 꿈
모든 근심 걱정이 사라진다.

여우 · 늑대 · 이리 · 승냥이를 죽이는 꿈
뜻하지 않은 재물이 생긴다.

저녁에 여우 · 늑대 · 이리 · 승냥이의 울음소리를 들은 꿈
불길한 소식을 듣게 된다.

가축을 여우 · 늑대 · 이리 · 승냥이가 죽이는 꿈
뜻하지 않은 사람에 의해 일이 쉽게 풀린다.

🐾 곰

곰을 본 꿈
집안 운세가 번영할 조짐이다. 미혼 남녀는 좋은 배필을 만나게 되고 결혼한 사람은 아이를 얻을 태몽이다.

곰에 올라타고 들판을 다니는 꿈
미혼 남성은 좋은 배필을 만나고, 임산부는 훌륭한 아이를 낳을 것이다.
사업가는 능력있는 협력자를 얻어 성공하게 된다.

곰이 자신을 향해 덮쳐오는 꿈
회사 동료와 원수질 조짐이다.

곰에게 물려 죽는 꿈
남에게 사생활을 침해당하거나 위협을 받는다.

곰이 벼랑을 따라 산밑으로 내려가는 꿈
재판이나 시비가 생겨 시끄럽고 번거로운 나날이 계속된다.

곰이 달아나는 꿈
집안 형편이 어렵게 된다.

곰이 산 위로 올라가 보이지 않는 꿈
괴로움이나 고난이 끝나고 행복이 시작된다.

흰곰이 서서 춤을 추고 있는 꿈
윗사람에게 신임을 받아 직위가 오르게 된다.

죽은 검정 곰이 강물에 떠내려가는 꿈
홍수가 나거나 친지나 친구 등이 불행한 일을 당한다.

죽은 곰의 쓸개를 구한 꿈

하고 있는 일이 잘 추진되어 사람들에게 주목을 받게 된다.

🐘 코끼리

코끼리를 본 꿈

승진을 하게 된다.

코끼리에 올라탄 꿈

사회적 지위가 불안해진다.

코끼리에게 먹이를 주는 꿈

후원자나 위치가 높은 사람이 도와준다.

코끼리 떼를 본 꿈

청춘 남녀는 사랑을 즐기게 된다.

성난 코끼리가 자기를 향해 돌진해 온 꿈

노력을 끊임없이 해야만 부자가 될 수 있다

코끼리와 돼지를 함께 본 꿈

승진을 하게 된다.

코끼리를 귀여워하는 꿈

금전적으로 풍족해진다.

상아가 하나뿐인 코끼리를 본 꿈
고난이 있더라도 끈기와 인내를 가지고 장사를 하면 큰 돈을 벌 수 있다.

코끼리에게 밟히는 꿈
꿈을 이루지 못하고 좌절하지만 뜻밖에 후원자나 협력자가 나타나 다시 일어나게 된다.

코끼리 등에서 떨어지는 꿈
남에게 무시를 당하거나 모욕을 당하게 된다.

새끼 코끼리가 놀고 있는 꿈
훌륭한 아들을 낳을 태몽이다.

코끼리가 초목을 쓰러뜨리는 꿈
난관을 뛰어넘어 꿈을 이룰 것이다.

코끼리가 사자를 발로 짓밟고 차는 꿈
강력한 경쟁상대를 이기게 된다.

코끼리가 달려들어 한 사람을 짓밟아 죽인 꿈
남에게 시기 질투를 받아 불행한 일이 생길 조짐이다.

야생 코끼리떼를 본 꿈
남의 후원이나 도움이 없어도 자수성가하게 된다.

코끼리의 코에 감기거나 매달린 꿈
여러 사람들에게 시달림을 받는다.

타고 있는 코끼리가 움직이지 않아 때려서 걷게 한 꿈

풀리지 않은 일을 여러 쪽으로 구상하여 해결한다.

여성이 코끼리를 탄 꿈

능력 있는 사람을 만나거나 남에게 인정을 받는다.

🥨 사슴 · 노루

사슴 · 노루를 본 꿈

재능을 인정받거나 노력한 결과가 나타나 결실을 맺게 된다.

사슴 · 노루와 노는 꿈

윗사람이나 선배의 후원을 받아 승진을 하거나 재물을 얻게 된다.

사슴 · 노루을 잡는 꿈

바라던 일이 뜻대로 이루어진다. 수험생은 좋은 성적으로 합격한다.

사슴 · 노루를 놓친 꿈

점점 형편이 어려워진다.

많은 사슴 · 노루가 한 곳에 앉아 있는 꿈

타인의 음모로부터 벗어나게 된다.

사슴 · 노루가 집에 있는 꿈

공무원이나 관공서 일에 종사하게 되는 등 경사스러운 일이 생긴다.

수노루 · 수사슴이 앞길을 가로막는 꿈
사업이나 하던 일이 실패할 조짐이다.

사슴의 뿔을 구하는 꿈
원하는 것을 얻게 되고 좋은 평가를 받게 된다.

여러 사람과 함께 사슴을 쫓아가서 결국은 자신이 잡는 꿈
단체 행동을 해서 자신이 인정을 받는다.

사슴을 죽이는 꿈
소원하던 일이 이루어진다.

사슴고기를 먹는 꿈
괴로운 일이나 불운이 사라지고 행운이 찾아온다.

총에 맞아 죽은 사슴을 본 꿈
타인에게 돈과 재물을 뺏길 징조이다.

🍀 기린

기린을 본 꿈
사회적으로 인정받고 출세할 징조이다. 여성은 장래성이 있는 남성을 만나 결혼을 하여 영리한 아이를 낳는다.

도망치고 있는 기린을 본 꿈
계획한 일을 뜻대로 이루지 못하고 재산을 잃게 된다.

기린이 새싹을 뜯어먹는 꿈
사업이나 취직 등이 순조롭게 풀린다.

기린의 목을 잘라 죽인 꿈
기쁜 소식이 있고 어렵던 일이 순조롭게 풀린다.

⚘ 낙타

낙타를 본 꿈
중대한 관공서의 허가를 얻게 되거나 좋은 일이 많이 찾아오는 꿈이나,
남의 일에 간섭을 많이 하게 되면 오히려 불운이 올 수 있다.

사람이 타고 있는 낙타를 본 꿈
자칫하면 모처럼 잡은 행운을 놓쳐버리게 된다.

낙타를 타고 끝없는 사막을 걸은 꿈
추진하고 싶은 일이 난관에 부딪히게 된다.

낙타를 끌고 온 꿈
재물이나 재산이 풍족해진다.

낙타의 육봉이 기억 속에 남는 꿈
다양한 경험을 하게 된다.

❀ 쥐

쥐를 본 꿈
인간관계가 좋지 않아 많은 어려움을 겪게 된다.

많은 쥐가 있는 꿈
새로 사귄 친구나 동료 사이에 말다툼을 하게 되므로 주의해야 한다..

쥐가 갑자기 달아나 보이지 않는 꿈
좋은 일이 생긴다.

쥐가 쥐덫에 걸려 있는 꿈
계획한 일이나 추진하던 일이 뜻대로 이루어진다.

쥐가 방에 구멍을 낸 꿈
도난을 당할 징조이다.

쥐에게 물리는 꿈
생각지도 않았던 좋은 일이나 재물이 생긴다.

창고에 쌓아둔 곡식을 쥐떼들이 먹어 치운 꿈
지금 하고 있는 일이 크게 번창한다.

쥐가 옷 같은 것을 쓸고 있는 꿈
바라던 일이 이루어지고 막혔던 운이 트일 조짐이다.

쥐가 죽어 있는 꿈

좋은 일이 생길 징조이다.

쥐가 숨어 있는 것을 본 꿈

계획했던 일이 허사가 되고 곤란한 처지에 놓이게 된다.

쥐를 잡는 꿈

성실하지 못한 친구를 사귀게 된다.

쥐를 잡아 밖에 버리는 꿈

혼자 사업을 시작하면 뜻하는대로 성공하게 된다.

쥐가 다른 형태로 변한 꿈

하고 있는 일이 순리대로 잘 풀린다.

쥐가 갑자기 사람으로 변한 꿈

영특한 아이를 낳을 징조이다.

쥐가 쥐구멍에서 쳐다보고 있는 꿈

계속해서 좋은 일이 생긴다.

부엌이나 방안의 쥐를 잡으려는 꿈

남의 잘못이나 부정한 짓을 밝히는 일을 하게 된다.

그물로 쥐를 잡은 꿈

어떤 일이든 조심하지 않으면 큰 손실을 보게 된다.

고양이가 쥐를 잡는 꿈
큰 돈을 벌게 될 것이다.

쥐가 발가락을 무는 꿈
사회적 위치가 높은 사람이나 훌륭한 사람의 도움으로 하는 일이 잘 성사된다. 임산부는 훌륭한 아이를 낳을 태몽이다.

흰쥐를 본 꿈
이윤을 얻게 되어 재물이 쌓인다.

흰쥐가 길을 안내하는 꿈
낯선 사람이 앞으로 나아갈 길을 가르쳐 준다.

흰쥐가 많이 있는 것을 본 꿈
단체 활동이나 공동 사업의 목적이 이루어질 것이다.

실험용 흰쥐가 우리에 있는 꿈
여러 가지의 물건을 손에 넣을 수 있는 일이 생긴다.

✿ 다람쥐

다람쥐를 본 꿈
도박이나 복권 추첨 같은 행운에 당첨되는 꿈이지만 당첨금은 많지 않으니, 당첨 행운이 있다고 많은 돈을 투자하면 패가 망신하게 된다.

다람쥐에게 물리는 꿈

주위 사람이나 친구와 생각이 달라 말다툼을 하게 된다.

다람쥐를 죽이는 꿈

갑자기 불행한 일이 닥칠 것이다.

다람쥐를 잡아 손에 안고 있는 꿈

숨겨진 재물을 발견하게 된다.

다람쥐가 나무에 오르는 꿈

남 앞에 권위를 내세울 일이 생긴다.

❀ 박 쥐

박쥐를 본 꿈

병과 재난이 생길 위험이 있다.

박쥐에게 물린 꿈

중요한 직책이 맡겨진다.

박쥐가 덤벼든 꿈

원인을 알 수 없는 병 증세가 나타난다.

박쥐가 떼지어 날아다니는 꿈

의지하고 믿을 만한 곳이 없어 어찌할 바를 모르게 된다.

🐉 용

용을 품안에 안은 꿈
시험에 합격하거나 임산부는 귀한 사내아이를 낳을 태몽이다.

용이 하늘로 오르거나 용을 타고 하늘로 오르는 꿈
좋은 일이 생기거나 높은 자리에 오른다. 사내아이를 낳을 태몽이기도 하다.

용이 구슬을 받는 꿈
뜻하는 대로 일이 이루어진다.

용이 물속으로 숨거나 용을 타고 물 속으로 들어가는 꿈
행운이 찾아오고 높은 자리에 오르게 된다.

용이 사람을 물어 죽이는 꿈
권세가에 의해서 일이 성사되거나 반대로 어떤 사람의 파탄을 보게 된다.

용이 하늘에서 내려와 산에 오르는 꿈
뜻하는 바가 이루어진다.

자신이 용이 되는 꿈
생각지도 않았던 후원을 받아 출세할 징조이다.

구름 속의 용이 큰 소리로 울부짖는 꿈
사업이 크게 성공하여 사람들에게 주목을 받게 된다.

용이 대문으로 들어오는 꿈
귀한 사람이 찾아오거나 하는 일이 순조롭게 풀린다.

용이 물 속에서 자는 꿈
많은 재물을 얻게 된다.

무기를 사용해서 용을 죽이는 꿈
고난을 극복하고, 하고자 하는 일을 성취하게 된다.

용이 새겨진 조각품이나 문신을 보는 꿈
희귀한 서적이나 물건을 보게 된다.

용을 붙잡고 꼼짝 못하게 하는 꿈
사업 성장을 위해서 고군분투하게 된다.

🐾 봉 황

봉황을 본 꿈
좋은 소식을 듣거나 이익을 본다. 사회적으로 직위가 높은 사람을 만나 재산과 명예를 한꺼번에 얻게 된다.

한 쌍의 봉황을 얻는 꿈
태몽이라면 사회에 공헌할 인물이 태어난다.

✿ 닭

닭을 본 꿈
기쁜 일이 많이 생긴다.

닭이 날개짓을 하는 모습을 본 꿈
공무원이 되거나 관공서 일을 하게 된다.

수탉이 우는 꿈
집안이 불화하고 말다툼을 많이 하게 되며, 좋지 않은 일이 생긴다.

수탉끼리 싸우는 꿈
도박에서 돈을 잃거나 소송 사건에 말려들게 된다.

새벽 닭 울음소리가 들리는 꿈
행운이 찾아오는 꿈이나 저녁에 우는 소리를 들으면 화재가 나거나 도둑을 맞을 수가 있다.

암탉이 많이 있는 꿈
재물이 많이 생겨 부자가 될 것이다.

암탉이 알을 품고 있는 꿈
슬하에 자녀를 많이 둘 징조이다.

암탉을 잡아먹은 꿈
재산을 탕진하여 부모의 유산을 전부 잃게 된다.

닭이 지붕 위로 올라가는 모습을 본 꿈

이웃이나 주변 사람과 심한 말다툼을 하게 된다.

닭을 목 졸라 죽이는 꿈

스스로 비참한 사건 속으로 말려들거나 뛰어들게 된다.

숲 속에서 달걀을 발견한 꿈

많은 사람들이 자신의 생각과 실력을 인정해 준다.

🎱 병아리

병아리가 알에서 깨어나는 꿈

집안이 화목해지며 소득이 많아진다.

병아리를 산 꿈

여성은 자식을 낳지 못하면 남편이 입양을 하게 된다.

병아리가 갑자기 큰 닭이 되는 꿈

사업이 급성장하게 된다.

병아리가 튼튼하고 또렷하게 생긴 꿈

윗사람의 말이 진실한 것임을 뜻한다.

병아리가 죽어가는 꿈

액운이 닥쳐 병이 걸리거나 경제상에서 손실을 보게 된다.

🍀 오리

오리를 보거나 우는 소리를 들은 꿈
모든 일이 뜻대로 이루어져 성공한다.

오리가 집안으로 들어오는 꿈
가정에 좋은 일이 있을 것이다.

오리가 물 위에서 자유롭게 헤엄치며 노는 꿈
장사가 잘 될 것이다.

오리고기를 먹는 꿈
병으로 고생하나 조만간 쾌유하게 된다.

오리가 큰길을 걸어가는 꿈
시련과 고난이 곧 지나가게 된다.

어미 오리와 새끼가 흙탕물에서 헤엄치는 꿈
앞날이 밝고 행복해질 것이다.

🍀 참 새

참새를 본 꿈
머지않아 행운이 열려 좋은 일이 있게 된다.

참새가 모여 있는 광경을 본 꿈

모든 일이 순조롭고 사업이 성공한다.

참새가 집안으로 들어오는 꿈

집안의 운세가 트이며 부자가 되고 번창한다.

참새가 벌레를 먹는 꿈

재산 전부를 잃게 된다.

참새가 품안으로 날아드는 꿈

뜻밖에 좋은 일이 생긴다.

참새를 잡는 꿈

먼 곳에서 기쁜 소식이 있고 좋은 일이 생긴다.

참새가 서로 싸우며 지저귀는 꿈

관공서와 관계된 일을 하게 되고 음식을 먹을 일이 많이 생긴다.

참새나 참새구이를 먹는 꿈

학생은 성적이 오르거나 직장인은 승진할 징조이다.

참새떼가 한꺼번에 나는 꿈

능력은 있지만 사람들이 잘 따르지 않는다.

✿ 비둘기

비둘기를 본 꿈
기다리던 소식이 오거나 바라던 일이 이루어진다.

흰 비둘기를 본 꿈
기대했던 일이 성공하게 된다.

비둘기떼를 본 꿈
생사고락할 친구를 얻게 된다.

비둘기떼에게 모이를 주는 꿈
선한 사람들을 만나게 된다.

비둘기가 맞아 죽는 꿈
배우자가 세상을 떠날 징조이다.

비둘기가 날아가 버린 꿈
여자와 이별하게 된다.

비둘기를 먹는 꿈
집안이 화목하고 평안할 징조이다.

비둘기를 기른 꿈
수입이 많아지고 식구가 늘어날 것이다.

우리 속의 비둘기를 본 꿈
숨겨 놓은 재산과 보물을 얻게 된다.

고양이가 비둘기를 잡는 꿈
재앙이 닥치게 된다.

한 쌍의 비둘기를 본 꿈
남녀간의 사랑이 결실을 맺게 된다.

✿ 제비

제비를 본 꿈
먼 곳에서 기쁜 소식이 올 것이다.

제비가 처마밑이나 집안에 집을 짓는 꿈
식구가 늘어나며 재난이 닥칠 수도 있다.

제비가 여자 품안으로 날아드는 꿈
대성할 아이를 임신할 태몽이다.

제비가 공중을 빙빙 도는 꿈
좋은 상대를 만나 결혼하게 된다.

앵무새를 본 꿈

말과 행동이 경솔하여 말썽의 불씨가 되므로 조심해야 한다.

앵무새가 말을 하는 꿈

하루 종일 사람과 시비가 생긴다.

앵무새가 날아가는 것을 본 꿈

그 동안의 근심걱정이 사라지게 된다.

새장에 갇힌 앵무새를 본 꿈

앞으로 크나 큰 고생을 하게 될 것이다.

죽은 앵무새를 본 꿈

불성실한 친구에게 배신당하게 되니, 조심해야 한다.

앵무새를 가두는 꿈

집안의 빚을 대신 갚게 된다.

앵무새를 파는 꿈

고난과 역경을 현명하게 헤쳐나가게 된다.

앵무새 떼를 본 꿈

명예와 재산을 잃을 위험성이 있다.

앵무새를 남에게 선물한 꿈

주변 사람들의 미움을 사게 된다.

앵무새를 기른 꿈

거짓말을 잘하고 위세나 부리는 사람을 만나게 될 것이다.

✿ 꿩

꿩을 본 꿈

행운이 찾아와 기쁜일만 있을 것이다.

꿩이 모여 있는 꿈

원하던 일이 뜻대로 이루어진다.

꿩을 기르는 꿈

관공서에 직장을 얻거나 관공서로부터 돈을 받게 된다.

꿩알을 발견하거나 얻는 꿈

기발한 생각으로 큰일을 해낸다.

✿ 칠면조

칠면조를 본 꿈

좋은 일이 생긴다. 결혼한 여성은 친정에서 재물을 받는다.

칠면조를 잡은 꿈

모든 일에 고난이 있다.

남에게 칠면조를 선물한 꿈

새로운 친구를 사귀게 된다.

다른 사람이 준 칠면조를 받은 꿈

명성과 위엄이 크게 떨쳐진다.

🐾 메추라기

메추라기를 본 꿈

사회적으로 많은 사람들에게 존경을 받게 된다.

메추라기 울음소리를 들은 꿈

금전적으로 풍족해진다.

죽은 메추라기를 본 꿈

살고 있는 동네에 안 좋은 일이 생긴다.

메추라기를 먹는 꿈

힘든 일이 끝이 나고 환자는 건강이 호전된다.

메추라기 알을 본 꿈

가족을 잃고 몹시 슬퍼하게 될 징조이다.

메추라기를 붙잡은 꿈

활발하고 유쾌한 친구를 사귀게 되며 곤란할 때 도움을 받게 된다.

어미 메추라기가 새끼와 함께 있는 꿈

좋지 않은 사람을 친구로 사귀게 된다.

❀ 부엉이

부엉이를 본 꿈

재난을 당하고 건강이 악화되니 매사에 조심해야 한다.

부엉이 울음소리를 들은 꿈

집안 식구나 친척이 중병에 걸리게 된다.

부엉이 머리 위로 날아가는 꿈

병에 시달리거나 가정에 좋지 않은 일이 생긴다.

부엉이를 잡는 꿈

고난이 없어지고 뜻하는 일이 성취된다.

부엉이가 자신에게 날아온 꿈

죄수자가 이 꿈을 꾸면 무기형을 받게 된다.

🐾 공작새

공작새가 모여 있거나 날개를 활짝 편 공작새를 본 꿈
직위나 급료가 오르는 등 좋은 일만 생길 것이다.

공작의 알에 붙은 깃털을 떼는 꿈
예쁜 여인에게 사기당할 염려가 있다.

공작새가 나무에 앉아 있는 꿈
타인의 위협을 받게 된다.

공작새가 춤을 추고 있는 꿈
오랫동안 운수가 좋아질 것이다.

공작이 우는 꿈
운수가 좋지 않다.

공작을 붙잡은 꿈
건강이 쇠약해질 것이다.

🐾 학(두루미)

날아가는 학을 본 꿈
집안이 화목해지며 진급하게 된다.

학이 날아와 앉아 있는 꿈

의로운 사람과 접하게 되고, 병원에 가야 할 일이 생긴다.

자신의 몸에 학이 앉는 꿈

태몽이라면 학자가 될 자손을 낳는다.

암수 한 쌍의 학을 본 꿈

아이를 가질 꿈이다.

학이 혼자 서 있는 꿈

연인 또는 부부간에 이별할 징조이다.

학이 알에서 반쯤 깨어 있는 모습을 본 꿈

약속이나 계약이 성립되지 않으며 임신을 했다면 유산의 위험성이 있다.

백학이 보인 꿈

참고 인내하다 보면 좋은 날이 올 것이다. 특히 수험생은 시험에 합격하게 된다.

⊛ 까마귀

까마귀가 울어대는 꿈

재산을 잃거나 불의의 사고가 일어날 징조이니 조심해야 한다.

까마귀를 잡는 꿈

슬픈 일이 생기거나 이웃과 사이가 멀어진다.

까마귀가 주변을 빙빙 도는 꿈
병에 걸리거나 사고가 생길 징조이다.

까마귀를 죽인 꿈
좋은 소식이 연이어 있을 것이다.

죽은 까마귀를 본 꿈
어렵고 힘든 날은 지나고 좋은 날이 올 것이다.

까마귀가 모여 있는 것을 본 꿈
소송할 일이 생긴다.

까마귀가 다른 새와 싸우는 꿈
형사사건이나 민사사건으로 재판할 일이 생긴다.

❀ 매

매를 본 꿈
사회적 지위가 오르고 명예를 얻게 된다. 또는 새로운 사업을 시작할 징조이다.

매를 타고 가는 꿈
사업가는 성공하고 회사원 승진하게 되고 장사꾼은 이득을 본다.

매를 붙들어 잡은 꿈
진행중인 일이 모두 중단된다.

매가 날아와 머리 위에 앉은 꿈
직장이나 단체에서 승진하게 된다.

매가 작은 새를 잡는 광경을 본 꿈
좋은 일이 생길 것이다.

❀ 독수리

독수리를 본 꿈
윗사람 덕분으로 성공하게 된다.

독수리를 잡는 꿈
바라던 일이 실패할 징조이다.

독수리가 날아다니는 꿈
여려운 일이 닥치게 된다.

독수리가 서로 싸우는 꿈
교통사고가 발생하나 다행히 죽음은 면하게 된다.

독수리를 기르는 꿈
계획한 목표를 초지일관으로 열심히 밀고 나가면 그 뜻을 이루게 된다.

독수리가 자신을 해치려는 꿈
나쁜 사람에게 시달림을 당하거나 병에 걸릴 염려가 있다.

✿ 백조(고니)

백조를 본 꿈

헤어진 사람과 다시 만나게 된다. 사회적으로는 신임을 받아 성공할 징조이다.

한 쌍의 백조에게 모이를 주는 꿈

좋은 사람을 만나 사랑을 하게 되거나 결혼을 하게 된다.

백조가 날아오거나 따라오는 꿈

머지않아 남녀간의 사랑을 나누거나 임신을 하게 된다.

백조가 지저귀는 소리를 들은 꿈

슬픈 일이 생긴다. 생명이 위태로울 수 있으니 조심해야 한다.

✿ 잉어

살아 있는 잉어를 본 꿈

업무상 큰 이득을 보게 된다. 지위가 오르거나 봉급이 오른다.

죽은 잉어를 본 꿈

퇴직당하거나 봉급이 내려간다.

잉어를 잡는 꿈

임신을 하게 된다.

잉어가 물이 없어 팔딱거리는 꿈

원하는 일이 잘 되지 않아 걱정이 생긴다.

우물이나 연못에 잉어를 넣는 꿈

하는 일이 크게 번창하여 성공하게 된다.

🎴 메기

메기가 헤어치는 모습을 본 꿈

좋은 일이 있을 것이다.

메기가 죽어 있는 것을 본 꿈

고난을 겪을 징조이다. 가족이나 친척 중에 운명을 달리 하실 분이 있다.

매기를 먹는 꿈

이러지도 저리지도 못하는 상황에 처하게 된다.

🎴 송 어

송어를 본 꿈

병이 호전되고 몸이 튼튼해진다. 아들을 낳을 태몽이다.

송어를 잡은 꿈

경제적으로 호전될 것이다.

송어를 판매한 꿈
근심 걱정할 일이 많이 생긴다.

송어를 먹은 꿈
오랫동안 병원에 입원하게 된다.

송어를 선물한 꿈
큰 인물이 될 친구를 사귀게 된다.

❀ 연어

연어를 본 꿈
재물이나 돈을 잃어버리거나 도난 당할 징조이다.

❀ 장어

장어를 본 꿈
고통스러운 일이 생긴다.

장어를 굽는 꿈
바라던 일이 뜻대로 이루어질 것이다.

✿ 도미

도미를 본 꿈

경사스러운 일이 생긴다.

도미를 잡는 꿈

돈이 끊임없이 들어올 징조이다.

도미를 낚는 꿈

사회적으로 인정을 받고 성공하게 된다.

도미가 죽어 있거나 상한 것을 본 꿈

사업상 협력자를 얻지 못하고 함께 한 사람마저 떠나간다.

도미 요리를 만들거나 먹는 꿈

기쁜 일이 생긴다. 무직자는 취직을 하게 되고 사업가는 성공하고 연인
과는 혼담이 이루어져 결혼하게 된다. 여성은 아이를 낳을 태몽이다.

✿ 꽁치

살아 있는 꽁치를 본 꿈

좋은 일이 생긴다.

죽거나 죽어 가는 꽁치를 본 꿈

일이 제대로 잘 풀리지 않을 징조이다.

❀ 붕어 · 금붕어

붕어를 본 꿈
집안이 화목하지 못하고 시끄러운 날만 계속된다.

죽은 붕어를 본 꿈
사업상 문제가 많게 되고 건강도 나빠진다.

못에서 노는 금붕어를 본 꿈
옛 사람을 만나 즐거운 시간을 보내게 된다. 집안이 화목해지고 사업이
나 장사가 잘 된다.

어항에서 죽어 있거나 헤엄치는 금붕어를 본 꿈
윗사람에게 미움을 받고, 일을 해도 결과가 나쁘다.

❀ 상어

상어를 본 꿈
사업가는 국외로 나가 큰 돈을 벌게 되고 장사꾼은 장사가 잘 되어 큰
이득을 얻게 된다.

상어 무리를 본 꿈
직업을 바꾸면 많은 돈을 벌게 된다.

죽은 상어를 본 꿈
자신의 과오로 경제상 손실을 입게 된다.

상어가 다른 사람을 덮친 꿈
곧 어려운 일이 닥치게 된다.

✿ 고래

고래를 본 꿈
어떤 일을 하더라도 이득을 얻게 된다.

고래가 물을 뿜는 것을 본 꿈
멀리서 좋은 소식이 올 것이다.

고래를 타고 바다를 가르는 꿈
힘있는 단체의 책임자가 된다.

고래떼가 몰려와서 배를 뒤엎은 꿈
하고 있는 일이 위태롭거나 파산하게 된다.

고래 뱃속으로 사람이 들어간 꿈
승진이 되거나 많은 재물을 얻게 된다.

✿ 문어 · 낙지 · 오징어

문어나 낙지를 본 꿈
남에게 미움을 사는 일이 계속해서 생긴다.

오징어나 낙지를 먹는 꿈
사기를 당해 큰 손실을 보게 된다.

❀ 새 우

새우를 본 꿈
경제적으로 넉넉해진다. 친척이나 가족 중에 경사스러운 일이 생긴다.

새우를 먹는 꿈
집안이 화목해지고 주변 사람들과도 사이가 좋아진다.

❀ 조 개

조개를 잡는 꿈
처녀는 결혼을 하게 되고 결혼한 여성은 아이를 가지게 된다.

굴조개를 본 꿈
위장에 병이 생기게 된다.

모시조개 잡는 꿈
큰 이익을 볼 일이 생기게 되며, 미혼은 혼담이 이루어질 것이다.

조개를 까서 그릇에 담는 꿈
작품을 논하거나 청탁을 받게 된다.

✿ 소라

소라를 본 꿈
어떤 일을 해도 잘 풀리지 않고 이직을 해도 이득이 없다.

소라를 부는 소리를 들은 꿈
근심하던 일이 사라지고 성공할 징조이다.

✿ 게 · 가재

가재를 본 꿈
지금까지의 모든 어려움에서 벗어난다.

게나 가재의 발에 물린 꿈
타인과의 감정 대립이나 성(性)적 문제가 있음을 나타낸다. 이로 인한 훗날 안 좋은 일이 생기게 된다.

게가 기어가는 모습을 본 꿈
고난이 끝나고 좋은 일만 있을 것이다. 환자는 병이 쾌유한다.

게가 밭에 있는 꿈
주변 사람들과의 관계가 악화된다.

게를 먹는 꿈
가족이나 주위 사람들과 사이가 좋아진다.

⊗ 달팽이

달팽이를 본 꿈
미혼 남녀는 부유한 배우자를 만난다. 결혼한 사람은 배우자가 많은 재산을 가지게 된다.

달팽이를 죽인 꿈
경쟁상대를 이기고 뜻하는 대로 이루게 된다.

⊗ 개미

개미가 이동하는 꿈
외국으로 떠나 살아도 편안하고 안정된 삶을 살 수 있다.

개미가 마루 위에 있는 꿈
좋지 않은 일이 생긴다.

개미가 사방으로 흩어지거나 달아나는 꿈
갑자기 재난이 닥칠 것이니 매사에 주의해야 한다.

개미가 먹을 것을 물고 가는 꿈
후원자나 동업자를 만나 사업이 번창하고 좋은 일이 많이 생긴다.

자신이 개미에게 포위된 꿈
생명이 위태롭게 된다.

개미가 집을 나가는 꿈
가족 중 누군가 집을 나간다.

마실 물이나 우유 등의 음료 속에 개미가 있는 꿈
내장의 질환으로 고생을 하게 된다.

개미집을 헐어버리는 꿈
가정에 불화가 생긴다.

흰개미가 집으로 들어오는 꿈
몸이 쇠약해지고 재산을 탕진할 징조이다.

❀ 벌

벌을 본 꿈
큰 돈을 벌거나 가족이 늘어난다. 그러나 대인 관계로 피해를 볼 수 있으니 신경을 써야 할 것이다.

꿀벌이 많이 있는 꿈
곧 좋은 날이 다가올 징조이다.

벌에게 쏘인 꿈
친구에게 배신을 당하거나 속임을 당한다.

벌 집을 본 꿈
심신이 좋아지며 만사 형통한다.

벌집이 땅에 떨어져 있는 꿈

큰 재난이 닥치게 된다.

벌을 잡는 꿈

모든 일이 뜻대로 이루어지며 경제적으로 운이 트일 것이다.

벌떼가 날아다니는 꿈

남들에게 자기를 내세울 일이 생긴다.

벌떼가 덤벼드는 꿈

남에게 시달리고 근심이 많아진다.

꿀이 벌통에서 흘러내리는 꿈

가지고 있는 능력을 잘 활용하게 되어 큰 돈을 벌게 된다.

텅빈 벌집을 본 꿈

부모님 혹은 아랫사람과 멀어져 수습 못할 곤경에 빠지게 된다.

🦋 나비

날아다니는 나비를 본 꿈

머지않아 사랑할 사람을 만나게 된다. 그러나 사랑을 지키지 않으면 해를 입게 된다.

꽃밭에서 나비가 춤추고 있는 꿈

행복하고 호화로운 생활을 하게 될 것이다.

잡았던 나비가 날아가 버린 꿈

사랑하는 사람이 다른 사람과 결혼을 하게 된다.

날개가 망가진 나비를 본 꿈

재난의 손실, 질병, 정신적 고통 등을 당한다.

나비를 따라다니는 꿈

사랑하는 사람과 곧 결혼하게 된다.

나비가 당신 몸이나 모자에 내려앉는 꿈

회사에서 승진을 하게 되고 큰 돈도 벌 수 있다.

나비를 죽이는 꿈

근심 걱정이 사라지고 원하던 일을 이루게 된다.

임산부가 나비를 본 꿈

대체로 딸을 낳게 된다.

🦋 잠자리

잠자리 떼가 날아다니는 꿈

재물이나 돈을 얻게 된다.

잠자리가 모여 있는 꿈

종교에 귀의하게 될 일이 생긴다.

잠자리가 물 위로 날아가는 꿈
하던 일이 잘 풀리지 않는다.

잠자리가 사람에게 날아드는 꿈
용모가 뛰어난 여성을 만나게 된다.

🕸 거미

거미를 본 꿈
남의 중상모략에 빠지거나 꼬임에 빠지게 된다. 아무리 피하려고 해도
피할 수 없게 되니 자중하면서 다음 기회를 기다려야 한다.

거미집을 보거나 거미집 짓는 것을 본 꿈
집안이 편안해질 징조이며 환자가 이 꿈을 꾸게 되면 병이 위험한 고비
를 넘기고 나아질 것이다.

거미가 죽어 있는 꿈
근심이나 걱정거리가 모두 없어진다.

거미줄이 사방에 있는 꿈
가정 문제로 괴로워할 일이 생긴다.

거미줄에 걸린 꿈
병이 생기거나 소송한 일로 고민할 징조이다.

동
물

거미가 곤충을 잡아먹는 꿈

큰 사고를 당해 목숨이나 재산을 잃을 수 있다

거미가 높은 곳에서 당신 몸에 떨어진 꿈

액운이 들게 된다.

❀ 파리

파리를 본 꿈

근심 걱정되는 일이 생긴다. 파리의 크기가 근심 걱정거리에 비례한다.

파리가 몸에 앉은 꿈

경쟁자가 자신을 헐뜯고 누명을 씌워 고발하거나 고소하는 일이 생긴다.

귀찮게 구는 파리를 쫓아버린 꿈

집안 어른에 대한 우환이 사라지고 사업은 번창하게 된다.

파리 떼가 모여드는 꿈

하는 일에 방해하는 사람이 생겨 뜻대로 이루어지지 않는다.

❀ 기타 벌레 · 곤충

귀뚜라미 우는 소리를 들은 꿈

고생스러운 일들이 계속해서 생긴다.

모기를 본 꿈

남이 시기를 하여 불쾌한 일이 생기며 재난이 연달아 생길 징조이다. 또한 환자가 꿈에 모기를 보면 쉽게 회복되지 않는다.

모기를 없애는 꿈

건강을 회복하게 된다.

모기에게 물리는 꿈

상대에게 손해를 보게 되고 물건을 잃어버리거나 몸에 병이 생기는 등 안 좋은 일이 많으니 매사에 조심해야 한다.

모기장을 치는 꿈

새로 집을 장만하여 이사할 징조이다.

지네를 본 꿈

공무원이나 회사원은 직장을 잃거나 직위를 내놓게 되는데, 장사꾼이나 사업가는 이득을 보게 된다.

지네에게 물린 꿈

경제적 이익을 얻거나 수명이 길어지게 된다.

바퀴벌레를 본 꿈

기분 나쁜 일이 생겨 속이 상하거나 좋지 않은 일이 일어난다.

반딧불이 많이 있는 것을 본 꿈

역경을 이겨내고 마침내 결실을 맺어 목적을 이루게 된다.

불나방을 죽이는 꿈

고민이 많아지고, 경제적으로 손실이 많이 생긴다.

나방이 불에 뛰어드는 꿈

당신을 위해 목숨까지 바칠 진실한 친구가 한 명 생긴다.

🐍 뱀

뱀을 본 꿈

돈이나 재물이 들어온다. 영리한 아이를 낳을 태몽이기도 하다. 또한 미혼 남녀는 훌륭한 배필을 만나게 된다.

뱀이 옷 속으로 기어다니는 꿈

부귀와 권력 등을 잃게 된다.

뱀이 당신을 물은 꿈

운수가 좋아지고 생활이 부유해진다.

뱀이 사람 뒤를 쫓아가는 꿈

아내나 애인이 딴 속셈이 있거나 심지어 사람을 해치려는 나쁜 마음을 가지고 있다.

뱀이 많이 있는 것을 본 꿈

지금 숨기고 있는 비밀이 자칫하면 밝혀져서 곤란을 겪게 된다.

뱀을 손으로 만지는 꿈
많은 재물이 들어온다.

쫓아오던 뱀이 사람으로 탈바꿈한 꿈
하고 싶지 않은 일을 꺼려 하지만 어쩔 수 없이 일을 해주게 된다.

뱀이 주머니 속에 들어오는 꿈
연이어 좋은 일만 생긴다.

뱀을 죽이는 꿈
공무원이나 회사원은 승진을 하게 되고 사업가는 사업이 번창한다.

검붉은 뱀을 본 꿈
남과 말다툼을 하거나 헐뜯는 말을 듣게 된다.

뱀의 색깔이 푸른빛을 띠고 있는 꿈
뜻밖에 좋은 일이 생긴다.

뱀의 색깔이 황백색을 띠고 있는 꿈
관공서와 관련된 일을 하게 된다.

뱀이 사람을 죽이는 꿈
갑자기 불행한 일이 닥칠 조짐이다.

뱀이 배우자를 물은 꿈
많은 걱정과 불행에 부딪치게 된다.

큰 뱀이 토막이 나 있는 모습을 본 꿈
고난이 잇달아 생긴다.

뱀에게 휘감겨 있는 꿈
어떤 일이든 큰 이득을 보게 된다.

전신을 감고 있는 뱀을 죽인 꿈
시련과 고통을 슬기롭게 이겨낸다.

뱀에 감겼다가 풀리는 꿈
좋은 기회를 놓치고 점점 어려워진다는 조짐이다.

머리가 여러 개인 뱀이 물 속에 있는 꿈
모든 난관이 순조롭게 풀린다.

뱀이 쥐나 개구리를 잡은 꿈
불행한 소식이 전해 올 것이다.

큰 구렁이가 관련된 꿈
태몽이라면 영리하고 재주가 뛰어난 자손을 얻게 된다.

구렁이가 허물을 벗고 사라진 꿈
태몽이라면 공공단체의 주도권을 쥐게 될 자녀를 얻는다.

구렁이가 전신을 감는 꿈
여러 계층의 많은 사람들과 만나게 된다.

구렁이와 마주 섰다가 돌아선 꿈

괴롭히는 사람으로부터 벗어나게 된다.

❀ 악어

악어를 본 꿈

당신보다 권력을 가진 사람에게 괴롭힘을 당하거나 관계가 좋지 않게
되어 고생을 하게 된다.

악어의 공포에서 벗어난 꿈

위험을 피하게 될 것이다.

❀ 거북이

거북이를 본 꿈

모든 일이 뜻대로 잘 될 것이다. 특히 여성이 이 꿈을 꾸면 많은 사람들
로부터 인정을 받게 된다.

거북이가 헤엄치는 것을 본 꿈

지금 처해져 있는 고난이 없어진다.

거북과 뱀이 마주보고 있는 모습을 본 꿈

엄청난 재물이나 돈이 들어올 것이다.

거북이를 돌로 치는 꿈

남에게 위협을 받는다.

거북이의 목덜미를 잡은 꿈

소속되어 있는 단체의 일이 잘 풀리게 된다.

거북이가 집으로 들어오는 꿈

명성과 재운을 얻게 된다.

거북이를 잡는 꿈

사람이 죽는 불행한 일이 생긴다.

거북이를 손에 잡고 있는 꿈

새로운 친구를 사귀게 된다.

거북이를 쫓다가 잡지 못한 꿈

치밀한 계획을 세우지만 뜻대로 이루지 못하고 실패하게 된다.

거북이를 죽이는 꿈

장애물이나 방해꾼이 사라져 모든 일이 잘 풀린다.

거북이가 살고 있는 곳에 들어간 꿈

부귀영화를 누린다.

거북이를 타거나 가까이 대하는 꿈

태몽이라면 권력자나 기관장 등이 되어 부귀를 누린다.

바다 거북을 본 꿈

부부 생활이 행복해질 것이다. 미혼 남녀는 머지않아 결혼하게 된다.

바다 거북탕을 먹는 꿈

건강이 나빠진다.

🐸 개구리

개구리를 본 꿈

사고를 내거나 말다툼을 하게 된다.

개구리의 울음소리를 듣는 꿈

타인에게 사기당할 염려가 있다.

많은 개구리가 보인 꿈

불필요한 돈이 나가는 일이 많게 되니, 돈 관리에 신경써야 한다.

개구리를 돌로 친 꿈

머지않아 직장을 옮기게 된다.

개구리에게 물려 상처 입은 꿈

모든 고난이 없어지게 된다.

개구리가 절름거리는 것을 본 꿈

걱정거리가 생긴다. 여행을 간 사람은 사고로 다리를 다칠 조짐이다.

제 5 장
식물에 관한 꿈

❀ 나무

푸르고 싱싱한 나무를 본 꿈
몸이 건강해질 꿈이다. 부인은 시댁쪽 식구가 늘어나게 된다.

메마른 나무를 본 꿈
재난이 있을 것이다. 여성은 이런 꿈을 꾸면 병에 시달리게 된다.

푸른 나무를 찍어 넘어뜨린 꿈
위험이 닥칠 꿈이니 주의해야 한다.

마른 나무를 찍어 넘어뜨린 꿈
수입이 많이 늘어나게 된다.

나무에 사람이 올라가는 꿈
어떤 기관에서 사업이나 작품 등에 관해 상의할 일이 있음을 통보해 온다.

나뭇가지에 매달려 물을 건너거나 뛰어 오른 꿈
어려운 일을 남의 도움으로 극복해 나갈 것이다.

나무를 베어 마차나 트럭으로 운반하는 꿈
훌륭한 인재를 얻거나 어떤 단체에서 주도권을 잡는다.

낙엽이 쌓인 것을 본 꿈
사업이 발전하고 재물을 얻게 된다.

낙엽을 긁어모으는 꿈
어려운 고비를 넘기면 원하는 일이 성사된다.

높은 나무에 앉아 있는 새를 본 꿈
미혼자는 혼담이 오간다.

무덤 위에 나무가 서 있는 꿈
다른 사람의 도움을 받아서 어떤 기관의 최고 책임자가 될 것이다.

정원에 나무를 옮겨다 심는 꿈
자리를 옮기거나 좋은 사람을 만난다.

고목이 부러진 것을 본 꿈
주도권을 쥐고 있던 사람이 화를 입는다.

큰 고목 위를 자연스럽게 걷는 꿈
하고 있는 일이 순조롭게 이루어진다.

강 한가운데에 나무가 우뚝 서 있는 꿈
중개자를 통해서 자신의 사업이 이루어진다.

쓰러지려는 나무를 버팀목으로 받쳐 놓은 꿈
어려운 난관에 부딪혀도 잘 참아내면 좋은 일이 있게 된다.

나뭇가지가 부러진 꿈
건강이 나빠지고, 믿고 의지했던 사람이 화를 입게 된다.

식
물

큰 나무가 뿌리째 뽑혀 있는 꿈

은퇴를 하거나 사업이 어려움을 겪게 될 것이다.

죽은 나무가 되살아나는 꿈

타격을 받았던 일이 다시 활기를 되찾는다.

거목 밑에 앉거나 서 있는 꿈

전혀 모르는 사람에게 협조를 받는다.

나무뿌리나 풀뿌리를 잡고 일어서는 꿈

도움을 줄만한 사람을 찾아서 어려운 고비를 넘긴다.

방바닥에 뿌리를 박은 거목이 지붕을 뚫고 나오는 꿈

사회적인 이목을 한 몸에 받게 된다.

거목이 기울거나 가지가 뻗어 나온 꿈

협조자가 나타나 자신을 도와주거나 사업체를 운영할 권리가 주어진다.

녹색 나뭇잎을 딴 꿈

자신의 능력을 인정받게 된다.

다른 사람이 자기 집에 낙엽 한 짐을 짊어지고 온 꿈

당신에게 투자할 사람이 생긴다.

쭉 뻗은 나뭇가지가 부러진 꿈

부모와 이별하게 되거나 의지했던 곳에서 나오게 된다.

나무 끝에 기어오른 꿈

자신이 속해있는 모임이나 지역의 책임자가 될 꿈이다.

목재를 본 꿈

새집을 가질 징조이다.

목재를 나르는 꿈

육체적 노동을 하면 돈을 많이 벌게 된다.

목재 창고를 본 꿈

여성은 마음이 즐겁고, 상인은 큰 돈을 벌게 된다. 죄수가 꾸면 복역 기간에 중노동을 하게 된다.

목재를 구입한 꿈

머지않아 멋지고 호화로운 주택을 한 채 짓게 된다.

목재를 판매하는 꿈

사업에서 적자를 보게 된다.

❀ 숲

숲에 관한 꿈

보편적으로 기업체, 백화점, 학원 등 단체들을 나타낸다.

넓고 푸른 숲을 본 꿈

생활이 부유하고 행복해질 꿈이다. 농민은 날씨가 좋아 풍년이 든다.

숲속에 앉거나 누워 있는 꿈
병원에 가야 할 일이 생기거나 혹은 사업상 기다릴 일이 생기게 된다.

나무를 베고 숲을 개간한 꿈
묵은 것을 버리고 새로운 것을 찾게 된다.

숲 속으로 냇물이 흐르는 것을 본 꿈
모든 일이 순조롭게 이루어진다.

숲 속을 헤매는 꿈
질병에 걸리거나 하고 있는 일이 난관에 부딪힌다.

숲 속을 걷는 꿈
사업, 학업, 연구 등을 시작하게 된다.

숲 속에서 꽃을 꺾어든 꿈
곧 적극적으로 참여할 일이 생긴다.

우거진 숲 속에 나무 한 그루가 말라죽는 꿈
사업 부진이나 질병 등으로 고생하게 된다.

망령이 손을 잡고 숲 속으로 끌어 들이는 꿈
전문 서적을 읽거나 여러 방면으로 박식한 사람을 소개받게 된다.

숲 속의 개울에서 물고기를 잡는 꿈
계획하고 있는 일을 추진하면 성과를 얻는다.

식
물

숲 속에서 거목을 베어 껍질을 벗긴 꿈

어떤 단체의 중요한 자리에 추천을 받게 된다.

숲 속을 걸어 들어간 꿈

견학, 직무 수행, 독서 등을 하게 된다.

❀ 나뭇잎

푸른 잎이 보인 꿈

장수하게 될 꿈이다.

시들어 떨어진 나뭇잎을 수집한 꿈

가족들을 부양할 책임을 지게 된다.

연인이 자기에게 푸른 나뭇잎을 기념으로 준 꿈

사랑하는 사람과 관계가 더욱 깊어지게 된다.

바닥의 낙엽을 쓸어버린 꿈

남편은 돈을 잘 벌게 되고 가정은 화목해질 꿈이다.

❀ 묘목

금방 싹이 튼 묘목을 본 꿈

기혼 남성은 아무 근심 걱정 없는 행복한 생활을 하게 되고, 총각은 예쁜 아내를 맞게 된다. 학생은 시험에 합격하고, 사업가는 성공하게 된다.

말라 버린 묘목을 본 꿈

슬픈 일과 실망할 일이 생긴다.

묘목에 물을 주는 꿈

사업에서 좋은 성과를 거둔다.

묘목을 접붙이는 꿈

장수하여 자손이 번성하게 될 꿈이다.

🎴 배나무

배를 먹는 꿈

애인이나 가족과 다투거나 이별할 운수다. 배가 주렁주렁 열린 배나무를 보면 일이 번창하고 발전한다. 또 그 배를 먹으면 좋은 일이 있다.

배를 따는 꿈

아들을 낳을 태몽이다.

배나무에 배꽃이 하얗게 핀 꿈

사회적으로 인정받거나 명예를 얻게 된다.

🎴 사과나무

사과를 상자에 담거나 또는 수레에 싣고 온 꿈

큰 돈이 생긴다.

사과나무 있는 곳에 가까이 간 꿈

재물이 들어온다.

사과나무에서 사과를 따 먹는 꿈

임신을 하거나 산모는 아들이나 딸을 출산한다.

사과를 따 먹는 꿈

미인에게 사랑을 받거나 그녀와 잠자리를 같이 하게 된다.

✿ 포도나무

포도나무를 본 꿈

남성이 꿈에서 포도나무를 보면 사업이 성공하고, 여성은 자녀를 많이 낳고 부유한 생활을 하게 된다.

포도나무를 심은 꿈

노인이 이 꿈을 꾸면 자손이 번창 하고, 건강 장수하게 된다. 상인은 장사가 번창하여 돈을 크게 벌게 된다.

남이 포도나무를 심는 꿈

첩첩산중 곤란한 일이 많이 생긴다. 죄를 범한 사람은 감옥에 가게 된다.

포도나무가 메마른 꿈

주변에서 좋지 않은 일이 계속 일어나게 된다.

❀ 감나무

감나무에 감이 열린 것을 본 꿈
그 동안 노력한 일이 좋은 결실을 맺게 된다.

감나무에서 홍시를 따 먹는 꿈
사업이나 장사 · 거래에 이익이 생긴다. 남녀 간에 교제를 하게 된다.

❀ 석류나무

석류를 본 꿈
자녀 일로 고민한다. 남성은 여성과 남몰래 사랑을 속삭이게 된다. 미혼 여성은 남성을 유혹하거나 유부남을 연인으로 삼게 된다.

석류를 먹는 꿈
하는 일이 실패하거나 뜻밖의 사고를 당할 징조이다.

버드나무에 석류가 달려 있는 꿈
버드나무는 불행을 의미하고 석류는 아이 문제로 걱정하는 것을 나타내므로 불행과 걱정이 겹치게 된다.

❀ 소나무

소나무를 본 꿈
높은 자리에 오르고 사회적으로 인정을 받게 된다. 큰 이익을 보아 사업이 번창할 징조이기도 하다. 여성은 이상적인 배필을 만나 결혼하게 된다.

소나무 가지에 무궁화 꽃이 핀 꿈
애정 문제로 고민하게 된다.

소나무나 솔방울을 본 꿈
큰 이득을 얻어 사업이 번창하다. 여성이 이 꿈을 꾸면 좋은 배필을 만나 결혼하게 된다.

소나무를 뽑아 내는 꿈
매우 좋은 일들이 생긴다.

소나무가 말라 죽은 꿈
이사를 가거나 주거지를 옮긴다. 또는 가족이 뿔뿔이 헤어지게 된다.

소나무가 울창한 것을 본 꿈
하는 일마다 순조롭게 풀린다.

노송 밑에 동물이 있는 꿈
태몽이라면 공공단체의 책임자가 되거나 성실한 사람이 태어난다.

❀ 버드나무

버드나무를 본 꿈
연인 문제로 고민할 일이 생긴다.

버드나무 옆에 고양이가 서 있는 본 꿈
남의 집에 신세를 지게 된다.

버들가지가 늘어진 것을 스케치한 꿈
외로운 사람을 만나 이야기를 주고 받게 된다.

❀ 단풍나무

단풍나무를 본 꿈
진퇴양난의 처지에 빠진다. 매우 신중히 생각하여 결단을 내리거나 나아
가야 한다. 친한 사람이나 집안 사람과 헤어져야 할 처지가 된다.

단풍나무가 지붕 위에 나 있는 꿈
모든 일이 뜻대로 이루어진다.

단풍나무를 옮겨 심는 꿈
바라던 일이 뜻대로 이루어질 조짐이다.

❀ 매화나무

흰 매화를 본 꿈
좋은 소식이 올 것이다.

흰 매화 숲으로 들어가는 꿈
이성 문제로 고민하게 된다.

매화꽃이 활짝 핀 꿈

승진하거나 명예로운 일로 이름을 알리게 된다.

매실이 열린 매화나무를 본 꿈

임신할 태몽으로 현명한 아이를 낳을 것이다.

붉은 매화를 보거나 가지를 꺾는 꿈

윗사람이나 후원자의 눈에 들어 도움을 받게 된다.

✿ 도토리나무 · 상수리나무

도토리나 상수리나무를 본 꿈

환자는 건강을 되찾으며 허약한 사람은 몸이 튼튼해진다.

도토리나무나 상수리나무에 기어오른 꿈

하는 일이 성공하여 많은 이득을 보게 된다.

도토리나무나 상수리나무에서 내려오는 꿈

오랫동안 고통과 고난을 겪게 된다.

도토리나무나 상수리나무를 베는 꿈

식구나 친척이 죽거나 중병이 들 징조이다.

도토리나무 · 상수리나무가 말라죽는 꿈

평안하고 무사한 나날을 보내게 된다.

✿ 대나무

대나무를 본 꿈
예기하지 않았던 부수입이 들어오는 등 기쁜 일이 잇달아 생긴다. 남에게 존경을 받게 되거나 가업이 번창하게 될 징조이기도 하다. 장수의 의미도 있다.

대나무를 심는 꿈
좋은 친구를 사귀게 되고 모든 일에 이득을 보게 된다.

창밖에 대나무가 있는 것을 본 꿈
하는 일마다 잘 되고 기쁜 일이 생긴다.

대나무 숲 속에 집이 있는 꿈
때 아닌 돈이 들어온다.

대나무 숲으로 들어가는 꿈
자신의 잠재 능력을 키워 좋은 일을 하게 된다.

죽순(대나무 싹)이 나 있는 꿈
사회적으로 기반을 닦고 출세할 징조이다. 여성이 이 꿈을 꾸면 좋은 아이를 임신하게 된다.

죽순이 자라서 마루나 천장을 뚫고 뻗어 가는 꿈
재앙의 피해를 입거나 집이 망하게 된다.

✿ 차나무

차나무를 심는 꿈
다른 사람과 관계가 좋지 않아 말다툼을 일으키기 쉬울 징조이니 조심해야 한다.

찻잎을 따는 꿈
불운은 행운으로 행운은 불운으로 역전될 조짐인데 주로 불운이 행운으로 역전되어 운이 트이는 경우가 많다.

✿ 뽕나무

뽕나무를 본 꿈
어린아이가 병에 걸릴 징조이다.

뽕나무 잎을 꿈에서 보거나 따는 꿈
바라던 일이 성취되나 구설수에 오르거나 말다툼할 징조이므로 매사에 조심해야 한다.

뽕나무가 우물에 나 있는 꿈
근심·걱정거리가 생긴다.

뽕나무가 무성한 꿈
집안의 자손들이 번창하게 된다. 그러나 뽕나무가 말라 있거나 잎들이 떨어져 있으면 집안의 손이 귀하게 되고, 하는 일마다 잘 풀리지 않아 실패하게 된다.

뽕밭에 있거나 뽕밭을 본 꿈

환자는 병이 차차 나아지고, 뽕밭에 숨어 있는 꿈은 출세할 징조이다.

❀ 밤나무

밤나무를 본 꿈

먼 여행을 떠나게 될 것이다.

밤나무에 잘 익은 밤을 본 꿈

고난 끝에 기쁨을 얻는 운수로 사업가는 사업의 좋은 결실을 맺게 되고, 미혼자는 머지않아 결혼을 하게 된다.

밤송이를 떨어 밤을 따는 꿈

남과 계약을 하거나 상급학교에 진학을 하게 되고, 며느리나 사위를 얻어 식구가 불어난다.

밤알을 줍거나 까서 먹는 꿈

머지않아 남과 다투게 된다.

❀ 올리브나무

올리브를 본 꿈

실망했던 사람에게도 새로운 희망이 생긴다.

올리브 가지를 본 꿈

수험생은 시험을 잘 보게 된다.

남에게 올리브를 주는 꿈

직장에서 눈에 띄어 승진하게 된다.

올리브 나무를 도끼나 다른 도구로 찍은 꿈

부자가 될 아주 좋은 기회를 놓치게 된다.

✿ 기타 나무

대추나무를 본 꿈

직장 또는 근무처를 옮기거나 이사갈 꿈이다.

계수나무가 무성한 곳을 본 꿈

수험생은 시험에 합격하고 사업가는 일이 잘 풀리고 라이벌을 물리치고 결혼을 하게 되는 등 모든 일이 뜻대로 된다.

은행나무를 본 꿈

집안이 화목하고 편안한 생활을 하게 된다.

느티나무를 본 꿈

가운이 일어나고 집안이 번창하여 잘 살게 되며 현명한 아이를 낳게 된다.

동백나무를 본 꿈

의식주가 풍족해지고 행복한 생활을 하게 된다.

옻나무를 본 꿈
바라는 일이 뜻대로 되지 않아 형편이 어려워진다.

벚꽃이 핀 벚나무를 본 꿈
지금까지 쌓아 온 일들이 실패하여 헛수고가 되고 그간 사귀던 연인과의 사랑도 물거품이 되어 버린다.

복숭아나무를 본 꿈
남성은 어여쁜 여성을 만나게 되고 여성은 바람직한 사나이를 만나 결혼을 하게 된다.

❀ 풀

풀이 보인 꿈
무병장수할 징조이다.

풀을 베는 꿈
졸지에 헐벗고 굶주리게 될 꿈이다.

누가 풀단을 메고 당신에게로 걸어오는 꿈
많은 돈이 생기게 된다.

풀에 곰팡이가 낀 꿈
많은 가축들을 잃게 된다.

마른 풀밭을 본 꿈

어떤 일의 성과를 올리는데 가장 적합한 때임을 나타낸다.

마른 풀을 파는 꿈

크나 큰 재산 손해가 있을 것이다.

햇빛에 풀을 말리는 꿈

많은 돈을 벌게 된다.

마른 풀을 구입하는 꿈

하루 벌어서 하루 먹고 살아갈 꿈이다.

산더미 같은 마른 풀 무지에 불이 붙은 꿈

사는 지역에 우환이 생기고 무서운 전염병이 생길 징조이다.

금잔디로 잘 다듬어진 무덤을 본 꿈

타인의 도움을 받아 일이 쉽게 성사된다.

수렁에 빠졌는데 몸에 풀이 감겨서 헤어나지 못한 꿈

하고 싶은 일이 생각하는대로 이루어지지 않는다.

😣 농 사

논밭에서 많은 사람이 일하는 것을 본 꿈

다른 사람들의 도움으로 많은 사람과 유대관계를 맺게 된다.

논에 물이 흥건히 고인 꿈
사업에 필요한 모든 조건이 이루어진다.

물이 마른 논을 본 꿈
재정곤란에 처하게 된다.

논밭을 파는 꿈
다른 사람에게 사업 자금을 지원하게 된다.

물이 넘쳐 남의 논으로 들어간 꿈
많은 재물이 손실된다.

들판에 수북이 쌓인 쌀을 본 꿈
부지런하고 검소하게 생활하면 많은 재산을 모으게 된다.

모를 심는 꿈
자신이 하고 있는 일을 다른 사람들에게 널리 알리게 된다.

동물들이 논두렁 밑에 있는 것을 본 꿈
어느 단체의 책임자가 된다.

탈곡을 열심히 하는 꿈
미혼자는 혼담이 오고 간다.

우마차로 볏단을 실어다 놓거나 몰래 갖다 놓는 꿈
많은 재물이 생기고 좋은 상품을 개발한다.

개간을 해서 논밭을 일군 꿈

개척적이며 계몽적인 일을 계획해서 추진한다.

밭이랑을 만드는 꿈

여러 분야로 나누어 사업을 계획하게 된다.

계단식 논의 논두렁을 여러 사람이 따로 걸어가는 꿈

여러 분야의 친구를 사귀게 된다.

곡식이 익은 들판에 세워 놓은 허수아비를 흔드는 꿈

태몽이라면 예술적인 감각을 가진 아이가 태어난다.

✸ 곡 식

곡식을 보거나 곡식을 수확하는 장면을 본 꿈

사업이나 장사를 하면 성공하여 큰 돈을 벌게 된다.

알곡을 온 땅에 흘린 꿈

집안 내에 분쟁이 생길 징조이다.

곡식을 방아 찧는 것을 본 꿈

감옥에 수감되게 된다.

곡식이 빽빽하게 자란 꿈

풍년이 들 징조이다.

잘 자랐던 곡식이 훼손된 꿈

거의 성공할 뻔한 일이 수포로 돌아간다.

곡물이 잘 여물지 않거나 수확량이 적은 꿈

경제적으로 어려움을 겪게 될 것이다.

손으로 곡물을 쥐는 꿈

좋은 일이 생기거나 돈을 얻게 된다.

오곡이 무성한 꿈

많은 재산이나 돈을 얻게 된다.

곡물의 이삭이 일제히 피는 꿈

모든 일이 잘된다.

곡식이 전혀 없는 논두렁을 걷는 꿈

사업체, 환경 등에 변화가 따른다.

씨앗이 많이 달린 곡식을 본 꿈

자잘구레한 사업이나 학문 등을 연구하게 된다.

곡식의 이삭을 얻는 꿈

여러 방면으로 도움을 받게 되어 큰 자본이 생긴다.

알곡과 쭉정이를 가려낸 꿈

공적인 것과 사적인 일을 구분해야 할 일이 생긴다.

여러 가지 곡식이 자라는 밭에 수수이삭이 여물어가는 꿈

자신을 내세우게 되어 세인의 이목을 한몸에 받게 된다.

❀ 벼 · 쌀

벼가 아주 잘 자란 꿈

장사에서 큰 돈을 벌게 된다.

벼가 무르익은 꿈

일이 성숙기에 접어들 것임을 나타낸다.

벼 베는 것을 본 꿈

사업이 잘 운영되어 큰 재물을 얻는다.

벼를 찧는 꿈

교양, 교육, 문화 사업 등을 하게 된다.

집안으로 볏섬을 들여온 꿈

많은 자본이 생긴다.

볏단을 쌓거나 옮기는 꿈

많은 이익을 보게 된다.

볏짚 더미를 본 꿈

생활이 행복하고 장수하게 된다. 여성이 이 꿈을 꾸면 억만 장자가 된다.
농민이 이 꿈을 꾸면 풍년이 들게 된다.

볏짚 더미에 불을 지른 꿈
재난이 닥치게 된다.

볏 가마를 밖으로 실어낸 꿈
자본의 손실이 따른다.

쌀가마나 볏섬을 다른 사람이 가져간 꿈
세금을 내고 재물의 일부를 남에게 준다.

쌀가마가 집안에 수북이 쌓인 꿈
재물이 생기거나 사업이 번창한다.

쌀이 하늘에서 눈 내리듯이 쏟아지는 꿈
재물이 많이 생기는 등 좋은 일이 있다.

쌀을 남에게 조금 준 꿈
불안했던 마음이 안정된다.

쌀을 수증기에 찌는 꿈
엄청난 노력을 해야만 돈을 벌 수 있게 된다.

쌀이 무더기로 있는 꿈
국외로 나가 사업를 하면 큰 돈을 벌게 된다.

쌀 장사를 한 꿈
의로운 친구가 생길 것이다.

쌀을 구입하는 꿈
자식이 결혼을 하게 된다.

남에게 쌀을 주는 꿈
어려운 날이 지나고 좋은 날이 오게 된다.

자신이 쌀을 갖는 꿈
국민의 존경을 받을 징조이다.

쌀이 온 집안에 떨어져 있는 꿈
좋은 일이 생기게 된다.

신에게 쌀밥을 올리는 꿈
입학, 취직, 고시 등 모든 시험에 합격한다.

⊛ 보리

보리를 본 꿈
재물이 들어와 부자가 될 꿈이다.

보리를 먹는 꿈
곧 결혼을 하게 될 징조이다.

거지에게 보리를 시주하는 꿈
액운이 닥쳐 병이 생기게 된다.

익지 않은 푸른 보리를 본 꿈

부부생활이 평안하고 원만하게 된다.

보리 더미를 본 꿈

남성은 큰 이익을 얻고, 환자는 건강이 좋아진다. 상인이 이런 꿈을 꿨다면 큰 횡재를 하게 된다.

집 둘레에 보리가 잔뜩 떨어져 있는 꿈

집안에 충돌이 생겨 식구들 간의 화목이 깨진다.

🍀 밀

밀을 심은 꿈

앞으로 하는 일에 곤란과 위험이 있게 된다. 농민이 꿈에 밀을 심었다면 풍년이 들 희망이 보인다.

밀이 잘 자란 꿈

큰 돈을 벌게 된다.

밀을 구입한 꿈

오래지 않아 결혼을 하게 된다.

밀 창고가 보인 꿈

가정 경제가 어려워진다.

❀ 콩

콩을 본 꿈
남성은 생활이 행복하고 부유할 것이고, 여성은 집안 일을 잘 처리하는 어진 아내가 된다. 상인이 보았다면 장사가 번창하게 된다. 환자가 오면 병세가 점점 좋아지고, 하지만 여행자가 콩을 보면 도중에 교통사고가 생기니 조심해야 한다.

콩을 먹은 꿈
병에 걸리거나 건강이 점점 안 좋아진다. 임산부가 꿈에 콩을 먹으면 태아가 잘못 될 수 있으니 조심해야 한다.

콩을 구입하는 꿈
경제적으로 어려워진다.

남에게 콩을 주는 꿈
귀한 손님이 찾아올 것이다.

콩을 파는 꿈
연회에 초청되어 참석하게 된다.

콩꼬투리를 본 꿈
살기 좋은 날이 곧 올 것이다.

콩꼬투리가 여물지 않은 꿈
다른 사람과 말다툼을 할 수 있으니 주의해야 한다.

🎱 완두

완두가 보인 꿈
좋은 일이 생긴다. 농민이 꿈에 완두를 보았다면 풍년이 든다.

날 완두를 먹는 꿈
몸이 건강해진다.

뜨거운 완두를 먹는 꿈
위병에 걸릴 수 있으니 주의해야 한다.

썩은 완두를 먹는 꿈
생명이 위태로워질 꿈이다.

기름에 튀긴 완두를 먹은 꿈
근근히 벌어 생계를 이어가게 된다.

완두 묘목을 본 꿈
수입이 형편없이 줄어들게 된다.

마른 완두를 먹는 꿈
당신은 정밀하게 계획하여 근면하고 알뜰하게 살림을 꾸릴 수 있다.

응접실 바닥에 완두를 잔뜩 펼쳐 놓은 꿈
아내나 혹은 아이가 병으로 눕게 된다.

완두 잎을 먹는 꿈
생존을 위해 당신은 힘겨운 육체 노동을 하게 된다.

완두 장사를 한 꿈
현재 하고 있는 장사가 망한다.

완두를 맷돌에 가는 꿈
곧 재난에 부딪치거나 얼마 지나지 않아 감옥에 가게 된다.

❀ 채소 · 야채

채소를 본 꿈
병이 들 조짐이다. 건강에 조심하라는 암시이다.

채소를 심은 꿈
남성은 설상가상으로 난처한 일들이 잇달아 일어나지만 여성은 이름이
나고 앞길이 밝을 것이다.

채소를 나누어 주는 꿈
살고 있는 지역에 전염병이 발병하게 된다.

가지고 있는 채소를 빼앗아 가는 꿈
생각지 못한 일이 생겨서 자칫 몸에 상처를 입는다.

채소로 요리를 만드는 꿈
친한 친구의 꾀임에 빠지나 재산상의 손해만 입고 재난은 면하게 된다.

채소밭을 밟고 가는 꿈

목감기나 목과 관련된 병에 걸릴 징조이다.

채소가 시들거나 말라 있는 것을 본 꿈

집안에서 사소한 일로 티격태격 다투게 되거나 가족이나 친족 간에 분쟁이 생겨 괴로움을 겪게 된다.

많은 채소가 잘 자라나고 있는 것을 본 꿈

뜻밖의 돈을 얻거나 횡재를 하게 된다.

무성하게 자란 채소류를 본 꿈

사업, 혼담, 계약 등이 이루어진다.

채소를 좋은 것으로 고른 꿈

연구, 사업, 재물 등에 이득이 생긴다.

채소밭에 꽃이 만발한 꿈

경사스러운 일이 있다.

밭에서 신선한 채소를 본 꿈

남의 도움으로 사업이 발전한다.

파릇파릇한 새싹이 갑자기 동물로 변해서 점점 커지는 꿈

사업, 작품 등이 점점 진전을 보인다.

오이를 먹는 꿈

남녀가 서로 관계를 맺는다.

식
물

덩굴이나 덤불이 우거진 꿈
일의 진행 과정에서 시비가 생긴다.

호박이 여기저기 많이 열린 꿈
작품이나 일에 성과가 나타난다.

❀ 고추

고추를 널어 놓는 꿈
붉은 고추는 여자 아이를 낳게 되고 풋고추나 파란 고추는 사내아이를 낳게 된다. 소녀는 첫 월경이 있을 징조이다.

고추를 바구니에 가득 가져오는 꿈
예술가나 사업가가 될 자손을 얻게 된다.

❀ 마늘

마늘을 본 꿈
숨기고 있던 일이 발각되어 좋지 않은 일이 생긴다.

다진 마늘을 본 꿈
집안 사람의 일로 근심하게 된다.

마늘을 먹는 꿈
뜻밖에 재앙이 생기거나 해로운 일이 일어난다. 그러나 맛있게 잘 먹고 아무렇지도 않았다면 행운이 찾아오게 된다.

🎱 양배추

양배추를 본 꿈
몸이 튼튼하고 힘이 강해진다. 미혼 남성은 좋은 여자와 결혼하게 된다.

양배추를 먹는 꿈
부자가 될 좋은 꿈이다. 환자가 꿈에 양배추를 먹었다면 머지않아 건강해진다.

양배추가 풍년인 꿈
추진하고 있는 사업이 성공하게 된다. 농민이 이 꿈을 꾸면 내년 농작물 생산량이 증가할 것이다.

🎱 배 추

배추꽃이 핀 것을 본 꿈
기쁜 소식이 오거나 명성을 날릴 좋은 일이 생긴다.

배추를 소금에 절인 것을 본 꿈
집안에 우환이 생길 징조이므로 식구들의 건강에 유의해야 한다.

배추를 뽑는 꿈
뜻밖에 재물이 생기거나 바라던 일이 이루어진다.

배추밭과 무밭이 나란히 있는 꿈

배추는 여성, 무는 남성을 상징하므로 남녀 간의 교제가 결혼으로 이어지게 된다.

무나 파밭 근처에 배추밭이 있는 꿈

미혼자는 혼담이 오고 간다.

소금에 배추를 절인 꿈

집안에 좋지 않은 일이 생긴다.

물에 떠 있는 시든 배추를 건진 꿈

집안에 불길한 일이 생긴다.

✬ 무

무가 보인 꿈

착실히 노력해서 재산을 모으거나 명예를 얻게 된다. 처음에는 고생을 하지만 차차 주위에서 인정을 받아 신임을 얻고 마침내 성공하게 된다.

무를 썰거나 먹는 꿈

남성은 좋은 친구를 사귀고 여성은 임신하여 딸아이를 낳을 것이다. 미혼 여성은 가난한 남성에게 시집가고 환자는 건강이 차차 회복된다.

무를 뽑는 꿈

종사하는 직장이나 사업에서 최고 책임자가 되거나 신임을 받아 출세하게 될 것이다.

무를 팔아 버린 꿈

사업가는 사업에 실패하고 직장인은 해고당한다.

무로 요리를 만드는 꿈

가족 중에 병이 드는 사람이 생기거나 어려운 생활을 하게 된다.

무를 사는 꿈

수입보다 지출이 많아지고 먼 곳에서 귀한 손님이 방문한다.

❀ 당근

당근을 본 꿈

지금까지 쌓아올린 성과가 나타나게 된다. 그러나 한 가지 유의해야 할 점은 대인 관계를 원만히 가져야 한다.

당근 요리를 먹는 꿈

즐거운 일이 있거나 누군가 당신에게 호의를 보인다.

❀ 양파

양파가 보인 꿈

비밀이 발각나 아랫사람이 무례하게 군다. 이밖에도 정신상, 육체상의 고난을 겪으며 경제상 손해도 보게 될 것이다.

식물

양파를 먹는 꿈

마음이 유쾌해지고 모든 일이 뜻대로 이루어진다.

양파로 요리를 만든 꿈

당신과 가족에게 병이 생길 꿈이다.

남편에게 양파를 준 꿈

원기가 쇠하여 건강에 이상이 생긴다.

양파로 장사를 하는 꿈

장사가 번창하게 된다.

❀ 가지

가지를 보거나 가지 밭에 들어가는 꿈

명예와 지위가 오르는 등 좋은 일이 있을 징조이다. 하지만 보기만 하면 큰 도움이 되지 않는다.

가지를 남한테서 받는 꿈

머지않아 지위나 명예가 올라 성공한다. 여성이 이 꿈을 꾸면 좋은 신랑 감을 만나게 된다.

가지를 남에게 주는 꿈

행운이 점점 불운 쪽으로 기울어질 징조이다.

가지가 주렁주렁 달린 큰 나무에서 가지를 딴 꿈

좋은 꿈이지만 따 온 것이 1개라면 좋은 일도 그 정도 밖에 되지 않는다.
많이 따면 딸수록 그만큼 좋은 일도 많이 생긴다.

가지를 먹는 꿈

좋은 아이를 낳게 된다.

❀ 버섯

버섯을 본 꿈

집안 살림이 부유해질 꿈이다. 미혼 남성은 실연을 당한다.

버섯을 먹은 꿈

장수할 꿈이다. 하지만 환자가 이런 꿈을 꾸면 병상에서 일어나지 못하
게 된다.

버섯을 부숴 버린 꿈

인간 관계가 나빠진다.

❀ 미나리

미나리를 본 꿈

기혼 여성은 시댁 쪽이 갈수록 번영하고, 미혼 여성은 상류층 가정에 시
집가게 된다. 집 떠난 사람은 머지않아 고향으로 돌아가고, 죄수는 곧석
방될 것이다. 실업자는 일자리를 얻는다.

식
물

낫으로 미나리를 베는 꿈
겉과 속이 다른 친구를 사귀게 된다.

❀ 도라지

도라지를 여름철에 본 꿈
운세가 트이어 행운의 조짐이 있다.

도라지꽃을 본 꿈
연인이나 배우자의 도움을 받게 된다.

❀ 생강 · 연뿌리

생강이 보인 꿈
행복하고 즐거울 일이 생긴다.

연뿌리(연근)를 본 꿈
큰 이익을 볼 일이 생긴다.

❀ 덩굴풀

덩굴풀이 발에 걸리는 꿈
귀찮고 성가신 일이나 번거로운 일이 생긴다.

덩굴풀이 소중한 화분에 자라 있는 꿈
자신의 일에 해를 끼치는 장애물이 많아진다.

❀ 삼

삼을 심는 꿈
기분 나쁜 일이 일어나거나 속상한 일이 일어날 징조이다.

삼이 숲처럼 무성하게 자라 있는 꿈
큰 이익을 보게 된다.

삼밭에 들어가는 꿈
부모와 사별하게 되거나 친척들과 분쟁이 일어날 징조이다.

❀ 과일

잘 익고 싱싱한 과일을 본 꿈
애인이나 남으로부터 깊은 신뢰와 사랑을 받게 된다.

썩은 과일이나 덜 익은 과일을 본 꿈
실연이나 애정이 파탄에 이르게 된다.

과일을 먹는 꿈
사랑하는 사람을 만나게 된다. 수험생은 시험에 합격하고 실업자는 직장이 생기며, 부인의 경우는 귀한 자식을 낳게 된다. 그러나 너무 달면 몸에 이상이 있다는 적신호이니 건강에 유의해야 한다.

물컹해진 과일을 먹는 꿈
재난이 닥칠 꿈이다.

과일을 나눠주는 꿈
돈을 너무 낭비하여 파산하게 된다.

쪼개진 과일을 얻는 꿈
확실하지 않은 사업에 투자하게 된다.

남에게서 과일을 받은 꿈
이상적인 후손을 얻게 될 태몽이다.

혼담이나 사업상의 일로 썩은 과일을 얻어온 꿈
결혼이나 사업 등이 잘 풀리지 않는다.

과일을 파는 꿈
여성이 이 꿈을 꾸면 남편과 헤어지게 된다.

과일을 통째로 삼킨 꿈
권리, 명예 등을 얻는다.

잘 익은 과일을 따 먹는 꿈
좋은 일을 책임지게 된다.

과일을 많이 따 온 꿈
태몽이라면 큰 사업을 할 자식을 낳는다.

나무에 올라가 과일을 따서 먹는 꿈
취직, 계약, 시험 등의 일이 나타난다.

다른 사람이 따 준 과일을 받아 먹는 꿈
다른 사람의 청탁을 받아주거나 계약이 성립된다.

나무 중간에 열린 과일을 딴 꿈
하고 있는 일이 순리대로 풀린다.

전신주에 매달린 과일을 모르는 사람이 따다 버린 꿈
계약이 깨지고 사람이 행방불명 된다.

선악과라고 생각되는 나무 열매를 따 먹는 꿈
옳고 그름을 판단하고 진리를 깨닫게 된다.

풋과일을 어른이 따 줘서 먹는 꿈
제대, 퇴직, 불합격 등에 관한 일이 생긴다.

꽃은 졌는데 열매를 맺지 않는 꿈
하는 일이 발전이 없거나 궁지에 몰리게 된다.

메마른 나무에 과일이 달린 꿈
아무도 모르는 곳에서 재물을 얻게 된다.

과일이 열려 있는 꿈

타인의 도움을 받아 머지않아 큰 일을 맡게 되고 운이 트일 징조이다.

집안에 심은 과일나무에 과일이 주렁주렁 열린 꿈

결혼, 사업 등 새로운 출발점의 기로에 선다.

과일로 잼을 만드는 꿈

상대나 주위 사람과 의견 충돌이 있거나 사랑싸움을 하게 된다.

둥근 과일을 본 꿈

애정이 결실을 맺듯 모든 일이 이루어진다.

과일나무가 서 있는 동산이나 야산에 올라가는 꿈

자손에게 좋은 일이 있을 것이다.

과일나무가 무성한 곳이나 과수원을 걸어가는 꿈

뜻밖에 재물을 얻거나 애쓴 보람의 결과로 재물이나 돈이 생긴다.

한 개뿐인 빨간 과일을 따서 먹는 꿈

여자를 만나거나 고시에 합격한다.

누런 과일과 푸른 과일을 몰래 훔친 꿈

남을 통해서 혼담이 이루어진다.

❀ 사과

사과를 본 꿈
바라고 계획했던 목표가 이루어진다. 미혼자는 애인과 사랑을 시작한다.

사과나무에서 사과를 따거나 사과를 먹는 꿈
결혼한 여성은 좋은 자녀를 낳게 된다. 미혼자는 사랑하게 되고 동성간에도 사이가 좋아진다.

썩은 사과를 보거나 먹는 꿈
타인과 싸움을 하게 될 징조이므로 조심해야 한다.

사과를 상자에 담아 오거나 차에 실어 오는 꿈
많은 자본금이 생겨 사업을 시작하거나 크게 확장하게 된다.

광주리나 혹은 상 위에 올려진 잘 익은 사과를 본 꿈
복권에 당첨되거나 이름을 떨칠 관운이 형통하게 된다. 아이가 없는 부녀자에게는 곧 임신할 태몽이다.

붉게 익은 여러 개의 사과를 딴 꿈
여러 가지 일에 참여하여 좋은 성과를 얻는다.

❀ 배

배를 먹는 꿈
실업자는 직장을 얻게 되고 특히 관공서 일을 맡게 된다. 그러나 부부간에는 불화하여 부부 싸움을 하거나 별거하지 않으면 안될 처지에 놓인다.

배를 따서 가지는 꿈
부인은 귀한 아들을 낳고, 사업가는 결실을 맺게 된다.

배나무에 배가 주렁주렁 열려 있는 것을 본 꿈
경영하는 사업이나 일이 잘되어 번창할 징조이다. 그 배를 따 먹으면 더 번창하게 된다.

배를 남에게 선물한 꿈
사람들의 환영을 받게 된다.

배를 여러 사람에게 나누어주는 꿈
큰 손실을 입게 될 것이다.

배를 파는 꿈
사업에서 실패하게 된다.

배를 사는 꿈
급여가 올라가거나 수입이 증가된다.

어슴푸레한 달밤에 배꽃이 핀 꿈
반가운 사람을 만나거나 경사스러운 일이 생긴다.

여러 개의 배나무를 단계적으로 심는 꿈
사업이 순리대로 이루어진다.

배꽃이 만발해서 달빛에 빛나는 것을 본 꿈

좋은 작품을 내서 여러 사람들에게 지식을 제공하게 된다.

❀ 감

감나무의 감이 빨갛게 익은 것을 본 꿈

지금까지 쌓은 사업이나 작품이 결실을 맺고 이득을 얻어 좋으나 재난이 닥치니 조심해야 한다.

감을 먹는 꿈

병이 들 징조이다. 건강에 유의해야 한다.

감을 차에 싣고 운반한 꿈

많은 책을 판매하게 된다.

떨어진 연시를 주워 먹는 꿈

남에게 무시당할 일이 생긴다.

감나무에 오르거나 감을 따먹는 꿈

일을 단계적으로 차근차근 진행해 나간다.

여러 그루의 감나무에서 떨어진 감을 주워 모은 꿈

여러 기업체, 여러 작품 등에서 좋은 성과를 얻는다.

꽃이 달린채 떨어진 풋감을 주워 담는 꿈

연구 자료를 수집하거나 돈을 구하게 된다.

곶감꽂이에서 곶감을 한 개씩 빼먹는 꿈

마무리 단계에 있는 일을 맡게 된다.

감과 복숭아를 먹는 꿈

헤어졌던 사람을 다시 만나게 된다.

빨갛게 익은 감을 본 꿈

어려운 일이 생긴다. 특히 물로 인한 재난을 당할 수가 있다.

붉고 말랑말랑한 홍시 감을 먹는 꿈

미혼자는 애인이 생기고 사업하는 사람은 이익을 많이 본다.

남이 곶감을 주어 받는 꿈

남에게 칭찬을 듣거나 상장·선물을 받는다. 재산이나 돈이 생긴다.

🐾 귤

잘 익은 귤을 본 꿈

좋은 운이 따르지 않는다.

익지 않은 귤을 본 꿈

병에 걸릴 수 있으니 조심해야 한다.

귤을 산 꿈

기혼 남성은 부인이 사망하여 재혼을 하게 되고 미혼 남성은 아름답고
건강한 여성과 결혼하게 된다.

귤을 파는 꿈

명성이 널리 알려지게 된다.

남에게 익은 귤을 준 꿈

칭찬을 받게 된다.

귤 껍질을 벗기거나 혹은 주스를 만든 꿈

사업에서 큰 돈을 벌게 된다.

어떤 사람이 귤을 재배하는 과수원을 부순 꿈

사이가 안 좋은 사람들이 여러 면으로 당신에게 손해를 가하게 된다.

✿ 레 몬

레몬이 보인 꿈

가정에 갈등과 언쟁이 생긴다. 기혼 여성은 남편과 헤어지게 된다.

레몬을 쥐어짠 꿈

모든 일이 무기력해지고 몸이 쇠약해진다.

레몬을 먹는 꿈

좋은 일이 있을 징조이다.

무더기로 쌓인 레몬을 본 꿈

운수 대통하게 된다. 미혼 남녀가 이와 같은 꿈을 꾼다면 마음에 아주
흡족한 결혼 상대를 찾을 수 있다.

❀ 살구

살구를 먹고 있는 꿈

좋은 일이 생길 것이다.

살구만 보인 꿈

고난에 부딪칠 징조이니 주의해야 한다.

❀ 파인애플

파인애플을 본 꿈

돈이 들어온다. 기혼 여성은 머지않아 임신하여 잘생긴 생긴 아들을 낳게 되고, 미혼 남성은 예쁜 여인을 아내로 맞아들이게 된다.

파인애플을 먹은 꿈

신체는 건강해지고 장수한다. 상인이 파인애플을 먹는 꿈은 장사가 번창하게 된다.

파인애플을 내던지는 꿈

친구와 관계를 끊을 징조이다.

❀ 밤

밤송이를 떨어 밤을 따는 꿈

남과 계약을 맺는 일이 생긴다. 학생은 상급 학교에 진학하게 되며 며느리를 맞거나 사위을 얻어 식구가 불어난다.

떨어진 밤알을 줍거나 먹는 꿈
남과 다투게 될 일이 생긴다. 또는 부부간이나 부모 형제간에 이별할 징
조이다.

⠿ 대 추

단 대추를 먹는 꿈
집안이 안정되고 화목해진다. 상인은 사업이 국외까지 발전하게 된다.

대추를 따는 꿈
하고 있는 사업 범위가 점점 확대된다.

대추를 파는 꿈
사는 지역에서 제일 환영받는 사람이 될 것이다.

대추를 남에게 주는 꿈
남을 잘 배려한 덕분으로 사람들의 추대를 받게 된다.

남이 당신에게 대추를 주는 꿈
재산과 자유를 모두 박탈당한다.

대추가 마구 흩어져 있는 꿈
당신과 친척이 모두 곤경에 빠진다.

✿ 호두

호두를 채집하는 꿈
재난이 닥칠 꿈이다.

호두를 본 꿈
여성이 이 꿈을 꾸었다면 가정에 의견 충돌이 생긴다.

호두를 먹는 꿈
집이 매우 가난해질 꿈이다. 환자가 이런 꿈을 꾸면 병상에서 일어나지 못하게 된다.

남에게 호두를 준 꿈
새로운 명예를 얻게 된다.

남이 준 호두를 받은 꿈
친구를 잃게 된다.

✿ 복숭아

잘 익은 복숭아를 얻는 꿈
남녀 교제가 자연스레 이루어지고 학생은 학업 성적이 우수해진다.

잘 익은 복숭아를 먹는 꿈
몸이 건강해질 꿈이다. 하지만 환자가 이런 꿈을 꾸면 병세가 악화된다 .

복숭아를 파는 꿈

불행이 닥칠 꿈이다. 그러나 상인이 꾸면 좋은 일이 생긴다.

복숭아를 구입하는 꿈

수입이 대폭으로 증가하게 된다.

복숭아를 가지는 꿈

유산을 상속받게 된다.

남에게 복숭아를 주는 꿈

친구에게 주면 사람들의 환영을 받고, 미혼 남성이 연인에게 주면 결혼의 결실을 맺는다. 실업자가 회사원에게 주면 좋은 일자리를 얻는다.

나무에서 복숭아를 따는 꿈

머지않아 좋은 일이 있다.

복숭아나 살구꽃이 만발한 곳을 걷는 꿈

자신을 내세울 일이 생기거나 남녀가 사랑을 하게 된다.

✽ 수 박

잘 익은 수박을 본 꿈

좋은 일이 있을 꿈이다.

익지 않은 수박을 본 꿈

나쁜 일이 겹쳐 찾아온다.

수박을 먹은 꿈

외국에 나가 큰 돈을 벌게 된다.

손에 들고 있던 수박을 다른 사람이 뺏은 꿈

송사에서 실패하여 큰 손해를 입는다.

�֍ 토마토

토마토를 먹는 꿈

운수대통할 꿈이다. 미혼 남녀는 신체 건강하고 용모가 수려한 배우자를 만나게 되고, 환자는 건강이 회복되고 죄수는 머지않아 석방 된다.

부패한 토마토를 먹은 꿈

액운이 닥칠 꿈이다.

토마토를 판매한 꿈

남에게 업신여김을 당하고 모욕을 당한다.

토마토를 구입한 꿈

반가운 손님이 찾아온다.

�֍ 딸기

딸기를 본 꿈

미혼 남성은 아름답고 신체 건강한 처녀와 결혼하게 되고, 기혼 여성은 남편이 애인을 두고 있다. 환자가 꾸면 오래지 않아 병이 완치되고 상인이 이런 꿈을 꾸면 머지 않아 출국할 일이 생긴다.

딸기를 사는 꿈
오래지 않아 귀한 손님이 온다.

잘익은 딸기를 산 꿈
집에 혼사가 있을 것이다.

딸기를 받은 꿈
머지않아 귀한 손님이 찾아온다. 꿈에 배우자가 딸기를 당신에게 주었다면 사내아이를 낳을 태몽이다.

딸기를 파는 꿈
불행한 일이 닥칠 것이다.

딸기를 먹는 꿈
부부가 화목하고 행복해진다. 미혼 여성이 꾸면 남의 첩이 되거나 아니면 애인이 다른 여자를 사랑하게 된다. 미혼 남성은 곧 결혼하게 될 꿈이고, 상인이 꾸면 장사가 번창한다.

❀ 참외

참외를 본 꿈
건강에 유의하라는 암시이다. 여성이 이 꿈을 꾸었다면 머지않아 훌륭한 인물이 될 자식을 낳게 된다.

❀ 꽃

꽃을 본 꿈

좋은 일이 생기고 부자가 될 꿈이다. 싱싱한 꽃을 본다면 행복이 언제나 당신과 함께 있게 된다.

시간이 흐르면서 꽃들이 더욱 아름다워진 꿈

좋은 운수가 트인다.

집마당에 꽃이 만발한 꿈

여러 가지로 좋은 일이 겹쳐서 경사스럽다.

만발한 꽃나무 아래를 걷는 꿈

성과, 대화, 독서 등의 관련해 자신에게 도움이 되는 일이 있다.

꽃을 씹어 먹는 꿈

사람들과의 만남이 자연스럽게 맺어진다.

만발한 꽃을 한꺼번에 꺾는 꿈

업적, 성과, 수집 등의 관련해 일이 생긴다.

꽃향기를 맡은 꿈

자신을 타인에게 과시하거나 그리운 사람을 만나게 된다.

예식장이 온통 화환으로 장식된 꿈

단체나 집단에서 자신의 성실함을 인정받는다.

싱싱한 꽃을 꺾은 꿈
사업이 흥하거나 가정이 행복해진다.

남이 자기에게 화환을 준 꿈
결혼 생활이 행복해지고 문학에도 뛰어난 능력을 발휘하게 된다.

손에 쥔 꽃의 꽃잎이 떨어지는 꿈
나쁜 질병에 걸리게 된다.

싱싱한 꽃을 짓밟은 꿈
재난이나 죽음이 닥칠 수도 있다.

꽃다발을 본 꿈
모든 일에 결실을 맺게 되고 연인이 꽃다발을 본다면 사랑이 깊어진다.

꽃다발을 떨어뜨린 꿈
연인들은 좋던 사이가 악화된다.

꽃다발이 시들어 말라 버린 꿈
염원이 실현될 수 없고 사랑이 끝나게 된다.

꽃다발을 머리에 쓴 꿈
사업이나 시험에서 성공하게 된다. 여성은 부유하고 능력 있는 남성에게 시집갈 꿈이다.

꽃다발을 쓴 부녀가 보인 꿈
생활이 부유해질 꿈이다.

식
물

갖가지 색깔의 꽃으로 엮여진 다발을 쓴 꿈

많은 돈이 온 사방에서 몰려 들 징조이다.

말린 꽃이 활짝 핀 꿈

자식이 결혼할 꿈이다.

다른 사람에게서 말린 꽃을 얻는 꿈

곧 건강이 회복된다.

들꽃이 만발한 것을 본 꿈

남에게 인정을 받게 된다.

꽃 속에 파묻혀 있는 꿈

좋은 사람을 만나거나 행복한 결혼 생활을 한다.

꽃을 보거나 꺾은 장소가 유난히 인상 깊은 꿈

태몽이라면 사회적으로 훌륭하게 될 자손을 얻는다.

고목에 핀 꽃 한 송이를 얻은 꿈

남의 사업을 인수받아 그것을 발판삼아 대성한다.

꽃나무를 뿌리째 캐낸 꿈

계약이나 투자 등이 성립된다.

꽃나무에서 꽃이 떨어진 꿈

단체나 개인의 세력이 몰락함을 나타낸다.

험한 산에 꽃이 만발한 꿈

국가나 사회적인 일로 자신을 드러낸다.

꽃이 시든 꿈

죽음, 결별, 사업의 실패 등을 나타낸다.

자기 꽃밭의 꽃들이 전부 말라 버린 꿈

큰 재난이 생길 꿈이다.

누군가 꽃을 짓이겨 버린 꿈

재난이 있을 안 좋은 꿈이다.

❀ 연 꽃

연꽃을 본 꿈

윗사람으로부터 신임을 받아 승진하게 된다. 여성이 꾸면 훌륭한 배필을
만나게 된다.

모르는 사람으로부터 연꽃을 선물받는 꿈

친구나 친지의 도움을 받아 뜻을 이룬다.

연꽃을 따서 가지고 있는 꿈

연꽃은 부처님과 관련된 꽃으로 불교의 힘을 입어 뜻을 이루게 된다.

연못에 연꽃이 피어 있는 꿈

불행한 일이 생길 암시이다.

❀ 장미꽃

장미꽃을 본 꿈
부부 관계가 원만해지고, 연인사이는 좋아진다. 한편 경쟁자 때문에 하던 일이 실패되거나 손실을 보기도 한다.

장미꽃을 꺾은 꿈
미혼 남성은 아름다운 미인과 결혼하게 된다.

장미꽃 봉오리를 본 꿈
바라던 일이 뜻대로 이루어진다.

장미꽃 봉오리가 고개 숙여 있는 것을 본 꿈
시간이 걸리나 바라는 일이 뜻대로 이루어진다.

장미 가시에 찔린 꿈
사랑 때문에 고민하게 되거나 시련을 맞게 된다.

장미꽃의 꽃잎이 떨어지거나 시든 것을 본 꿈
사랑이 끝나거나 애정이 식는다.

흰 장미꽃을 본 꿈
신용을 얻게 되어 모든 일이 순조롭게 된다.

빨간 장미꽃을 본 꿈
정열적인 연인을 만나 뜨거운 사랑을 하게 된다.

노란 장미꽃을 본 꿈

고난을 겪게 될 징조이다.

파란 장미꽃을 본 꿈

위험한 사랑을 하거나 이루어질 수 없는 일에 미련을 둔다.

❀ 모란꽃

모란꽃을 본 꿈

일이든 사랑이든 모든 일에 성공하게 된다.

모란꽃을 꺾는 꿈

좋지 않은 일이 생긴다.

흰 모란을 본 꿈

좋은 친구와 사귀게 되고, 처녀 총각은 좋은 인연을 만나게 된다.

붉거나 분홍빛의 모란꽃을 본 꿈

청춘 남녀는 능력 있는 연인을 만나게 된다.

❀ 엉겅퀴

엉겅퀴를 본 꿈

남이 알아주지 않아 혼자 끙끙 앓고 고민하게 된다.

흰 엉겅퀴를 본 꿈

회사에서 기발한 생각으로 인정을 받게 된다.

엉겅퀴 꽃을 꺾는 꿈

실망스러운 일이 있을 징조이다.

엉겅퀴 가시에 찔리는 꿈

불명예 제대, 불명예 퇴직 등 명예롭지 못한 일을 겪는다

❀ 국화

향기 나는 국화꽃을 본 꿈

부부간, 연인 간에 사이가 좋아지며 바라던 일이 뜻대로 이루어진다.

붉은 국화꽃을 본 꿈

이혼 직전에 있던 부부라도 화해를 하게 되고, 싸웠던 연인은 다시 사이가 회복하게 된다.

바다나 강물 등에 국화꽃이나 국화꽃 다발이 떠 있는 꿈

물에 빠지거나 수난이나 해난 사고를 당할 징조이다.

길가에 국화꽃이 피어 있거나 국화꽃 화분이 있는 것을 본 꿈

교통사고를 당할 징조이므로 조심해야 한다.

🏵 백합꽃

백합꽃이 피어 있는 것을 본 꿈
배우자나 연인의 도움을 받게 된다.

야생의 백합꽃을 본 꿈
연인이나 친지의 도움을 받게 된다.

백합꽃을 따는 꿈
사랑하는 사람에게 용기를 내어 고백을 하게 되면 사랑을 이루게 된다.

백합꽃을 들고 있는 꿈
남에게 존경을 받게 된다.

흰 백합꽃의 향기를 맡은 꿈
그리워하는 연인을 만나지 못하게 된다.

붉은 백합꽃을 본 꿈
하고자 하는 일에 희망의 싹이 트게 되니, 때를 기다리면 좋은 일이 있게 된다.

검은 백합꽃을 본 꿈
걱정·근심이 많아지거나 건강이 악화된다.

⊛ 수선화

수선화를 본 꿈
병이 들거나 부상을 당하는 등 몸에 이상이 생기므로 주의해야 한다. 만일 병원에 입원해 있다면 병이 매우 위독하다.

싱싱한 수선화가 검게 된 것을 본 꿈
환자는 건강을 회복하게 되다

⊛ 매 화

매화꽃을 본 꿈
위로 뻗은 가지에 꽃이 피어 있다면 인기와 평판이 높아 사회적으로 인정을 받는 인생의 봄이 왔음을 알리는 꿈이다.

황매화를 본 꿈
황매화를 보고 슬픔을 느꼈다면 비가 내릴 조짐이고, 술이나 차를 한잔하고 싶은 생각이 났다면 부정한 돈이나 뇌물이 들어오게 되고, 황금을 생각했다면 생각지도 않은 재물이 들어온다.

⊛ 도라지꽃

도라지꽃를 본 꿈
연인이나 배우자의 도움을 받게 된다.

도라지꽃를 여름에 본 꿈

행운이 찾아온다.

❀ 기타 꽃

파초를 본 꿈

고난과 고생이 늘어나고 일은 뜻대로 이루어지지 않으며 환자는 병이 깊어진다.

나팔꽃을 본 꿈

하고자 하는 일이 생각보다 빨리 결실을 맺는다.

유채꽃을 본 꿈

부자가 되거나 큰 돈을 벌 수 있는 기회가 온다.

해바라기를 본 꿈

운세가 트이어 행운이 찾아오고 어떤 승부를 겨루어도 승리할 징조이다.

동백꽃이 피어 있는 것을 본 꿈

의식주는 부족함이 없이 풍부하나 일의 변동이 생긴다. 직장을 옮기거나 전근 전학을 가거나 이사를 가는 등 무엇인가 이동을 하게 된다.

벚꽃이 피어 있는 것을 본 꿈

큰 돈이 낭비되거나 지출될 징조이다. 또는 애인이나 친지 가족등과 헤어지게 되고, 남에게 속아 넘어가거나 사기당할 조짐이 있으니 유의해야 한다.

복사꽃을 본 꿈

미혼 남녀는 좋은 배필을 얻어 단란하고 화목한 가정을 꾸리고 자손이 번창한다. 임산부는 복숭아처럼 복스럽고 귀여운 여자아이를 낳는다.

난초를 본꿈

희망한 대로 이루어진다. 여성은 좋은 남편을 얻게 되고, 현명한 아이를 낳는다.

양귀비꽃을 본 꿈

놀랄만한 위험한 사건이나 밑도 끝도 없는 헛소문의 대상이 될 징조이므로 조심해야 한다.

함박꽃을 본 꿈

처음에는 좋은 일이 잇따라 생기나 나중에는 일이 풀리지 않는다.

카네이션이 지고 열매가 열린 꿈

하고 있는 일이 좋은 성과를 가져와 성공하게 되고 재물이 들어온다.

집 지붕 위에 인삼꽃이 피어있는 꿈

집안에 경사가 생기거나 가족에게 좋은 일이 생긴다.

갈대꽃이 지고 씨앗만 남아 있는 꿈

새롭게 시작한 계획이나 사업이 성과가 좋고 미래의 전망이 밝다.

무꽃이 만발한 것을 보는 꿈

기쁜 소식을 듣거나 명예를 얻을 것이다.

대나무꽃이 피어 있는 꿈

부귀영화를 가져다 준다. 그 대나무를 베어 왔다면 많은 재물이 생기거나 건설적인 사업을 시작하게 된다.

소나무꽃이 피는 것을 본 꿈

사업이나 어떤 일에 있어 결실을 보게 되거나 장차 부귀영화를 누릴 수 수 있을 것이다.

식
물

제 6 장
불에 관한 꿈

🕸 불

불이 나는 광경을 본 꿈

그 동안의 어려움과 고통에서 벗어나 크게 발전 번창함을 의미한다.

멀리 산불이 난 꿈

추진하는 일은 잘 되어 가나 주변 사람들과 말다툼을 할 조짐이 있으니 언행을 조심해야 한다.

자기 집에 불이 난 꿈

고난과 고통에서 벗어나 집안이나 사업체가 번창하게 된다. 그러나 집이 모두 다 타 버리면 사업은 정체되거나 부도가 나서 도산 위기에 놓이게 되고 가정은 불화하고 결혼 생활이 파경을 맞게 된다.

많은 가옥들이 불에 탄 꿈

수많은 사람들이 굶어 죽거나 전염병이 돌게 된다.

불이 나서 옷가지가 타는 꿈

불행 끝 행복 시작의 운수이다. 청춘 남녀는 좋은 신부·신랑감을 만나게 된다.

주방(부엌)이 불에 타는 것을 본 꿈

회사가 부도가 나서 가족이 뿔뿔이 헤어질 조짐이다.

불꽃이 날아다니는 꿈

많은 돈이 생길 꿈이다.

불을 꺼버린 꿈

직장을 잃거나 사랑에서 실패하게 된다.

불이 쉽게 달아오른 꿈

여성은 총명한 아들을 낳는다.

불이 쉽게 달아오르지 않은 꿈

실망하고 부끄러워할 일이 생긴다.

팔 다리를 불에 데인 꿈

몸에 열이 높아지며 아프게 될 것이다.

숲이나 얕은 언덕이 불타는 꿈

하고 있는 일이 번창하고 순조롭게 이루어진다.

전선이 합선되어 불이 번쩍거린 꿈

어떤 기관에서 추진하는 일이 제대로 풀린다.

물건이 타는데 불길은 없고 연기만 난 꿈

헛소문이 떠돌게 된다.

상대방의 몸에 불이 붙어 있는 것을 본 꿈

하고 있는 일이나 사업이 번창하게 된다.

자기 몸에 불이 붙는 꿈

하고 있는 일이 순조롭게 잘 이루어지고 직위가 높아진다.

불이 몸에 붙어 있으면서도 타죽지 않은 꿈
여러 방면으로 부족한 것이 없는데도 일을 성사시키지 못한다.

소방대원처럼 불 끄는 장비나 옷차림을 본 꿈
집안이나 회사 · 단체 등에 좋은 일이 있어 기쁜 일이 생긴다.

불이 타오르는 속에서 소방대원처럼 인명을 구조하는 꿈
사업가는 큰 이득을 얻게 되고 승부를 겨루는 사람은 승리를 차지하 게 된다. 탤런트나 예술가는 그 명성이 천하에 떨쳐진다. 동물을 구조했다면 아이를 낳을 태몽이다.

야산에 불이 나서 타오르는 것을 본 꿈
재물운과 명예를 한꺼번에 얻게 된다

불길에 방바닥이나 마룻바닥이 타는 꿈
부부가 협력하여 집안을 크게 일으키고 사업을 번창시켜 생활이 풍족해진다.

불에 타고 남은 재를 본 꿈
불길한 일이 생길 것이다.

남의 발에 붙은 불이 자기 집으로 옮겨 붙어 활활 탄 꿈
남의 권리나 재산을 자기 앞으로 이전해 크게 부자가 된다.

아궁이에 불을 때는 꿈
사업을 계획성 있게 추진하게 된다.

힘없이 타오르는 아궁이 불이나 난롯불을 본 꿈
하고 있는 일이 정체되거나 가족 중에 누군가가 병에 걸려 고통을 받을 조짐이다.

발갛게 훨훨 잘 타오르는 아궁이 불이나 난롯불을 본 꿈
행운이 찾아와 모든 일이 잘 되어 나갈 조짐이다.

자신이 불에 타 죽는 꿈
큰 돈을 벌 징조이다.

강물에 불이 붙은 꿈
어떤 기관과 협력한 사업이 크게 성공한다.

불이 여러 군데 옮겨 붙은 꿈
언론이나 출판계에서 자기와 관련 있는 기사를 다루게 된다.

벽이 갈라진 틈으로 연기가 나온 꿈
음란한 사업을 하다가 안 좋은 일을 겪게 된다.

폭죽 불꽃이 밤하늘에 찬란히 퍼지는 것을 본 꿈
계몽 사업으로 선풍적인 인기를 얻어 만인의 이목을 끈다.

방안에 연기가 새어드는 꿈
전염병에 감염되기 쉽고 누명을 쓰게 된다.

잔디에 불이 붙어 번져나간 꿈
소원한 일이 뜻대로 이루어진다.

땅 속에서 불길이 솟아나는 꿈

행운이 다 가고 불운이 시작될 징조이다. 또 질병에 걸릴 염려가 있으니 건강에 유의해야 한다.

모닥불이나 화롯불을 둘러싸고 있는 꿈

여럿이 한 일이나 공동 작업이 좋은 결과를 가져온다.

길을 가는 도중에 불이 나는 것을 본 꿈

바라던 일이나 계획이 이루어지지 않고 상담이나 회담은 결렬된다.

우물 속에서 불길이 타오르는 것을 본 꿈

집안의 운수가 점점 기울어지고 하는 사업이나 일이 침체될 조짐이다.

불이 났는데 불길은 보이지 않고 검은 연기만 나는 꿈

머지않아 좋지 않은 일이 일어난다. 걱정거리만 늘어나 자칫 병이 들 염려가 있다.

자기가 불을 지른 꿈

재산에 손실이 생길 꿈이다.

남이 불을 지르는 꿈

곤경에서 벗어나게 된다.

방화범을 징벌하는 꿈

큰 직책을 얻게 된다.

난로에 불이 잘 붙었던 꿈
사업이 잘 운영되거나 소원이 이루어진다.

건물이 폭탄을 맞아 화재가 난 꿈
여러 방면으로 사업이 크게 번창한다.

마당 흙 속에서 불길이 한 가닥 솟아오른 꿈
남에게 자신을 과시할 일이 한번쯤은 있게 된다.

불덩이를 치마나 품안으로 받는 꿈
태몽으로 장차 큰 사업가나 훌륭한 예술가가 될 아이를 낳게 된다.

연기가 굴뚝에서 계속 나오는 꿈
모든 일이 순조롭게 이루어진다.

불에 몸이 타서 불쾌한 냄새가 나는 꿈
재산이나 재물에 대한 운세가 강성해짐을 의미하므로 복권 등을 사는 등 투기를 하거나 도박을 해도 행운이 뒤따른다.

불이 나자마자 달아나는 꿈
어떤 일의 불씨가 재난이나 불행한 사건·사고의 원인이 되어 고민하거나 고통을 받게 될 조짐이다.

마을이나 도시 전체가 불타는 것을 본 꿈
국가나 사회가 크게 발전될 조짐이다. 부인이 이 꿈을 꾸면 앞으로 훌륭한 사람이 될 아이를 낳게 된다.

이층과 아래층에서 각각 불이 난 꿈

상부, 하부층에 관계된 일이 각각 번창하게 되고 홍보할 일이 생긴다.

전신에 화상을 입은 꿈

어떤 사람과 인연, 계약을 맺거나 기념할 일 등이 생긴다.

화약 같은 것이 폭발하여 불길이 치솟는 꿈

행운이 시작될 조짐이다.

큰 불길이 치솟아 해나 달을 불태우는 꿈

오랫동안 고생하고 노력한 보람이 있어 지위가 오르고 사업이 번창하여 명성을 날리는 등 성공하게 된다.

불덩이가 하늘에 있는 것을 본 꿈

갑자기 불행한 일이 생긴다. 각종 재난을 당할 염려가 있다.

⚅ 불화살

불화살을 본 꿈

남성은 직위가 오르고 권력도 커지게 된다. 여성은 집안에 혼사가 있다.

불화살을 판 꿈

재수가 없을 꿈이다.

불화살을 만든 꿈

경쟁 상대를 이기게 된다.

불

🎴 연기

연기가 보인 꿈
남성은 가정에 말다툼이 생기지만 여성은 남편이 부유해진다.

연기가 숨 막히게 가득한 꿈
신체가 아주 건강함을 의미한다. 기혼 여성은 시댁 식구가 불어나게 되고, 처녀는 명망 있는 가정에 시집가게 된다.

🎴 화산

화산이 폭발하는 꿈
여성은 예전에 앓던 병이 재발해 목숨이 위태롭게 된다. 환자는 건강 회복에 희망이 있고, 상인은 강한 경쟁상대를 만나 경제 손실을 보게 된다.

사화산이 보인 꿈
새 친구를 사귀게 된다.

화산 아래를 걸어간 꿈
사업이 안정된다.

🎴 빛 · 열

자기의 그림자가 들판을 가로지른 꿈
자기의 영향력이 사회에 크게 미친다.

횃불을 들고 어두운 밤길을 걷는 꿈
어렵고 힘든 일을 극복하게 된다.

모르는 사람이 전깃줄을 거두어 간 꿈
사업이 중단되거나 남에게 청탁한 일이 이루어지지 않는다.

가로등 밑에서 일을 하거나 서 있는 꿈
협조자의 도움으로 근심 걱정이 해소된다.

횃불을 들고 가는 사람을 본 꿈
어떤 사람의 지도나 조언을 받는다.

광선이 강하게 방안으로 들어온 꿈
강한 외부 세력 또는 종교적인 힘이 자기에게 영향을 미친다.

투명한 물건이 빛을 받아 광선이 반사된 꿈
어떤 사람의 업적이나 일거리가 자기에게 도움을 준다.

방안에 촛불이 환히 밝혀져 있는 꿈
사업이나 소원이 뜻대로 이루어지고 근심 걱정이 해소된다.

폭음과 더불어 하늘 일각에 섬광이 번쩍거린 꿈
깜짝 놀란 만한 기사거리를 읽게 된다.

성화대에 불이 잘 붙는 꿈
널리 교리를 전파하고 교회를 설립하게 된다.

불

창문에 그림자가 비친 것을 본 꿈
상대방에게 쉽게 접근하지 못한다.

전깃불이 환하게 밝혀진 곳으로 간 꿈
매사에 하는 일이 순조롭게 풀린다.

어두컴컴한 길을 걷는 꿈
새로운 수식을 듣거나 가보지 않은 곳에 간다

빛이 방안으로 환히 들어온 꿈
해결되지 않은 문제가 풀리고 집안에 경사가 있다.

폭발물이 터져서 죽은 꿈
혁명적이고 창의적인 일이 성사되어 기쁨을 함께 나눈다.

전깃불이 깜빡거리는 꿈
하는 일이 계속 반복된다.

하늘과 땅에서 번개와 같은 광선이 뻗은 꿈
자기가 하고 있는 일이 많은 사람들을 감동시킨다.

밖에서 보는 집 창문에 불이 환히 밝혀져 있는 꿈
어떤 기관에서 자기의 성실함을 인정해 준다.

성화를 들고 계속 달리는 꿈
진리 탐구를 하거나 종교적 지도자가 될 아이가 태어나게 된다.

불

금은보화가 빛을 발하거나 그 빛이 하늘에 닿는 꿈

업적, 작품 등이 크게 성공하여 많은 사람들에게 인정을 받는다.

❀ 광채 · 후광

눈부신 광채가 나는 사람이나 신화 속의 인물을 본 꿈

기뻐한 일이 부질없게 되거나 아이의 안전 때문에 근심 걱정한다.

자기 머리에 후광이 있는 꿈

명성이 높아지고 사람들의 옹호를 받는다. 시집 식구의 존중을 받는다.

❀ 불빛

당신의 집에 등불이 환한 꿈

어떤 일을 하든지 모두 성공하게 되고 자녀가 결혼을 하게 된다.

집안 불빛이 어두워진 꿈

장사가 잘 안되거나 혹은 이득이 적어지게 된다.

다른 집 불빛이 몹시 환한 것을 본 꿈

명절을 기쁘게 보내게 된다.

아버지 방에 불빛이 보인 꿈

처녀가 재능이 출중한 청년에게 시집가게 된다.

불

✿ 등불

배를 탈 때 멀리 등불이 보인 꿈
생활이 부유하고 행복해질 꿈이다.

방안 등불이 눈부시게 빛난 꿈
큰 부자가 되고 아내와 헤어진 남성은 아내를 다시 만나게 된다.

등불이 어두운 꿈
건강이 악화될 꿈이다.

자기 손에 등을 들고 있는 꿈
모든 슬픔과 고통이 다 지나가고 힘이 될 친구를 사귀게 된다.

등이 여러 차례 켜졌다 꺼졌다 한 꿈
친척 중 누군가 사망하게 된다.

여러 사람이 등을 들고 있는 꿈
널리 명성을 떨치게 된다.

✿ 촛불

촛불이 빨리 타는 꿈
좋은 소식이 있을 것이다.

불

촛불이 매우 느리게 타는 꿈
건강이 악화될 조짐이다.

촛불이 꺼진 꿈
나쁜 병에 걸리거나 혹은 생명이 위태롭게 된다.

방안에 촛불이 환히 밝혀 있는 꿈
사업이나 소원이 자기 뜻대로 이루어지고 근심걱정이 해소된다.

✿ 초롱불

초롱불이 켜진 꿈
고난을 현명하게 이겨낸다.

꺼진 초롱이 보인 꿈
불행이 닥치는 것을 알리는 꿈이다.

한 여성이 초롱불을 켜들고 자기에게로 걸어오는 꿈
재산이 불어나 풍요로운 생활을 하게 된다.

초롱불을 들고 밤길을 간 꿈
동업자, 은인 등을 만나 일이 잘 추진된다.

제 7 장
물에 관한 꿈

⚙ 물

맑은 물을 본 꿈
행운과 이득을 얻게 된다. 주위 사람이나 선후배의 협조를 받아 일찍이 승진을 하게 되고, 명성을 얻는다.

맑은 물이 땅에서 솟아나는 꿈
우연한 기회에 큰 돈이나 재물을 얻게 된다.

깊고 잔잔하며 고요한 물을 본 꿈
가정이나 회사 생활이 평온하며 하는 일도 순조롭게 진행된다.

깨끗한 물을 마신 꿈
몸이 건강해지고 힘이 강해질 징조이다.

더러운 물을 마신 꿈
병에 걸릴 꿈이다.

냉수나 단물을 마신 꿈
여행을 떠나 많은 돈을 벌게 된다.

더운 물을 마신 꿈
병마에 시달리게 된다.

물속을 걸어간 꿈
죄수자는 곧 자유의 몸이 되고, 환자는 머지않아 쾌유하게 된다.

자기가 물에 빠진 꿈

어려운 상황에 부딪치게 된다.

물에 빠져 나오지 못하는 꿈

모든 일이 방해를 받아 침체되거나 손해를 볼 것이며 건강이 나빠져 병을 얻게 된다. 물론 물에서 빠져 나오면 행운을 가져온다.

물에 빠져 죽는 순간 구출 되어 살아난 꿈

남의 도움으로 어려움에서 조금 벗어나게 된다.

흙탕물이나 진창에 잡초가 뒤얽혀 있는 꿈

몸의 내장 특히 배설 기관에 이상이 있을 징조이다. 또는 이미 어떤 이상이 있다는 암시이다.

물이 넘쳐 흐르거나 가득 차서 넘실거리는 것을 본 꿈

모든 일이 생각했던 대로 잘 되어 나간다. 실직자는 직장을 얻게 되고 혼담이 있는 남녀는 결혼하게 되며, 사업이나 어떤 타협을 하기 위한 상담 등은 뜻대로 이루어진다.

물이 바닥에 가득 고여 있는 꿈

질병이나 몸을 다칠 수가 있다. 특히 허리 아래 즉 배·엉덩이·성기·다리·발 등에 병이 걸릴 조짐이 있으니 조심해야 한다.

물 위에 서 있는 꿈

친척이나 가까운 사람에게 좋지 않은 일이 일어나거나 또는 믿고 의지하는 사람 즉 부모, 친척 등과 이별하고 사별할 징조이다.

물 위를 걸어 다닌 꿈

모든 일이 자기의 뜻대로 이루어질 조짐이다. 협상·회담·상담·혼담 등은 순조롭게 이루어진다.

아는 사람이나 부모·친척 등이 물 위에 서 있는 꿈

서 있는 당사자에게 어떤 근심거리나 좋지 않은 일이 생긴다.

자신이 물속에 들어가 있는 꿈

윗사람이나 선배 등으로부터 후원을 받아 자신의 뜻을 이루게 된다.

누군가가 떠밀거나 내던져져 깊은 물에 빠지게 된 꿈

다른 사람 때문에 큰 손해를 보게 될 조짐이다. 사기당하거나 횡령당하지 않도록 조심하여야 한다.

물이 발 밑까지 다가온 꿈

생각지도 못했던 자연 재난이나 교통 사고 등 불행한 일이 닥칠 조짐이다. 만일 그 물이 발을 적신다면 친척이나 부모가 갑자기 죽게 된다.

물이 두 갈래로 갈라진 꿈

신앙이나 사업의 방향을 잃어버리거나 두 방향으로 나누어진다.

그릇에 담긴 물을 엎지르는 꿈

행운을 상징하여 재산·재물 등 기반의 안정을 의미하며 물을 엎지르면 엎지른 물의 분량만큼 모든 일이 불안정해지고 손실을 가져오게 된다.

그릇에 담긴 물이 새는 데가 없나 살펴 본 꿈

사업체를 운영하는 자금이 적절하게 쓰이는지 검토해 볼 필요성이 있다.

물

약수 물을 마신 꿈

근심 걱정이 해소되고 그로 인해 깨달은 바가 있을 것이다.

밑 빠진 독에 자꾸 물을 붓는 꿈

아무리 벌어도 재물이 모이지 않고 소비가 많아진다.

물을 시원하게 마시지 못한 꿈

어떤 일이 성사는 되지만 만족스럽지가 않다.

세탁한 옷을 물 그릇에 담가둔 꿈

직업이 바뀌고 하는 일마다 남의 이목을 받게 된다.

물이 방안에 가득 고인 꿈

좋은 상품을 개발하여 사업이 번창해진다.

집안에 있는 물통에 물이 가득 차 있는 꿈

많은 재물이 여러 곳에서 생긴다.

몸을 뜨거운 물에 씻는 꿈

여러 사람의 도움으로 무난히 시험에 합격하게 된다.

물이 여러 군데에서 펑펑 쏟아져 고여 있는 꿈

여러 방면으로 재물을 모아 부자가 된다.

방안에 물이 흥건하게 고여 있고, 그 속에서 물고기가 헤엄치는 꿈

결혼한 여성이 이 꿈을 꾸면 아이를 낳을 태몽이다. 그 아이는 앞으로 어떤 분야에서든 크게 될 인물이다.

방안에 가득 고인 물에서 목욕하거나 헤엄치는 꿈

재력 있는 큰 기업체나 기업인으로부터 후원을 받아 자신의 뜻을 이룰
수 있게 된다.

부엌 안에 물이 가득 고여 있는 꿈

사업이 잘 되어 큰 재물을 얻거나 큰 이득을 보게 된다.

물이 공중으로 높이 솟아오르는 꿈

하는 일이나 사업 등이 성과를 올려 큰 업적을 세우게 된다.

물 위에서 불길이 솟아오르는 꿈

어려움이 많아 그만 포기하거나 단념했던 일이 점점 좋아지기 시작할
조짐으로 새로운 각오로 힘껏 추진하면 대성하게 된다.

물이 없는 갯바닥에 물고기가 있는 꿈

여러 방면으로 사업을 추진해 나가 많은 이득을 보게 된다.

힘차게 흐르는 물이나 흘러 떨어지는 물을 본 꿈

하는 일 모두가 순풍에 돛을 단 듯 잘되어 나간다.

물이 꽁꽁 얼어붙은 꿈

매사가 장애나 압력을 받아 정체되거나 중단될 조짐이다. 따라서 시험을
보면 불합격되고 혼담은 깨지고 상담은 결렬된다.

수도 꼭지를 틀어 물을 받거나 물이 나오는 꿈

바라던 일이 이루어질 조짐이다. 수험생은 시험에 합격하고 실직자는 직
장을 얻게 되고 연인은 행복한 가정을 꾸미며, 환자는 병세가 나아진다.

수도꼭지를 틀었는데도 물이 나오지 않는 꿈

사업체나 가정이 경제적으로 어려움을 겪는다

수돗물을 마시는 꿈

수돗물을 실컷 마시면 실직자는 직장을 얻게 되고 수험생은 시험에 합격한다. 그러나 목만 축이거나 조금 밖에 마시지 못하면 일이 이루어지기는 해도 만족하지 못할 정도이다.

수도관이 파열되거나 깨지는 꿈

사업이나 추진하던 일들이 실패로 끝나 돈과 재물을 잃게 된다. 또한 갑자기 불행한 일이나 사고가 생길 징조이기도 하다.

수돗물이 쏟아지는데 받을 그릇이 없어 흘러가 버리는 꿈

사업체나 공장이 잘 돌아가지만 앞으로 남고 뒤로는 밑지는 형상이라 부채만 잔뜩 짊어지고 부도 직전에 이르게 된다.

사막에서 오아시스를 만난 꿈

어려운 난관에 처해 있는 상황에서 벗어난다.

파도가 부딪히는 바위에 선 꿈

여러 사람과 시비 거리가 생겨 말다툼하게 된다.

마른 개천에 물고기가 있는 꿈

자기에게 유리한 조건으로 돈을 챙기지만 운영난에 빠지게 된다.

빨래를 맑은 물에서 한 꿈

하고 있는 일이 순조롭게 이루어진다.

❀ 수증기

수증기를 본 꿈

경쟁상대에게 패하게 되고, 가정이 불화해진다. 환자는 병으로 장기간 누워 있게 되며 여행자는 낯선 사람의 기습을 받아 모든 여행이 수포로 돌아간다.

❀ 얼음

얼음을 본 꿈

다른 사람의 지지를 받게 된다. 여성은 마음에 드는 남성을 만나게 되고, 학생은 뛰어난 성적을 얻게 된다. 상인도 장사가 번창할 좋은 꿈이고, 농부에게도 풍년이 들 좋은 꿈이다.

얼음을 얻는 꿈

가정이 화목하고 부유해진다.

얼음이 녹아버린 꿈

당신을 지지하는 사람을 잃게 된다.

얼음 위에서 미끄럼을 타는 꿈

상인은 장사가 안되고, 젊은이는 연인이 변덕을 부리다가 결국은 헤어지게 될 꿈이다. 군인은 생명에 위험이 생겨 죽을 수도 있다..

✿ 수재해

수재가 난 꿈
돈이 들어올 꿈이다. 하지만 기혼 여성이 이 꿈을 꿨다면 자궁에 질병이
생겨 고통을 겪게 되고, 남성 노인은 조용히 세상을 뜰 것이다.

예전에는 볼 수 없던 큰 수재가 난 꿈
상대편의 반격을 받게 된다. 하지만 미혼 처녀에게는 마음에 드는 연인
과 결혼하는 것을 부모가 동의 할 꿈이다.

✿ 홍수

홍수가 나서 들판이나 주변이 물에 잠기는 꿈
친구나 주변 사람들의 도움을 받게 되어 큰 세력을 잡거나 큰 재물을 얻
게 된다. 그러나 홍수의 물이 흙탕물이거나 아주 더러운 물일 때에는 반
대로 뜻밖의 재난을 당하거나 의견 견해 차이로 큰 어려움을 당한다.

홍수가 나서 제방(둑)이 헐어지거나 무너져 내리는 꿈
설상가상으로 좋지 못한 일이 연이어 일어날 조짐이다. 교통사고나 화재
등 재난에 특히 유의해야 한다.

홍수가 집안으로 밀려 들어온 꿈
많은 재물이 생겨 부자가 된다.

홍수가 나서 더러운 물이 온 집안에 가득 찬 꿈
자식이나 부모 등 집안에 불행한 일이 일어난다. 특히 관청일이나 법적

문제로 경찰서 또는 법원에 가거나 교통사고, 화재, 물난리를 겪게 된다.

홍수로 다리가 떠내려가는 것을 본 꿈
주위 사람들과 다툼이 생기며 경찰이나 법원에 가야 할 일이 생긴다.

홍수로 집이 떠내려가거나 무너져 내리는 꿈
갑자기 불이 나거나 물난리를 겪거나 병이 들어 고통을 받을 조짐이다. 또 가족이나 친척 중에 법적 문제로 경찰서나 교도소의 신세를 져야 할 사건이 일어난다.

홍수로 물이 자꾸 불어나는데 아무렇지도 않은 듯 가만히 있는 꿈
주위의 도움이나 후원을 받아 일이 제대로 잘 되어 나가 큰 돈을 모으게 되거나 큰 세력을 얻게 된다.

해일이 밀어닥치는 꿈
하는 일이나 사업이 크게 번창하여 이름을 떨칠 것이며 직장인은 지위가 승급할 조짐이다. 부인이 이 꿈을 꾸면 앞으로 정치계나 예술계에서 크게 될 아이를 낳게 된다.

동물이 홍수로 인해 자취를 감춘 꿈
어떤 일을 끝마치거나 사람이 갑자기 사라지게 된다.

진달래꽃이 만발한 산 밑에 홍수가 난 꿈
자신의 작품을 출품할 일이 생긴다.

물

✿ 바다

바다를 본 꿈
남성은 하는 일에 기쁜 소식이 들려 오고, 여성은 집안 식솔이 불어나면서 생활이 어려워진다. 상인은 장사가 번창하여 뻗어 나가게 된다.

바다를 항해한 꿈
남성은 생활이 부유하고 행복하지만, 기혼 여성은 남편과 별거하게 된다. 미혼 남녀는 결혼하게 되고, 상인은 큰 돈을 벌게 된다.

폭풍우 속에서 돛을 올리고 항해한 꿈
행운이 트이게 된다.

배가 터져 갈라진 꿈
재난이 닥치니 유의해야 한다.

바다 속에 침몰한 꿈
모든 고난을 다 이겨내게 된다.

바닷물 속으로 빠지는 꿈
지금 처한 상황이 위기에 빠지게 된다.

남에게 떠밀려 바다에 떨어진 꿈
환자는 오래지 않아 건강을 회복한다.

바다가 만조가 되었거나 혹은 폭풍이 일어난 꿈
고난이 산더미 같이 많아질 것이다.

자신이 바닷가에 서 있던 꿈

생활에서 불행이 생긴다. 환자는 병세가 악화되고 학생은 시험에 낙제하게 되며, 실업자는 취직에 실패하게 된다.

아름답다고 느끼며 잔잔한 바다를 본 꿈

하는 일이나 계획이 순조롭게 진척되며 주변으로부터 신임을 얻어 마침내 소원을 성취하게 된다.

높은 파도가 무섭게 출렁거리는 거친 바다를 본 꿈

그 동안 참았던 감정이 거센 파도처럼 폭발하여 주변 사람이나 친지와 시비를 하거나 다투게 되어 일에 차질을 빚게 된다.

바닷물이 점점 밀려나가는 것을 본 꿈

어떤 강력한 세력이나 기존 사상에서 점차적으로 벗어난다.

바닷물이 갑자기 빠져나가는 썰물을 본 꿈

뜻밖에 화재나 홍수 등 재난을 당하고 도둑을 맞거나 교통 사고 등 불행한 일을 맞는다.

빠져나간 바닷물이 다시 밀려와 다시 만조가 되는 꿈

모든 일이나 사업이 번창하고 큰 이득이 생긴다.

바다 속에 들어가 용궁을 본 꿈

모든 일이 뜻대로 이루어지고 행운이 찾아온다.

바다 위를 걸어가는 꿈

시련과 난관을 물리치고 마침내 성공하게 된다.

물

바다에 있는 깊은 산 속으로 들어간 꿈

죽음을 암시하거나 외국으로 나갈 일이 있게 된다.

바닷물이 넘쳐나는 꿈

하던 일이 더욱 번창하고 큰 이득을 보게 된다.

바다에서 헤엄치는 꿈

열심히 노력하면 고생 끝에 뜻을 이루고 명예를 얻게 된다.

바다에서 헤엄치다가 사람을 만나는 꿈

가정생활에 불화가 생겨 골치 아픈 문제가 생긴다.

썰물 뒤에 갯벌에서 조개잡이를 하는 꿈

사업을 하거나 장사를 하는 사람은 날로 번창하여 그 이름을 날리게 되고 큰 이득을 본다.

바다 한가운데 무덤이 있는 꿈

어떤 회사가 해외에 영향을 주는 일에 관계하여 고용창출이 많아진다.

바다거북이를 하천에서 본 꿈

국영기업이 개인 소유로 전환되어 크게 성공한다.

🐾 하수도

자기가 낙숫물받이 아래 서 있는 꿈

파산하여 가난으로 고생하게 된다.

배수 도랑에 물이 흐르는 것을 본 꿈
농민이 이 꿈을 꾸면 풍년이 든다.

자신의 집 하수도에 물이 흐르고 있는 꿈
큰 재난이 닥칠 것이다.

흙으로 쌓은 하수도가 보인 꿈
극심한 고난을 겪게 된다.

❀ 우물

우물에서 물을 길은 꿈
다른 사람의 유능한 부하직원이 될 것이다. 여성이 이런 꿈을 꾸면 이웃 사람들의 칭찬을 받게 된다.

흐려진 우물을 길은 꿈
윗사람이나 선배와 의견이 달라 충돌을 하거나 불화로 자칫 신임을 잃게 될 수 있으니 언행을 조심해야 한다.

집에 갑자기 우물이 생긴 꿈
회사에 취직되거나 미혼자는 혼담이 오간다.

우물 물이 가득 불어나서 넘쳐 흐른 꿈
많은 재산을 모으지만 그만큼 소비도 많게 된다.

우물에 몸을 던져 죽으려 한 꿈

위급한 시기에 당신은 다른 사람의 도움을 받게 된다.

다른 사람이 우물에 몸을 던지는 꿈

당신이 위험에 빠진다.

어떤 사람과 우물에서 두레박질을 번갈아 한 꿈

미혼자는 여러 번 혼담이 오고간 후에 결혼이 성사된다.

우물을 발견하거나 찾아 헤맨 꿈

기관에 사업 관계로 일을 부탁한 것이 뜻대로 이루어진다.

우물 속을 들여다본 꿈

매우 좋은 일이 있을 조짐이다. 소식을 모르던 사람으로부터 반가운 소식이 온다.

우물 물에 자신이 비친 모습을 본 꿈

직장인은 신임을 받아 승진하게 되고 사업인은 신뢰를 받아 거래처가 증가할 것이며 부인은 임신할 태몽이다.

우물 안에서 산이 보인 꿈

뜻밖에 큰 사업체가 생기거나 배우자가 나타난다.

우물 안에서 웬 목소리가 들려오는 꿈

한 집안이나 친족 간에 의견이 달라 서로 다투게 된다.

우물 물이 흐려져 못 마셨다가 나중에 맑아져서 마신 꿈
하고 싶은 일이 어려운 난관에 부딪혔다가 성사된다.

우물에 사람을 넣고 묻어버린 꿈
자기의 비밀을 잘 지키거나 장기저축을 하게 된다.

우물에 들어간 꿈
어떤 기관에 취직을 하거나 볼일이 있어 들어가게 된다.

일부러 우물에 들어가 빠지거나 나오지 못한 꿈
자기 꾀에 자기가 넘어가거나 어떤 곳에 구속 받게 된다.

우물 물속에 빠지거나 들어갔다가 나오지 못한 꿈
아랫사람이나 주변 사람들에게 모함을 받아 어려운 처지에 빠지거나 관청으로부터 호출이나 조사를 받게 된다.

우물 물이 뒤집혀지는 꿈
좋은 일이 계속된다. 사업하는 사람이나 상인은 큰 이득을 보아 돈이나 재물이 모이게 될 것이다.

뒤집힌 우물 물이 흙탕물로 변한 꿈
가정에 우환이 있고 사업체에서 부정한 일을 하게 된다.

출처가 분명하지 않은 곳에서 물을 떠다 우물에 붓는 꿈
회사원은 돈을 수금할 일이 생긴다.

동물이 깊은 우물에서 나온 꿈

태몽이라면 정부기관이나 사회적으로 대성할 자손을 얻게 된다.

여러 개의 우물을 지나간 꿈

여러 가지 사업 경험을 가지고 거래처를 확보하게 된다.

물고기가 뜨겁게 끓는 우물에 우글거리는 것을 본 꿈

열성적인 교회에서 참된 신앙에 몰두하게 된다.

사람이 우물 안에서 나온 것을 본 꿈

어떤 단체에서 훌륭한 인재를 배출하거나 진리가 담긴 서적을 출판한다.

불어난 우물 물이 가득 찬 꿈

여러 방면으로 사업이 잘 풀려 재물이 생긴다.

우물 속에 어떤 물건을 떨어뜨리는 꿈

난데없이 도둑을 맞거나 사업상 손해를 보게 될 것이니 주의해야 한다.

우물 물을 떠서 손발을 씻는 꿈

걱정하고 근심하던 일이 깔끔히 씻겨 나간 듯 사라질 조짐이다. 수험생은 시험 문제, 미혼자는 결혼 문제, 실직자는 취업 문제 등이 잘 풀린다.

우물 물을 실컷 마시는 꿈

회사나 관청으로부터 반가운 소식이 온다. 또는 지위가 오르고 실직자는 취직이 되는 등 기쁜 일이 있을 것이다.

우물이 헐어지거나 무너진 꿈

가산을 탕진하고 파산하거나 회사나 사업체는 부도가 나서 도산되어 고통과 시련이 있을 조짐이다.

우물 물에 물고기 같은 생물을 넣어 기르는 꿈

회사·관공서 등의 직장인은 지위가 오르고 신임을 얻어 마침내 출세하게 된다.

우물 곁을 지나간 꿈

이 꿈을 꾼 여행자는 여행 도중 재난이 생긴다.

우물 혹은 구덩이 안으로 내려가는 꿈

술, 담배 등 나쁜 습관에 물들어 돈을 물 쓰듯하고 당신 소유의 재산을 몽땅 날리게 된다.

우물을 파는 꿈

명성을 날리게 된다.

✿ 소용돌이

소용돌이를 본 꿈

진행하는 일이 극복하기 어려운 장애에 부딪치게 된다. 기혼 여성은 혼자서 집안 전체의 일을 걸머지게 된다.

소용돌이 속에 말려 들어간 꿈

어떤 일을 행동하는데 곤란을 겪는다.

✿ 저수지

물이 가득 찬 저수지를 본 꿈
몸이 건강해진다.

저수지에 물이 말라 버린 꿈
굶주림에 허덕이게 된다.

저수지에서 목욕을 한 꿈
남성은 부유해지고, 여성은 오래지 않아 분만하게 된다. 환자는 건강이
회복된다.

아내와 함께 저수지에서 목욕한 꿈
부부 생활이 화목하고 행복해진다.

친구와 저수지에서 목욕한 꿈
사람들의 추대를 받게 된다.

사이가 좋지 않은 사람과 저수지에서 목욕한 꿈
상대편의 속임수에 빠지게 된다.

저수지에 물을 댄 꿈
큰 돈을 벌게 된다.

저수지에서 물이 빠지는 꿈
가뭄이 들거나 병이 생길 징조이다.

물

큰 저수지를 본 꿈

남성은 부자가 되고, 여성은 부부 생활이 행복하고 백년해로하게 된다. 미혼 여성은 부잣집 남성에게 시집가게 되고 미혼 남성은 뜻이 맞는 여성과 결혼하게 된다. 상인은 장사가 번창한다.

저수지에서 잠수한 꿈

남성은 신체가 건강하고 힘도 세진다. 여성은 임신할 것을 의미한다.

저수지를 만든 꿈

당신의 명성이 널리 알려질 것이다.

우유가 저수지에 가득한 꿈

당신에게 자식이 많이 생길 것이다.

❀ 온 천

온천을 본 꿈

신체가 건강해질 꿈이다.

온천에서 목욕하는 꿈

병에 걸릴 꿈이다. 하지만 기혼 여성은 아들을 낳게 된다.

누가 뒤에서 온천 속으로 떠밀어 넣은 꿈

누군가 당신을 위해하려고 음모를 꾸미고 있다.

✿ 늪

늪을 본 꿈
갑자기 재난이나 재해를 입어 몹시 고생하게 된다.

물이 많고 깊은 늪을 본 꿈
남성은 재산이 늘어나고 여성은 튼튼한 자식을 많이 낳게 된다. 집을 떠난 사람은 부자가 되어 금의환향하고, 상인은 큰 돈을 벌게 된다.

썩은 물이 고인 늪을 본 꿈
당신에게 병이 생길 꿈이다.

늪에서 헤엄을 친 꿈
장사가 부진할 꿈이다.

흐린 날에 늪가에서 밥을 먹는 꿈
생활이 풍족해진다.

물이 마른 늪을 본 꿈
흉년이 들고 병에 걸릴 것이다.

늪의 물을 빼는 꿈
아내의 병으로 인해 근심할 것이다.

늪에 물을 대는 꿈
사람들의 추대를 받게 된다.

물

늪에서 헤엄을 치는 꿈
살림이 궁색해질 것이다.

늪 속으로 침몰하는 꿈
질병과 손실을 암시한다.

늪이나 늪지대에 빠지는 꿈
변비나 위궤양·십이지장궤양 등 속병을 앓게 된다. 몸 안에 노폐물이 쌓여 깨끗이 씻어내야 한다고 알려주는 예지몽이다.

❀ 샘물

샘물에 관한 태몽
사업가나 문학가가 될 자손을 얻게 된다.

샘물이 보인 꿈
남성은 이름이 천하에 알려지고 여성은 아이들의 신체가 모두 건강할 것이다.

맑은 샘물을 본 꿈
운수가 좋아 모든 일이 뜻대로 순조롭게 진척될 것임을 암시한다. 따라서 힘차게 밀고 나가면 뜻을 이룰 것이다.

샘물에 들어가서 목욕한 꿈
위험을 무릅쓰고 모험할 징조이다.

물

샘에서 맑은 물이 힘 있게 솟아오르는 꿈

부유해질 꿈이다. 연인이 이 꿈을 꾸면 사랑이 아주 순조로우며 결혼 생활도 매우 재미있고 행복할 것이다.

샘물이 땅에서 솟아나와 냇물이 된 꿈

어떤 서적이 출판되어 베스트 셀러가 된다.

샘에서 더러운 물이 샘솟는 꿈

불행을 암시한다.

샘에서 온수가 솟는 꿈

병이 생길 꿈이다.

샘물이 산 아래에서 솟아난 꿈

어떤 기관에서 여러 방면으로 재물을 얻게 된다.

샘의 물이 바짝 마른 꿈

재산상이나 금전상 손실을 보게 되고 주택 문제로 고민하게 된다.

샘 속에서 큰 물고기가 헤엄치고 다니는 것을 본 꿈

직장인이나 상인·사업가는 운이 트여 재물이나 돈을 모으게 된다.

❀ 강

강을 본 꿈

행복하고 부유해진다. 여성은 친정에 오라는 부모의 초청을 받을 것이다.

강물에 빠지는 꿈

생활이 최저로 떨어져 목숨을 이어가기 어렵거나 주거지를 자꾸 옮겨 다녀야 될 형편이 되어 하는 일마다 실패를 거듭하게 된다. 그러나 만일 스스로의 힘으로 헤엄쳐서 살아 나오는 꿈이라면 운명은 불운에서 행운 쪽으로 호전되어 행운을 잡을 좋은 기회가 왔음을 알려 준다.

강에 홍수가 난 꿈

벼 농사에 흉년이 들게 된다.

강이 말라 버린 꿈

당신에게 손실이 생긴다.

강의 물이 밀려 나간 꿈

여행하는 사람의 앞길에 많은 장애가 있을 것이다.

강을 건너는 꿈

모든 일이 뜻대로 되고 죄인은 오래지 않아 석방되며, 상인은 장사에 이익을 얻게 된다.

강물 밑으로 잠수한 꿈

남성은 신체가 건강해지고, 여성은 아들을 낳는다.

강에서 수영한 꿈

신체가 건강해지고 힘이 세진다.

수영해서 강을 건넌 꿈

사업이 성공할 것이다. 임산부는 분만이 아주 순조로울 것이고 여행자는 여행이 원만하게 끝날 것이다. 환자는 병이 오래지 않아 완쾌될 것이다.

강물이 목까지 잠기는 꿈
갑자기 불행한 일을 당하거나 질병에 걸려 고통 받을 조짐이다.

탐스러운 꽃 한 송이를 흐르는 강가에서 꺾은 꿈
지혜가 담긴 서적을 읽거나 큰 학술 서적을 저술하게 된다.

강물을 헤엄치면서 다른 사람을 만나는 꿈
어찌해야 좋을지 망설이는 일이 많아지고 가정 불화로 갈등과 내분이 일어날 조짐이다.

헤엄쳐서 저쪽 강기슭까지 건너간 꿈
바라던 뜻이 이루어지고 이름을 날리게 된다.

강물이나 냇물이 흙탕물처럼 흐려진 꿈
세상 사람들로부터 시비하거나 헐뜯는 비판의 말을 듣는 구설수가 있다는 암시이니 언행을 조심해야 한다.

냇물에서 손발을 씻는 꿈
어떤 단체에서 자기가 소원한 일이 성취된다.

강물에서 몸을 씻는데 오히려 몸이 더러워진 꿈
성실하게 일을 하지만 성과를 얻지 못하고 구속당한 곳에서 헤어나지 못한다.

물

강물이 거꾸로 흐르는 꿈

자기의 주장에 대해 여러 곳에서 반발을 하고 나선다.

강물이 맑은 꿈

자신이 하고 있는 일에 만족을 느낀다.

강물이 폭포수처럼 세차게 흘러 떨어지는 꿈

하는 일이 순풍에 돛을 단 듯 순조롭게 진척되어 간다.

강물(냇물)을 가로질러 가는 꿈

새로운 도전에 응해야 하는 모험이 시작된다.

강물이 얼어붙어 있는 꿈

바라던 일이 제대로 되지 않고 침체된다.

강둑에 올라앉아 강물이 흐르는 것을 바라보는 꿈

속을 썩이는 일·골치 아픈 일 등 걱정거리가 끊이지 않는다.

건너편 강기슭으로 가고 싶으나 가지 못하는 꿈

성가신 일이나 귀찮은 문제가 발생하고 주변 사람들과 인간 관계가 원만히 이루어지지 않고 불화가 계속되어 하는 일마다 정체되고 침체된다.

강물 위로 걸어서 건너가는 꿈

애써 해 온 일이 사회적으로 자신에게 유리하게 작용하여 결실을 맺는다. 연인들은 결혼으로 발전되고 작가나 예술가는 좋은 작품을 발표하게 된다. 물이 맑으면 맑을수록 더 좋은 행운을 가져다 준다.

물

✿ 호수

아름다운 호수를 본 꿈
생각지도 않은 행운 특히 금전이나 재물의 행운을 얻게 된다. 그 호수가 크면 클수록 행운도 더욱 커진다. 그러나 호수의 물결이 거칠게 일렁거리면 불안·초조함, 감정의 폭발 등으로 대인 관계가 나빠진다.

호수에서 뱀·물고기·용 같은 동물이 나온 꿈
좋은 아이를 낳는다는 태몽이다.

호수가 얼어붙어 있는 꿈
일이 정체되거나 침체된다.

호수 안에 큰 나무가 서 있거나 큰 바위가 있는 꿈
나무나 큰 바위 등은 하나의 장애물이라 할 수 있으므로 일이 정체되거나 지연되는 것을 암시한다.

호수에서 손발을 씻는 꿈
공공 기관·회사나 어떤 단체 등에서 도움을 주거나 협조하여 바라는 목표나 소원을 이루게 된다.

호수 물이 빨갛게 핏빛으로 변하는 꿈
공공기관·회사나 단체 등의 협조를 받는다.

호수가 보라색으로 변한 꿈
어떤 기관에서 자기에게 여러 방면으로 도움을 많이 준다.

동물이 호수로 들어간 꿈
어떤 기관에 입사하거나 작품 발표를 하게 된다.

공중에 기둥같은 호수가 생겨 동네가 물바다를 이룬 꿈
잡지에 어떤 작품이 실려 세상 사람에게 감명을 주게 된다.

🎴 연 못

연못에서 물장난을 치며 노는 꿈
일이나 사업이 일시적으로 정체되거나 마비될 조짐이다.

연못에 물고기를 넣는 꿈
넣은 물고기가 팔팔하게 헤엄쳐 나가면 씩씩하고 튼튼한 아이를 낳겠으나 잘 살지 못하고 죽으면 유산될 염려가 있다.

연못의 물고기들이 죽어서 물 위에 둥둥 떠다니는 꿈
홍수·태풍·화재 등으로 이재민들이 많이 발생한다.

연못 위에 다리가 걸쳐 있는 꿈
상업적인 협상·상담 등이 잘 되어 결말을 짓게 된다.

연못 안에 큰 나무가 서 있는 꿈
실력을 인정받아 신임을 얻고 지위가 높아져 사회적으로 성공한다.

연못 안에 물고기가 헤엄치며 다니는 꿈
큰 이득을 얻게 되어 돈과 재물이 들어온다. 또한 헤엄치고 다니는 물고

물

기들은 자신에게 협조해 주는 협력자들을 나타낸다.

연못에 있는 물고기를 모조리 잡는 꿈

하는 사업은 크게 번창하고 큰 이득이 들어온다. 복권을 사면 당첨 확률
이 높다.

물이 마른 못에서 많은 물고기를 잡는 꿈

불법적인 방법으로 돈을 모으거나 돈을 벌게 된다. 주변의 나쁜 환경에
물들기 쉽다.

물이 얼어 붙은 연못을 본 꿈

일이 정체되거나 침체될 암시이다.

폭포

흐르는 물이 갑자기 폭포로 변해 소리가 요란한 꿈

작품 발표로 인해 세상 사람들의 입에 오르내린다.

폭포가 장막처럼 쏟아진 꿈

초청 강의나 인터뷰한 내용이 매스컴을 통해 전달된다.

해 일

해일을 본 꿈

권세를 행사하거나 문학 등으로 혁신적인 일에 종사할 자손을 얻는다.

해일이 일어 산야를 뒤덮은 꿈

거대한 사업으로 부귀영화를 누린다.

큰 파도나 해일이 자신을 덮치는 꿈

불가항력의 상황에 봉착하여 어려움을 겪게 된다.

바다에서 해일이 일어나는 것을 임산부가 본 꿈

태어날 아이가 장차 정치가나 사업가가 되어 큰 권세를 행사하거나 작가 되어 문학 분야에서 혁신적인 작품을 출판하여 세상에 이름이 알려지게 되고 큰 부자가 된다.

물

제 8 장
음식에 관한 꿈

❀ 술

술을 마신 꿈
많은 재물을 얻는다.

많은 술이 병에 담겨 있는 꿈
생활이 부유해진다.

아내나 애인에게 술 한잔을 권한 꿈
남녀간의 애정은 변함없을 것이다.

남편에게 술을 권한 꿈
부인은 머지않아 임신하게 된다.

친구과 함께 술을 마신 꿈
생활이 행복하고 안정된다.

술을 보기만 하고 마시지 않은 꿈
배고픔을 겪게 된다.

술을 파는 꿈
친한 사람과 충돌이 생긴다.

친구에게 술을 선물하는 꿈
행복하고 아무런 근심 걱정이 없다.

술을 크게 한 모금 마신 꿈
재난이 닥칠 징조이다.

술을 실컷 마신 꿈
미혼자는 결혼하게 된다. 하지만 환자는 병세가 악화된다.

고위 인사와 함께 술을 실컷 마신 꿈
운수가 좋아 관운이 형통하고 이름이 널리 알려진다.

손님을 초대하여 술을 권한 꿈
당신의 명성과 위엄이 크게 떨치고 관운이 형통한다.

다른 사람이 술을 마시는 꿈
일 처리에 덤벙거려 손해를 입는다.

❀ 산유

산유가 보인 꿈
행복이 찾아 올 좋은 징조이다.

산유를 구입하는 꿈
수확이 있으나 먹여 살릴 식솔이 너무 많아 별로 남는 것이 없다.

산유를 담은 그릇이 땅에 떨어졌거나 산유가 쏟아진 꿈
액운이 다가올 사나운 꿈이다.

산유나 단맛 나는 음료를 마신 꿈

머지않아 좋은 일이 생긴다.

🌼 우유

우유가 보인 꿈

병에 걸리게 된다.

우유를 마신 꿈

커다란 손실을 입는다.

우유를 판 꿈

운수가 좋을 꿈이다.

우유를 바닥에 엎지른 꿈

고위직에 오르게 된다.

어린이에게 우유를 먹인 꿈

집안이 행복하고 평안해진다.

물소의 젖을 짜는 꿈

커다란 유산을 상속받게 된다.

염소 젖을 짜는 꿈

명예를 얻게 된다.

음
식

우유를 저울에 다는 꿈
사업이 번창할 꿈이다.

🎴 과일 주스

과일 주스를 마신 꿈
건강하고 부유해진다. 기혼 여성은 임신하게 되고, 상인은 장사에서 이익을 본다. 환자는 머지않아 건강해진다.

남편이 과일 주스를 마신 꿈
오래지 않아 남편과 별거한다.

친구가 과일 주스를 마신 꿈
공금을 횡령하게 된다.

남에게 과일주스를 주는 꿈
사람들이 당신을 좋아하게 된다.

남이 준 과일주스를 받은 꿈
새로운 친구를 사귀게 된다.

과일 주스를 만든 꿈
손실이 생긴다.

남이 과일 주스를 마시는 꿈
모든 일이 틀어지기 시작한다.

아내가 과일 주스를 마신 꿈

아내가 병에 걸려 의료비 지출이 많아진다.

❀ 차

차를 마신 꿈

남성은 생활이 즐겁고 행복할 것이고, 여성은 당신을 더욱 사랑할 것이다. 미혼 남성은 어진 성과 결혼하게 되고, 미혼 여성은 돈 많은 상인에게 시집을 가게 된다. 열애 중인 남성은 애정이 더욱 깊어진다.

남편에게 차를 권한 꿈

임산부가 머지않아 분만하게 된다.

차를 끓인 꿈

운수 없는 하루를 보낸다.

❀ 식품

수많은 식량을 본 꿈

낙심할 일이 생긴다. 여성은 경제적으로 힘들어진다.

양식이 떨어진 꿈

재물은 늘어나고 지출은 줄어든다.

식품을 받은 꿈
장사에 온 힘을 기울이면 큰 돈을 번다.

식품을 공급한 꿈
지갑에 돈이 떨어진다.

🏵 밥

밥이 보인 꿈
사업이 순조로울 징조이다.

밥을 먹는 꿈
병에 걸릴 꿈이다.

아침밥을 먹는 꿈
어리석은 일을 저지르고 만다.

밥을 짓는 꿈
남성은 외도할 징조이다.

산 사람에게 밥을 먹이는 꿈
재산과 보물이 들어올 길조이다.

죽은 사람에게 밥을 먹이는 꿈
질병과 굶주림을 의미한다.

산해진미를 먹는 꿈
큰 재난이 생긴다.

조밥에 된장국을 먹는 꿈
운동 경기에서 일등을 한다.

쌀밥을 먹는 꿈
큰 돈을 벌어 대단히 기뻐할 꿈이다. 기혼 여성은 해산한다. 미혼 남성은 결혼하게 되고, 환자는 건강을 회복하게 된다.

🎱 고 기

싱싱하지 않은 고기를 먹는 꿈
큰 병에 걸릴 꿈이다.

익은 고기를 먹는 꿈
부자가 된다.

생육을 먹는 꿈
집안에 분쟁이 생긴다.

인육을 먹는 꿈
크게 돈을 벌어 억만장자가 될 징조이다.

살찐 자신의 모습을 본 꿈
앞으로 부자가 되고 옷차림에 신경쓰게 된다.

고기 장사를 하는 꿈

마음에 드는 연인과 결혼하게 된다.

정육점이 보인 꿈

집안 살림이 궁색해진다.

고기를 삶은 꿈

장사가 호전될 징조이다.

고기가 썩은 꿈

병에 걸릴 꿈이다.

사자 고기나 승냥이 고기를 먹는 꿈

정신이 혼란스러워진다.

머리가 없는 짐승의 고기를 먹은 꿈

돈을 많이 벌게 될 꿈이다.

🍳 부침개

밀가루 부침개를 먹는 꿈

배불리 먹지 못할 꿈이다.

부침개를 만든 꿈

가정 생활이 개선된다.

가는 곳마다 부침개를 부치고 그것을 먹는 꿈

자식들이 행복하게 생활할 꿈이다.

부침개를 여러 사람에게 나눠 주는 꿈

이름이 널리 알려질 징조이다.

부침개를 태운 꿈

누군가 죽을 나쁜 꿈이다.

부침개를 사는 꿈

장사가 잘 될 좋은 징조이다.

❀ 떡

밀가루를 발효시켜 만든 떡을 먹는 꿈

무일푼이 된다. 여성은 가족과 언쟁을 하게 된다.

발효시켜 만든 밀가루 떡을 먹는 꿈

건강이 갈수록 나빠진다. 환자는 병상에서 오랫동안 일어나지 못한다.

남에게 발효시켜 만든 밀가루 떡을 준 꿈

좋은 친구를 사귀게 된다.

불에 구운 떡이 많이 있는 것을 본 꿈

생활이 부유해질 꿈이다.

가게에서 불에 구운 떡을 하나 사온 꿈

생존을 위해서 필사적으로 싸운다.

🎴 빵

토스트를 먹는 꿈

기쁜 소식이 있을 꿈이다. 여성은 좋은 일로 친정에 가게 된다. 여행자는
여행을 성공리에 마친다.

빵을 먹는 꿈

생활이 즐겁고 행복할 꿈이다. 아이가 건강해지고, 상인은 장사가 번창한
다. 환자는 건강이 회복된다.

남이 빵을 먹는 꿈

재난이 생긴다.

🎴 김치

김치를 먹는 꿈

건강이 갈수록 나빠진다. 기혼 남성은 결혼식에 초대되고, 미혼 남성은
연인을 더욱 더 사랑하게 된다. 환자는 건강이 곧 회복된다.

김치를 담그는 꿈

집안 살림에 걱정이 모두 없어진다.

김치를 파는 꿈

친구에게 손실이 있다.

남에게 김치를 주는 꿈

가장 친한 친구가 소식을 끊는다.

상한 김치를 먹는 꿈

재난에 부딪친다.

❀ 야채스프

야채스프를 본 꿈

기쁜 소식이 들려 온다. 여성은 결혼식에 초대되어 참석하게 된다.

야채스프를 먹는 꿈

귀중한 선물을 받게 된다. 기혼 여성은 임신하게 되고, 환자는 병세가 호전되며, 상인은 출국하여 큰 돈을 벌게 되고 여행자는 병이 생긴다.

남에게 야채스프를 준 꿈

집에 기쁜 일이 생긴다.

❀ 소시지

소시지를 먹는 꿈

남성은 파산할 것이고, 여성은 배가 아플 것이다.

음
식

소시지를 만드는 꿈

불길한 꿈이다.

소시지를 사는 꿈

손님이 찾아올 꿈이다.

✸ 식초

식초를 만드는 꿈

남성은 친척에게 화를 내거나 친구와 다툰다. 여성은 온 집안이 조용하고 편안할 날이 없게 되며, 환자는 병세가 악화된다. 상인은 고객과 말다툼을 하여 장사에 손실을 보게 된다.

남에게 식초를 주는 꿈

명성과 위엄이 널리 알려진다.

남이 주는 식초를 받은 꿈

위험에 처하게 된다.

✸ 고추장

고추장을 먹는 꿈

운수가 좋으며 장수할 꿈이다. 노인이 고추장을 먹었다면 자손이 번창하고 마음이 유쾌해진다.

음 식

다른 사람이 고추장을 들고 있는 꿈

건강해질 꿈이다.

고추장을 만드는 꿈

신체가 건강해질 꿈이다.

❀ 겨자

겨자를 본 꿈

몸이 쇠약해지고 불행해진다.

겨자씨를 손에 쥔 꿈

장사는 부진하고 곤란이 겹쳐 앞길을 가로 막는다.

겨자 기름을 짠 꿈

장사에서 큰 돈을 번다.

집 주변에 겨자씨를 뿌린 꿈

중병으로 누운 후 장기간 일어나지 못한다.

낯선 사람이 겨자씨를 선물한 꿈

친구들의 도움으로 돈을 벌 사업을 찾는다.

겨자씨를 간 꿈

여성은 시댁에 행복과 즐거움을 주게 된다.

겨자 기름으로 마사지하려고 겨자씨를 간 꿈

환자가 건강을 회복할 것이다.

겨자씨를 구입한 꿈

새로운 재난이 닥친다.

❀ 후추

후추를 본 꿈

몸이 건강해진다. 환자는 병상에서 일어나지 못하고 생명이 위독해진다.

후추를 먹은 꿈

건강한 남성은 병이 생기나 환자는 건강이 회복된다.

후추를 가는 꿈

이웃이 앓아 누워 돌봐주게 된다.

낯선 사람이 후추를 선물한 꿈

꼭 필요할 때 낯선 사람이 도움을 준다.

집 주위에 후추가 잔뜩 뿌려져 있는 꿈

가정에 귀찮은 일이 일어난다.

반찬에 후추가 너무 많이 들어 있는 꿈

부부사이가 멀어진다.

어떤 사람이 머리에 후추를 뿌린 꿈
모든 고난이 다 지나간다.

손에 쥐었던 후추를 땅에 흘린 꿈
여행 중 어리 석은 짓을 하여 손실을 입게 된다.

❀ 소금

소금을 먹는 꿈
신체가 건강해지고 생활이 행복해진다. 기혼 여성은 잘 생기고 건강한 아기를 낳게 된다. 환자는 몸이 건강해질 것이다.

소금을 만든 꿈
걱정과 불행이 닥쳐온다.

소금을 산 꿈
식구가 늘어난다.

소금을 판 꿈
사람들이 당신을 좋아하게 된다.

소금 가루를 간 꿈
가정 살림을 잘 꾸리게 된다.

음식에 소금을 넣은 꿈
재난과 빈곤이 닥칠 불길한 징조이다.

❀ 양념

양념으로 음식의 맛을 조절한 꿈

남성은 연회에 참석하지만, 여성은 병으로 앓게 된다. 환자는 병이 오래
도록 낫지 않는다.

조미료를 산 꿈

자녀가 결혼하여 자립하게 된다.

양념을 판매한 꿈

무일푼 거지가 된다.

양념을 먹은 꿈

상인은 집을 떠나고, 여성은 남편이 부유해진다.

❀ 백설탕

백설탕을 먹는 꿈

결혼한 남성은 운수가 좋을 것이고, 기혼 여성은 고운 아기를 낳을 것이
다. 미혼 남성은 몸가짐이 의젓하고 온화한 여성과 결혼하게 된다. 하지
만 환자는 오랫동안 병이 낫지 않는다.

백설탕을 만든 꿈

유익한 일자리를 맡는다.

음식에 관한 꿈 327

백설탕을 구입한 꿈

행복한 생활이 시작된다.

백설탕을 판매한 꿈

사업이나 장사가 손실을 입는다.

백설탕을 남에게 선물한 꿈

친구의 반대에 부딪친다.

백설탕을 가진 꿈

이름이 널리 알려지고 관운이 형통한다.

❀ 생크림

생크림이 보인 꿈

고난을 이겨낸다.

생크림을 먹은 꿈

정든 사람과 결혼하고 승진한다. 상인은 좋은 일이 일어난다.

생크림을 구입하는 꿈

운수가 좋을 꿈이다.

우유에서 생크림을 걷어내는 꿈

사업과 생활이 순조로워진다.

❀ 버터

버터가 보인 꿈
운수가 좋을 징조이다.

버터를 판 꿈
그날 그날을 겨우 굶지나 않고 살아가게 된다.

버터에 유해 물질을 섞어 넣은 꿈
친구의 속임에 넘어간다.

누가 자기를 향해 버터를 뿌린 꿈
큰 재난에 부딪치게 된다.

버터를 먹는 꿈
회사원은 승진하게 되고, 상인은 재물운이 트인다.

버터를 구입한 꿈
운수 좋을 일이 생긴다.

우유에서 버터를 걷어 내는 꿈
사업이 순조로워진다.

음
식

⊛ 꿀

꿀을 먹는 꿈
행복과 쾌락을 상징한다. 환자는 신체가 건강해진다.

꿀을 사는 꿈
병에 걸린다.

꿀을 젓는 꿈
노숙자 생활을 하게 된다.

꿀을 파는 꿈
부자가 될 꿈이다.

꿀을 선물로 받는 꿈
당신의 청혼을 애인이 승락한다. 기혼 남성은 아내의 지극한 사랑을 받는다.

⊛ 잼

잼을 먹는 꿈
기혼 여성은 예쁘게 생긴 아들을 낳을 것이고, 환자는 건강을 회복한다.

잼을 담은 포장이 터진 꿈
잠깐의 어리석은 짓으로 자신의 행복을 망쳐 버린다.

잼을 만드는 꿈
좋은 일자리가 생긴다.

❀ 건 과

건과가 보인 꿈
부자가 된다.

낯선 사람이 당신에게 건과를 선물하는 꿈
머지않아 친척의 결혼식에 참석하게 된다.

건과를 먹은 꿈
위장병에 걸릴 꿈이다.

건과를 판 꿈
자녀를 많이 낳게 된다.

❀ 사탕 · 과자

사탕 · 과자를 먹는 꿈
기혼 여성은 초청되어 친정 결혼식에 참석 하게 되고, 미혼 남성은 결혼식을 성대하고 호화롭게 치를 것이다.

사탕 · 과자를 만든 꿈
눈병에 걸릴 것이다. 여성은 곤경에 빠지게 되고, 환자는 병이 오랫동안 낫지 않는다. 죄수는 친구가 면회를 온다.

남에게 사탕 · 과자를 선물한 꿈
좋은 위치에 발탁된다.

남이 준 사탕 · 과자를 받는 꿈
권세가 더 커진다.

많은 과자를 본 꿈
운수가 좋을 징조이다.

흰색 과자를 본 꿈
행복할 꿈이다.

연한 황색 과자를 본 꿈
곧 결혼하게 된다.

검게 탄 과자가 보인 꿈
가족 중 누가 앓아 눕는다.

음식

제 9 장
인물에 관한 꿈

❀ 대통령

대통령과 함께 나란히 걷는 꿈
가장 존경할 만한 사람과 동업을 하거나 같이 의논한다.

자신이 영부인이 되어 대통령을 따라가는 꿈
남편이 하는 일을 도와주거나 사업체의 일원으로서 맡은 일을 성실히 하게 된다.

대통령의 거실로 따라 들어간 꿈
일의 성사, 승진, 권세 등이 이루어진다.

대통령 연설을 자세히 듣는 꿈
자기 신변에 관한 이야기를 남을 통해서 듣게 된다.

타국의 대통령과 비행기를 함께 탄 회사원의 꿈
다른 회사의 사장이 자신을 발탁하여 그곳으로 스카우트하게 된다.

대통령 만찬회에 초대된 꿈
권위 있는 사람, 지도자가 베푸는 일, 회담 등에 참석한다.

대통령이 수행원과 함께 자기 집을 방문한 꿈
어떤 단체나 기관에서 자기에게 막중한 책임을 맡긴다.

대통령의 의관이 단정하지 못한 꿈
사회 질서가 문란해지거나 집안 어른의 인격과 신분에 이상이 생긴다.

대통령이 자기집을 방문한다고 길에서 약속한 꿈

최대의 명예나 권리가 주어진다.

대통령 표창을 받은 꿈

어떤 단체에서 명예나 권리가 주어진다.

자신이 대통령이 된 꿈

어떤 기관의 책임자가 되며 명예나 권세가 주어진다.

대통령이 되어 내각을 조직한 꿈

어떤 조직의 주도권을 잡게 된다.

대통령에게 음식을 대접한 꿈

존경하는 사람에게 부탁할 일이 생긴다.

군중 속에서 대통령을 환영한 꿈

국가 시책에 호응해서 좋은 일이 있다.

❀ 여 왕

여왕을 본 꿈

남성은 경제적 손실을 입지만 여성은 남편의 마음이 즐거워진다. 죄수는
오래지 않아 자유를 얻고, 사업가는 해외에 나가 사업을 확장하여 큰 돈
을 번다.

자신이 여왕이 된 꿈

기혼 여성은 아이가 병을 앓거나 남편이 실직되어 경제적 곤란에 빠진다. 하지만 미혼 여성은 명망이 있는 부유한 가정에 시집가게 된다.

여왕과 악수한 꿈

남성은 나라의 존중을 받아 관운이 형통하고, 부잣집 처녀를 얻게 된다. 기혼 여성은 높은 자리에 오르게 되지만, 미혼 여성은 사랑하는 연인과 결혼하는 것을 부모가 반대한다.

여왕과 언쟁하는 꿈

큰 돈을 벌게 된다.

🎎 공무원

법관과 만난 꿈

집안 내에 의견 충돌이 생기고 안건 송사로 많은 돈을 쓰게 된다.

공무원이 된 꿈

높은 자리로 승진한다.

법관이 기뻐하는 꿈

조상의 유산을 상속받는다.

재판관에게 사형 언도를 받는 꿈

소원한 일이 뜻대로 성취된다.

자신이 법관이 된 꿈

어떤 단체의 주도권을 잡거나 자신의 일 혹은 작품으로 세인의 관심을 받는다.

검사가 준엄한 논고를 한 꿈

하고 있는 일이 불안하거나 양심의 가책을 받는다.

재판관이나 변호사에게 자기 신변에 관해 이야기 한 꿈

남과 무엇인가를 의논하게 된다.

재판을 받는데 방청객이 많이 몰린 꿈

어떤 단체에서 설교나 설법을 들을 일, 선택할 일, 작품 평가를 받을 일이 생긴다.

🎴 군대 · 군인

군대가 행진해 오거나 혹은 차렷 자세로 있는 꿈

좋은 일이 생긴다.

군대가 떠나가는 꿈

불행한 일이 있다.

군대가 패전하는 꿈

안 좋은 일이 생긴다.

인물

군대가 승리한 꿈

좋은 운수가 트인다.

완전무장한 군인을 본 꿈

안전이 보장됨을 의미한다. 임신부는 튼튼한 사내아이를 낳는다.

군인이 보인 꿈

기혼 여성은 자식을 낳지 못하고, 미혼 여성은 뜻에 맞는 남성이 없어서 결혼하기 힘들다. 청년은 생활난으로 결혼하지 못한다.

많은 군인이 일하고 있는 꿈

모든 걱정과 슬픔이 다 사라진다.

군인이 서로 싸우는 꿈

고급 직위에 있는 사람과 친하게 된다.

군인들과 친해진 꿈

누군가 당신을 해치려고 시도한다.

해군에 입대하는 꿈

생명에 위험이 있다.

해군에서 쫓겨나는 꿈

가정이 행복하고 평안할 징조이다.

해군 장교가 된 꿈

집안에 언쟁이 생긴다.

인
물

탱크를 부수고 사람을 죽인 꿈

세력을 잡아 능력을 맘껏 행사하고 과시하게 된다.

함포를 쏘아 적함을 침몰시킨 꿈

어떠한 어려움이 있어도 주어진 일을 극복해 나간다.

함장이 된 자신이 적함을 공격한 꿈

경쟁 회사나 정당 등에 제재를 가하게 된다.

군함을 본 꿈

해군 장교라면 미래의 전투에서 최고 해군 메달을 수여 받게 된다.

❀ 경 찰

경찰이 서 있는 꿈

위험이 있을 징조이다.

경찰에게 붙잡힌 꿈

공무원이 좋아하는 인물이 된다.

경찰이 사람을 붙잡는 꿈

비리를 저질러 큰 돈을 벌게 된다.

경찰과 대화하는 꿈

죄수는 곧 석방되며 상인은 경쟁자를 조심해야 하고, 지도자는 공무원들의 존중을 받게 된다.

경찰과 말다툼한 꿈

강도가 위협하고, 미혼 남성은 연인을 데리고 도피하게 된다.

경찰에게 원조를 요청한 꿈

행복하고 안전하다. 죄수는 석방이 된다.

경찰에게 구타당한 꿈

공금을 횡령했다가 커다란 손해를 입는다.

경찰이 된 꿈

위신이 떨어질 꿈이다.

✿ 도둑 · 악한

도둑을 보고 두려워하는 꿈

어렵고 힘든 일에 직면한다.

자신이 도둑이 된 꿈

파직되고, 고립당하는 일이 생긴다.

밀폐된 곳으로 도둑이 사라져 버린 꿈

어떤 모함에 빠지거나 쫓겨 다닌다.

죄수복을 입은 꿈

병원에 가거나 하고 있는 일, 작품이 심사 대상이 된다.

도둑과 동행한 꿈

의로운 사람을 만나게 되고 개선되어야 할 일을 맡게 된다.

악한이 무서워 도망친 꿈

계획한 일이나 좋은 기회를 놓치고 좌절감에 빠진다.

악한을 처치한 꿈

곤란하고 쉽게 해결되지 않은 일이 풀리기 시작한다.

악한에게 살해되거나 상처를 입은 꿈

일을 남에게 평가 받는다.

✿ 교도관 · 죄인

교도관과 말다툼을 한 꿈

자유롭지 못한 생활을 하게 된다.

교도관을 사귄 꿈

위신이 떨어질 꿈이다.

죄인을 친구로 사귄 꿈

사기꾼 기질이 있는 친구가 손실을 끼친다.

교도관이 된 꿈

권세 있는 집에서 일을 하게 된다.

✿ 의사

의사가 보인 꿈
가족이 병으로 눕게 된다. 장기간 병을 앓다가 완치된 사람은 병세가 중해지거나 다시 발병하여 눕게 된다.

의사와 대화를 나누거나 의사에게 자문을 구한 꿈
몸이 건강해지고 장수한다. 환자는 병이 호전된다.

의사와 말다툼을 한 꿈
막대한 손실을 입게 된다.

자신이 의사가 된 꿈
해고당하거나 사업상 큰 타격을 받는다.

의사를 초청한 꿈
덕성과 명망이 높은 인물과 친근한 관계를 맺게 된다.

의사를 친구로 사귄 꿈
자신의 힘으로 부자가 된다.

남편이 의사가 된 꿈
여성은 생식기에 병이 생긴다.

의사에게 화를 낸 꿈
환자는 아주 훌륭한 치료와 간호를 받게 된다.

의사와 언쟁을 한 꿈

재난이 곧 지나간다. 그러나 환자가 친척 혹은 간호원과 언쟁을 했다면 병세가 악화된다.

🏵 조산원

조산원을 본 꿈

남성은 병에 걸린다. 여성은 생식기에 병이 생길 수 있지만, 기혼 여성은 곧 임신하게 된다.

자신이 조산원이 된 꿈

여성은 경제적으로 허덕이게 된다.

조산원과 대화를 나눈 꿈

임신부는 범죄자로 고발을 당하게 된다.

🏵 안내원

안내원이 인솔하여 명승 고적을 구경한 꿈

기쁜 일이 연달아 발생한다.

안내원이 인솔하여 동물 표본 박물관을 관람한 꿈

슬픔과 고통에 빠지게 된다.

인
물

안내원과 함께 동물원과 박물관을 관람한 꿈

저명한 학자가 될 것이다.

자신이 안내원이 된 꿈

남성은 생활이 빈곤해지고, 여성은 진보를 염원하는 저명한 위인이 된다.

🎱 사장

사장이 직원을 고용한 꿈

곤경에 빠지게 된다.

사장이 직원을 해고한 꿈

근심 걱정이 없는 행복한 생활을 하게 된다.

사장이 직원과 언쟁을 벌인 꿈

남성은 명성과 위엄이 크게 떨치고, 여성은 여직원과 말다툼 하면 위신이 없어진다.

사장이 직원과 대화를 나눈 꿈

직원이 사장을 무시하고 가정이 엉망진창이 된다.

사장이 많은 직원을 고용한 꿈

경제적으로 허덕이게 된다.

동료 직원이 보인 꿈

많은 사람을 고용하게 된다.

인
물

동료 직원과 친구가 된 꿈

친구들과의 사이에 충돌이 생긴다.

동료 직원과 함께 식사를 한 꿈

명성과 위엄이 크게 떨쳐진다.

❀ 목동

양치기만 보이고 양떼가 보이지 않은 꿈

고난에 부딪치게 된다.

양치기가 양을 방목하고 있는 꿈

두뇌가 발달하여 뛰어난 지성을 갖게 된다.

양치기와 말다툼을 한 꿈

친구의 미움을 받게 된다.

양치기가 화를 내는 꿈

불행한 날이 시작된다.

❀ 무당

무당이 보인 꿈

남성은 해외에서 누가 만나러 오고, 여성은 집안 식구들로부터 질투를 받게 된다.

무당과 말다툼을 한 꿈

사람들의 추대를 받게 된다.

무당과 친구가 된 꿈

남이 당신에게 터무니 없는 죄명을 씌울 것이다.

노파나 무당으로 변한 꿈

여성은 남에게 모욕이나 비방을 받는다.

❀ 용접공

용접공을 본 꿈

좋은 소식이 연달아 전해오고, 여성은 똑똑하여 모든 일에 뛰어난 솜씨를 발휘하며 상인은 장사에 적자가 난다.

용접공과 대화를 나눈 꿈

수명이 줄어든다.

용접공과 말다툼을 한 꿈

재산은 늘어나고 지출은 줄어든다.

용접공과 친구가 된 꿈

배고픔에 시달린다.

🎱 재봉사

재봉사가 작업하는 꿈
남성은 부유해지고, 여성은 시댁에 혼례가 있다.

재봉사와 대화를 나눈 꿈
새 옷 한 벌을 사게 된다.

재봉사와 말다툼을 한 꿈
큰 손실을 보게 된다.

재봉사와 친구가 된 꿈
소비가 증가되어 예산을 초과한다.

재봉사를 초청한 꿈
자녀가 결혼하여 자립하게 된다.

🎱 천하장사

천하장사와 대화를 나눈 꿈
강한 사람과 말다툼을 하게 된다.

천하장사와 말다툼을 한 꿈
명성과 위엄이 크게 떨쳐진다.

인
물

✿ 요리사

요리사가 되는 꿈

요리사가 되어서 좋아하는 사람에게 음식을 대접하는 경우는 그 사람과
의 관계가 좋아지는 것을 암시한다.

요리사가 되어서 만든 음식이 맛이 없는 꿈

애인과 말다툼을 하거나 문제가 생겨 사이가 나빠진다.

✿ 미술사

미술에 관심을 가지는 꿈

대인 관계에 있어서 좋은 사람이 나타나거나 헤어진 애인과 다시 만나
는 꿈으로 좋은 변화가 생긴다.

자신이 미술사가 되어 미술에 성공하는 꿈

숨겨져 있던 자신의 재능을 발휘하게 된다. 원하던 일이나 소망이 이뤄
지는 좋은 꿈으로 다른 사람들로부터 주목을 받게 된다.

인
물

제 10 장
종교에 관한 꿈

✿ 하느님 · 옥황상제

하느님의 계시를 받는 꿈

하느님이 우렁찬 목소리로 어떤 가르침 또는 지켜야 할 계율을 들려주면 그 말씀을 기억하여 그대로 실천하면 반드시 좋은 결과를 얻게 된다.

하느님께 절하는 꿈

바라던 일이 뜻대로 이루어진다.

하느님께 금 · 은 보배 같은 귀중한 물건을 받는 꿈

물질적인 이득을 얻고, 이름을 날리며 귀한 자식을 낳게 된다.

하느님께 소원을 빌며 애원하는 꿈

어려운 처지에 놓여 있어 후원자나 협조자를 절실히 바라는 마음이 그대로 나타난 것이다. 하느님의 말씀이 경고의 말씀인지 예언의 말씀인지 그 말씀에 따라 꿈의 풀이도 달라진다.

하느님이나 신령을 만나 약 같은 것을 받아 먹는 꿈

중병으로 고생하던 환자는 병이 차차 나아지고, 회사원이나 공무원이라면 지위가 오르고 중책을 맡게 된다. 사업가라면 협력자나 후원자를 만나 크게 번창하게 된다.

천사가 자신을 하느님 곁으로 데리고 간 꿈

어떤 기관에 고급 관리로 취직하게 된다.

우렁찬 하느님의 말이 공중에서 들린 꿈

풍기문란, 부정부패를 고발하게 된다.

천당에 가서 보좌에 앉은 하느님을 본 꿈

사회적으로 권위 있는 사람을 만나게 된다.

하느님께 기도한 꿈

진리를 깨닫고 양심을 호소해서 반성할 일이 생긴다.

궁지에 몰렸을 때 하느님을 찾는 꿈

양심을 남에게 호소하거나 협조자에게 도움을 청한다.

옥황상제로부터 천도 복숭아를 받는 꿈

건강하고 장수한다.

❀ 예 수

찬란한 의상을 걸치고 예수가 나타난 것을 우러러 본 꿈

진리가 담긴 서적을 출판하거나 사회적으로 위대한 지도자가 나타난다.

걸어가는 예수의 뒷모습을 본 꿈

어떤 지도자의 의해 청원이 받아들여진다.

교회당에 예수가 나타난 것을 본 꿈

훌륭한 성직자나 어떤 단체의 우두머리를 만나게 된다.

❀ 성모 마리아

성모 마리아상 앞에서 기도한 꿈

다른 사람의 도움으로 소원한 일이 성취된다.

성모 마리아상이 자신에게 빛을 비추거나 후광을 나타낸 꿈

신앙의 깨달음을 얻고 위대한 사람의 업적을 보게 된다.

성모 마리아를 따라 천당을 구경한 꿈

아름답고 성스러운 곳을 구경하게 된다.

❀ 천 사

천사를 본 꿈

임신부는 출중한 아들을 낳으며, 이 아이는 장차 성인이나 혹은 종교의 지도자가 아니면 부자가 될 것이다.

천사와 대화를 나눈 꿈

사망, 중병 혹은 고난으로 고생한다.

말 없이 침묵을 지키고 있는 천사를 본 꿈

좋은 운이 다가올 것이다.

천사를 만난 꿈

미혼 여성은 장차 부유하고 이상적인 남성과 결혼하게 된다.

천사를 멀찍이 바라본 꿈

자신이 행하던 모든 그릇된 행위를 포기해야 한다. 그렇지 않을 때엔 커다란 불행이 닥친다.

천사가 나팔 부는 것을 본 꿈

교회 성가대가 연주하는 것을 보게 된다.

교인이 아닌 사람이 천사가 나팔 부는 것을 본 꿈

나라 일을 하게 되거나 시국의 변화를 나타낸다.

천사를 멀리서 바라보거나 모습이 또렷하지 않은 꿈

지금 하고 있는 일을 계속하게 되면 큰 장애에 부딪쳐 어려워진다.

천사의 뒤를 따라가고 있는 꿈

노인은 죽음의 때가 머지 않았고, 젊은이들은 자칫 잘못하여 불의의 사고로 목숨을 잃게 된다.

천사가 나타나 자기를 뒤따라오라고 손짓한 꿈

현재 하는 일이나 자리가 굳건하게 자리 잡게 된다. 신임을 얻어 협력자나 후원자의 도움을 받아 바라던 일이 뜻대로 이루어진다.

천사가 큰 소리로 자기를 부르는 꿈

바라던 일이 뜻대로 이루어지고 기다리던 소식이나 사람을 만나게 된다.

천사가 하늘로 데려가는 꿈

사회의 신임을 얻어 지위가 높아지고 앞길이 열린다.

천사가 꽃다발을 안겨주는 꿈

뭇사람으로부터 칭송을 받거나 업적을 인정받아 명예를 얻고, 상을 받거나 재물을 얻기도 한다.

천사와 어떤 말을 주고 받는 꿈

사업가는 하는 일이 침체되고, 환자는 병마의 고통을 겪게 되어 자칫 죽음에 이를 수도 있다.

🕸 부처님·불상

부처님·불상에 절을 올리고 기도 하는 꿈

바라던 일이 이루어지며 귀한 자식을 얻을 태몽이다.

금불상을 얻는 꿈

감동적인 서적을 읽거나 사회에 기여할 일에 종사한다.

불상 좌우에 늘어선 많은 여래상을 본 꿈

어떤 단체의 리더를 중심으로 서로 협력해 나간다.

불전에 염불을 외운 꿈

권위 있는 사람에게 청원할 일이 있거나 소원을 성취하게 된다.

좌선하고 있는 부처님을 본 꿈

학자가 학문 연구에 몰두하게 된다.

관음보살상을 얻는 꿈

훌륭한 작품을 얻거나 도움을 줄 사람을 만나게 된다.

부처님·불상으로부터 어떤 말씀을 듣는 꿈

그 말씀을 귀담아 듣고 그대로 실천하면 좋은 결과를 맺게 된다. 마음 속에 걱정 근심이 사라지게 되고 환자라면 병이 낫는다.

부처님·불상을 뵙고 절을 하였으나 표정이 냉담하거나 쓸쓸한 듯 하거나 떨떠름하게 여기는 듯한 꿈

현실 세계에서도 가족 중의 어느 사람에게 불행한 사고나 좋지 않은 이이 생기게 된다.

부처님이 집으로 들어오는 꿈

뜻밖의 사고를 당한다. 자신 뿐만 아니라 가족 중의 누구에게 좋지 않은 일이 생긴다.

부처님에게 자신이 가진 물건을 빼앗기는 꿈

가족 중에 누군가 병을 앓게 되거나 부부 생활에 불화가 생긴다.

불상에 절을 하고 향을 피우는 꿈

재판을 해야 하는 송사 문제 등 관청으로부터 재앙을 입을 관재수가 있으며 건강상 문제로 고민하게 된다.

부처님께 음식물을 공양하는 꿈

좋은 일이 있을 것이다. 하는 일이 번창하고 잘 된다.

부처님으로부터 먹을 것을 받아 먹은 꿈

갑자기 병에 걸릴 염려가 있으니 건강에 조심해야 한다.

부처님이나 불상을 자기 집으로 맞이하는 꿈

대단히 좋은 꿈이다. 갑자기 횡재를 할 수도 있다. 로또 복권을 사면 당첨될 확률이 높다.

부처님이나 불상 또는 불단이 무너지거나 훼손되는 꿈

불행한 사고를 당할 염려가 있으므로 조심해야 한다.

부처님이 여러 중생들과 이야기를 나누는 꿈

행운이 찾아올 운세다. 뜻밖에 복을 받는 꿈이다. 모든 일이 좋은 쪽으로 진척된다.

부처님에게 얻어 맞거나 꾸지람을 들은 꿈

질병에 걸릴 확률이 높고 자칫 난치병으로 고생할 징조이다.

부처님으로부터 불경을 선물 받는 꿈

바라던 일이 이루어진다. 수험생은 시험에 합격하고 회사원이나 공직자는 바라던 승진을 하게 된다.

부처님이 자기 몸을 어루만지는 꿈

근심 걱정거리가 생긴다. 또 가족이나 자신에게 병이 나서 고생한다.

불상이나 석탑을 세우는 꿈

운이 트여 머지 않아 행운이 찾아온다.

법회에 참례하거나 성지를 순례하는 꿈

내기를 하면 큰 돈을 따고 로또 복권을 사면 당첨될 확률이 높다.

절을 짓는 꿈

경사스러운 일이 생긴다. 특히 부인인 경우 훌륭한 자식을 갖는다.

불상을 그리거나 바라 보는 꿈

뜻밖에 명성을 얻어 세상 사람들의 신임을 받는다.

부처님을 우연히 길에서 만난 꿈

선배나 윗사람의 도움을 받아 바라던 일이나 하는 일이 제대로 잘 된다. 그러나 부처님을 따라가면 병에 걸리고 자칫 목숨을 잃을 수 있다.

불경을 외거나 불교에 대한 교리를 설명하는 꿈

갑자기 병에 걸리거나 사건·사고에 말려들어 고생을 하게 되니 남의 일에 말려들지 않도록 조심해야 한다.

멀리서 절이나 탑을 바라다보는 꿈

먼 곳에 있는 친구·친척이나 아는 사람으로부터 반가운 소식이 온다. 또는 행방을 알 수 없던 사람으로부터 편지나 연락이 온다.

절의 보배로운 물건을 본 꿈

소원이 성취될 운세이다.

불상을 선물 받거나 돈을 주고 사거나 또는 길에서 줍거나 도둑질해서 갖는 꿈

운수가 트여 큰 행운이 찾아온다. 신도라면 큰 깨우침을 얻어 명성을 날리고, 일반인은 사람들로부터 존경을 받게 된다.

하늘에서 내려오는 금 불상을 받은 꿈

큰 행운을 얻게 된다. 특히 부인은 장차 위대한 인물이 될 아이를 임신할 태몽이다.

❀ 스님 · 비구니

스님과 어떤 사람이 정신 없이 이야기를 하고 있는 꿈

병에 걸릴 확률이 높다. 또 친척이나 집안의 누군가 병에 걸리게 된다.

비구니를 본 꿈

대인 관계나 사업이 정체되어 멈추게 된다. 반면에 자신의 실력이 향상될 기회가 된다.

비구니가 된 꿈

앞으로 모든 일이 번영하게 되고, 자손에게 행운이 찾아와 번창하게 된다. 그러나 남성에게는 좋지 않은 꿈이니 매사에 조심해야 한다.

자신이 스님이 되거나 스님과 함께 걸어가는 꿈

건강을 소홀히 하면 병에 걸리게 되니 유의해야 한다.

수행하는 스님이나 행자를 보거나 이야기를 나눈 꿈

병에 걸리거나 좋지 않은 소식을 듣게 되는 등 불행한 일이 일어난다.

절 안에서 스님이나 행자와 이야기를 나눈 꿈

애써 모은 재산을 낭비하게 되거나 없어질 징조이다. 또 병에 걸릴 확률이 높으니, 건강에 유의해야 한다.

수염이 하얗게 된 도승을 본 꿈

그동안 노력한 보람이 있어 성공의 문턱에 올라서게 된다.

절을 찾아가 불경을 외는 꿈

환자는 병이 차차 낫게 되고, 일반인은 모든 문제가 해결된다.

도승을 본 꿈

귀한 자식을 낳게 된다.

절에서 승무를 보거나 승무를 춘 꿈

후원자나 협력자의 도움으로 성공을 거두고 명성을 날린다.

도승의 가르침을 받거나 불경에 대한 이야기를 나눈 꿈

윗사람이나 선배와 모든 일을 의논해서 하라는 암시이다.

비구니만 있는 절로 이사 가는 꿈

병에 걸려 고생하게 된다. 또 사업도 진척되지 않고 막히게 된다.

스님들이 한 곳에 모여 있는 꿈

선거를 치루는 후보자들은 당선될 징조이다.

비구니와 잠자리를 같이 하는 꿈

뜻밖에 재물을 얻게 된다.

스님이나 비구니가 불경을 외는 꿈

생각지 못한 일로 고민하게 된다. 집안에 우환이 생길 징조이다.

큰 스님이 제자 스님에게 염불을 가르치고 있는 꿈

하는 일마다 성공한다.

스님 혼자서 걸어가거나 걸어오는 모습을 본 꿈

결혼한 부부가 혼자 될 운세이다. 미혼 여성은 과부가 되고 기혼 남성은
홀아비가 될 것이다.

스님이 와서 쌀 · 보리 등 양식거리를 주는 꿈

귀한 아이를 임신할 태몽이다.

❀ 신령 · 신선 · 신

어떤 모습이든 신령을 본 꿈

그 동안 어렵고 힘들었던 여러 가지 문제가 해결의 실마리를 찾게 되고,
물질상으로는 큰 이득을 보는 등 앞으로 좋은 일이 많다.

신령이 검은 손에 뭔가를 쥐고 있는 꿈

상대편이 화해를 청하고 타협을 하게 된다.

신령이 자기를 부르는 꿈

모든 일이 뜻대로 이루어지고, 경제적으로 이득을 보게 된다.

신령과 함께 앉아 있는 꿈

그 동안 겪었던 고통은 물론 현재 겪고 있는 위기를 잘 벗어나게 되고 행운의 소식이 올 것이다.

어디선가 신령의 목소리가 들려오는 꿈

신령의 말씀대로 실천하면 모든 일이 잘 될 것이다. 지위나 신분이 높은 사람을 만나게 되어 후원을 받고, 기회를 얻어 성공한다.

신령이 옷을 한 벌 주는 꿈

불운이 행운으로 호전된다는 징조로 머지않아 좋은 일이 있다.

신령이 준 음식을 받아먹는 꿈

환자라면 병이 완쾌되고 일반 사람들은 운이 트여 하는 일이 성공한다.

신령이 뭔가를 줘서 받아 먹은 꿈

약을 먹게 되거나 존경하는 사람으로부터 간곡한 부탁을 받게 된다.

신령이 선악과라고 알려준 과일을 따먹는 꿈

어떤 일에 있어서 바른 일과 간사한 일을 구분하거나 책을 읽고 선악을 분별하게 된다.

신령이 끌어안는 꿈

가정 생활이나 사회 생활이 원만해지고 건강 장수한다.

신령에게 보배로운 물품을 받는 꿈

난데없이 기쁜 소식이 날아든다. 또 후원자나 협력자를 얻게 되어 막혔던 일이 잘 풀린다.

산신령이 위험을 경고한 꿈

자기 아닌 또 하나의 자아를 발견하게 된다.

신령에게 꾸지람을 듣거나 야단맞는 꿈

남의 싸움에 말려들어 부상을 당하거나 경찰에 끌려가서 봉변을 당한다. 또 자칫 남의 일에 말려들어 재산상 손해도 볼 우려가 있다.

자신이 신령이 된 꿈

남에게 융숭한 대접을 받거나 주위 사람들로부터 협조를 받아 어려운 문제를 해결할 실마리를 찾게 된다.

신령이 배웅해 준 꿈

자손 중에 수험생이 있다면 시험에 합격했다는 기쁜 소식을 듣게 되고, 또 불운했던 자손은 운이 트여 행운의 기회를 얻게 된다.

신령이 자기를 데리고 가는 꿈

머지않아 승진된다.

신령에게 기도를 드리고 예물을 바치는 꿈

어려움이나 재난을 마침내 이겨내고 새 출발하게 된다.

신령에게 꾸지람이나 야단을 맞는 꿈

남의 싸움에 말려들거나 재판을 하게 되는 등 불상사가 있을 조짐이다.

여러 사람들과 함께 신령에게 기도드린 꿈

사람들에게 신망을 얻어 명성을 얻게 된다.

혼자 신령에게 기도를 드린 꿈

남성은 사람들의 도움을 잃게 되지만 여성은 남편과 자식의 신체가 모두 건강할 것이다.

신선이나 신령 또는 성인이 자기 집으로 들어오는 꿈

권세나 지위가 높은 사람의 후원이나 협력을 받아 소원을 이루게 된다.

산에 올라갔다가 신선이나 신령을 만난 꿈

그 동안 쌓였던 문제나 약해진 건강에 대한 염려 등 모든 근심 걱정이 사라진다.

신령이나 신선의 뒷모습을 보고 절을 하는 꿈

바라던 일이 이루어지지 않고 하는 일은 모두 막혀 진척되지 않는다.

신선이 마을이나 집 앞에 나타난 꿈

바라던 일이 뜻대로 이루어진다.

신선이 자기 집을 찾아 들어오는 꿈

기다리던 사람이나 반가운 소식이 온다.

신령이나 신선으로부터 가르침을 받는 꿈

하는 일마다 잘 풀린다.

신령이나 신선에게 제사를 지내는 꿈

사업이나 가업이 번창하게 된다.

신령이나 신선의 뒤를 따라가는 꿈
나이 많은 노인이나 환자는 곧 죽음이 가까워졌다.

신선과 바둑이나 장기를 둔 꿈
사업 관계로 여러 사람과 시비가 생기게 된다.

신을 본 꿈
모든 일에 성공하고 이득이 있을 징조이다.

신이 삼지창을 손에 들고 화를 내는 꿈
당신이 사는 지역에 커다란 재난이 떨어진다.

신이 만면에 웃음을 띠고 있는 꿈
결혼한 여성은 젊어서 온 세상에 이름을 떨칠 훌륭한 아들을 낳게 된다.

신이 자기를 품에 안고 있는 꿈
생활이 행복하고 건강 장수할 좋은 꿈이다.

여러 사람들과 함께 신에게 기도 드린 꿈
당신은 사회의 존중을 받게 된다.

부녀와 함께 신에게 기도를 드린 꿈
남성의 위신이 크게 떨어진다.

낯선 사람이 신에게 공양을 하는 꿈
고난에 부딪치게 된다.

경쟁 상대가 신을 향해 공양을 드린 꿈
손해를 입게 된다.

신에게 공양한 꿈
튼튼하고 잘 생긴 아들 하나를 낳는다.

우상이나 신에게 제물을 바친 꿈
권력자에게 부탁드릴 일이 생긴다.

❀ 선녀

선녀를 본 꿈
행운이 찾아오는 좋은 꿈이다. 더욱이 웃는 모습이라면 대단한 행운을
나타낸다. 그러나 슬픈 표정이나 걱정스런 표정이라면 불운의 징조이다.

선녀가 하늘로 오르는 꿈
무직자는 취직하게 되고, 회사원이나 공직자는 승진하고 명성을 얻는다.

선녀와 함께 잠자리를 같이 하는 꿈
모든 일이 뜻대로 이루어진다.

선녀가 악기를 연주하는 모습을 본 꿈
바라는 일이 뜻대로 되고, 자식의 혼담이 이루어져 곧 결혼하게 된다.

선녀의 목욕하는 모습이나 알몸을 본 꿈
여자로 인하여 재난을 당하거나 고민을 하게 된다.

선녀가 눈짓이나 손짓으로 자기를 따라오라고 한 꿈

좋은 배우자를 만나게 된다. 신임을 얻어 후원자나 협조자가 나타나 현재 하는 일을 도와준다.

선녀와 이야기를 주고받는 꿈

여성은 남편의 일이 잘되어 부를 누리게 된다. 남성은 하는 일이 잘 풀려 성공의 단계로 올라설 것이며, 회사원·공직자는 승진한다.

선녀와 결혼하는 꿈

경제적으로 큰 이득을 보게 된다. 또는 후원자를 만나거나 인생의 좋은 반려자를 만나게 된다.

선녀가 춤을 추고 있는 꿈

하고 있는 일이나 작품이 세상 사람들의 주목을 받게 되나 본인은 그 일이나 작품에 어떤 환멸을 느끼게 된다.

✿ 여신

여신과 대화를 나눈 꿈

마음이 유쾌하고 생활이 행복해진다.

여신이 대단히 노하여 욕을 퍼붓는 꿈

당신 자신이나 당신의 아이가 다칠 불길한 꿈이다.

여신이 당신을 품안에 안거나 왕관을 머리에 씌어 준 꿈

명예를 널리 떨치고 관운이 형통한다.

사원의 여신에게 향불을 지피고 큰절을 한 꿈

중병의 환자에겐 건강이 회복된다.

❀ 신 상

신상이 보인 꿈

행복한 날이 곧 온다.

신상이 훼손 당한 꿈

재난이 닥치게 된다.

❀ 귀 신

귀신을 본 꿈

이는 흉조이다.

얼굴이 붉고 코가 크고 오뚝한 모습의 귀신을 본 꿈

남에게 융숭한 대접을 받게 된다.

붉은색 망토를 입은 귀신이 춤추는 꿈

불량배에게 매를 맞거나 코피를 흘리는 것으로 액땜을 하게 된다.

방망이로 귀신을 잡아 흔적도 없이 해치운 꿈

정신적으로 시달림을 받던 일이 깨끗하게 해결된다.

죽은 딸이 나타난 꿈
어떤 일에 애착을 가지고 성사시킨다.

귀신을 보자마자 도망친 꿈
상대편이 화해를 청한다.

머리를 푼 귀신이 공중을 날아다닌 꿈
정신적인 압박을 받거나 두통에 시달린다.

억울하게 죽었던 자가 나타난 꿈
심적 고통이나 병마에 시달린다.

조상이 나타나서 예언이나 명령을 한 꿈
누구의 간섭도 받지 않고 자기 주장대로 일을 처리한다.

귀신에게 쫓기거나 습격을 받는 꿈
고생스런 일이나 걱정스러운 사건이 일어날 조짐이다. 자칫 잘못하면 목숨도 내놓아야 할 중대한 사건이 일어난다.

귀신에게 쫓기다가 붙잡힌 꿈
어떤 사건의 혐의를 받아 경찰의 신세를 지게 된다.

귀신을 잡으러 쫓아가는 꿈
재난이나 재앙으로부터 벗어나고 모든 일이 행운 쪽으로 호전된다.

귀신이 서로 싸우는 꿈
형사 사건으로 경찰에 불려 가거나 소송 문제로 애를 먹는 큰 사건이 일어난다. 그러나 건강을 잃지 않고 장수할 좋은 꿈이기도 하다.

귀신이 집으로 들어오는 꿈
집안에 불화가 생기어 부부 싸움이나 형제자매끼리 다투게 된다. 또한 남에게 속아 재산상 손해를 보게 된다.

귀신에게 매여서 혹사당하는 꿈
모든 일이 순조롭게 풀리어 성사된다.

귀신에게 어떤 물건을 받는 꿈
하는 일이나 소원이 자기의 뜻대로 이루어진다.

귀신들이 떠들며 춤추기 시작하는 모습을 본 꿈
고난이나 근심이 모두 사라지고 새로운 행운이 찾아올 조짐이다.

자신이 귀신이 된 꿈
재산상 큰 이득을 보는 등 행운이 찾아온다. 그러나 건강은 적신호이니 유의해야 한다.

귀신과 싸워서 이긴 꿈
사회적 지위가 오르고 성공하게 된다.

귀신과 싸워서 패배한 꿈
좋지 못한 일로 고민하게 된다.

귀신이 자기를 불러 세우는 꿈
불행한 사건이 일어나고 병에 걸릴 염려가 있으니 건강에 신경써야 한다.

길을 가다가 귀신이 나타난 꿈
화재·장마·도둑·교통사고 등 불의의 사고나 병에 걸릴 염려가 있으므로 재난과 건강에 특히 조심해야 한다.

귀신에게 가위눌리는 꿈
운이 트여 좋은 일이 생긴다.

귀신에게 죽음을 당한 꿈
병에 걸리거나 남에게 방해를 받게 된다.

염라 대왕을 본 꿈
봉변을 당하게 되니 모든 일을 신중히 하고 조심해야 한다.

염라 대왕의 사자를 꿈
사기당하거나 병마에 시달리는 등 불행한 일이 끊이지 않는다.

❀ 나찰

살아 있는 나찰신을 본 꿈
학생은 그가 준비하는 시험에 합격하기 어렵다.

죽은 나찰을 본 꿈
행복한 생활을 하게 된다.

제 11 장
병 · 죽음에 관한 꿈

🎱 병

병이 난 꿈

기혼 여성은 오래지 않아 임신하게 되고 미혼 여성은 한 청년을 사모하게 된다. 미혼 남성은 아름다운 여성과 결혼하게 된다.

아내에게 병이 생긴 꿈

가정에 불행이 생긴다.

남편이 병으로 앓아 누운 꿈

남편은 장수하게 된다.

친구가 병에 걸린 꿈

도움을 청하나 사람들의 도움을 받지 못한다.

전염병에 걸린 꿈

기혼 남성은 장려금을 받게 되고, 젊은 남녀는 고생하게 된다.

친척이 전염병에 걸린 꿈

사이가 멀어진 사람이 화해를 청해 온다.

전염병이 돌고 있는 지역에 들어간 꿈

곤란과 고통에 부딪치게 된다.

전염병 환자를 치료하는 꿈

당신의 명성이 세상에 알려진다.

혼자 전염병에 걸린 꿈
몸이 건강해진다.

황달을 본 꿈
친구에게 도움을 요청하지만 도움을 받지 못한다.

낯모를 사람이 황달에 걸린 꿈
불공평한 대우와 학대를 받게 된다.

이웃 사람이 황달에 걸린 꿈
도둑 맞을 우려가 있으니 조심해야 한다.

남편이 황달에 걸린 꿈
남편이 다른 여성을 사랑하게 된다.

황달을 치료하는 꿈
선배의 충고를 들으면 좋은 일이 있다.

두통으로 고생한 꿈
당신의 명성과 위엄이 크게 떨치게 된다.

배우자가 머리를 아파한 꿈
배우자와 믿음이 깨져 사이가 벌어진다.

열이 나는 꿈
모든 일이 순조로울 징조이다.

감기에 걸려 열이 나고 기침한 꿈
다른 사람과 협력하여 성공한다.

고열로 전신이 떨린 꿈
건강이 매우 좋아진다.

학질에 걸려 오한과 발열로 고생한 꿈
배 주변에 살이 붙거나 술을 많이 마셔 건강을 해치게 된다.

아내나 연인이 학질에 걸린 꿈
어떤 일로 인하여 애정이 더욱 깊어진다.

자기가 이질에 걸린 꿈
부자가 되고 중요한 직무를 맡게 된다.

류머티즘에 걸린 꿈
좋지 않은 일을 겪게 된다.

아내가 류머티즘에 걸린 꿈
부부 생활이 원만하고 행복해진다.

경쟁상대가 류머티스 관절염에 걸린 꿈
당신은 충실한 친구를 얻는다.

류머티즘을 치료하는 꿈
하루 종일 좋지 않은 일이 생긴다.

자기 몸에 궤양이 생긴 꿈

기혼 남성은 사업에서 성공하고 기혼 여성은 오래지 않아 임신하게 된다. 미혼 남녀는 곧 결혼하게 되고 환자는 건강이 회복된다. 하지만 상인은 재난이 있게 되니 주의해야 한다.

궤양을 치료하는 꿈

불행한 소식이 있을 것이다.

✿ 상 처

몸에 상처가 난 꿈

재산과 보물이 들어와 생활이 부유해진다. 군인은 훈장을 받게 되고, 죄수는 친척이 면회를 올 것이다. 환자의 건강은 오래지 않아 회복된다.

상처가 아문 꿈

사업이 실패할 꿈이다. 상인은 경쟁에서 상대편에게 진다.

남의 몸에 상처가 있는 꿈

재난이 닥치게 된다.

자신의 몸에 버짐이 난 꿈

부자가 될 꿈이다. 그러나 기혼 여성에겐 남편의 심정이 불쾌할 꿈이다. 미혼 남성은 결혼을 하는데 귀찮은 일이 생긴다. 환자는 건강해진다.

마른 버짐에 약을 바른 꿈

병에 걸리게 된다

다른 사람 몸에 버짐이 난 꿈

건강이 점점 나빠져 병상에 눕게 된다.

상대편의 몸에 마른 버짐이 난 꿈

재난에 부딪치게 된다.

� 가려움

몸이 가려운 꿈

큰 병이 생길 꿈이다.

가려움증을 치료하는 꿈

고난에서 곧 벗어나게 된다.

수포(물집)

몸에 수포가 생긴 꿈

운수 좋을 징조이다.

수포와 고름이 같은 자리에 생긴 꿈

돈을 크게 벌게 된다.

친한 사람의 몸에 물집이 생긴 꿈

일생을 남에게 의탁하여 산다.

낯선 사람의 몸에 물집이 생긴 꿈
의약계에 종사하면 큰 돈을 번다.

✿ 부상

부상을 입은 꿈
행복이 다가온다.

말 등에서 떨어져 부상 당한 꿈
군인이 되어 전쟁에 참가한다.

낯선 사람을 다치게 한 꿈
옆집에 위험한 일이 일어난다.

가족을 부상당하게 한 꿈
근심 걱정되는 일이 생긴다.

✿ 화상

화상을 입은 꿈
남성은 여러 방면의 손해를 보게 되고 여성은 집안 살림을 잘한다.

아내가 끓는 우유에 데인 꿈
자녀가 늘어날 징조이다.

경쟁상대에게 화상을 입힌 꿈

모든 근심 걱정이 지나가 버린다.

화상 입은 친구가 보인 꿈

손실이 생길 꿈이다.

자신의 잘못으로 화상을 입은 꿈

친척이 찾아오고, 상인은 다각적인 경영을 하면 큰 돈을 벌게 된다.

🞕 진 맥

자신의 병을 진맥하는 꿈

의사는 수입이 감소되고 환자는 곤경에 처한다.

의사가 아닌 다른 사람이 자신을 진맥해 주는 꿈

여성은 집에서 쫓겨나 큰 곤경에 빠진다.

의사가 자신을 진맥하는 꿈

병에 걸릴 꿈이다. 하지만 환자는 건강이 회복된다.

의사가 되어 남의 병을 진맥하는 꿈

지금의 사업을 포기하게 된다.

아내를 진맥하는 꿈

아내의 사랑을 받는다.

남이 아내의 병을 진맥하는 꿈
부부간에 말다툼이 생긴다.

경쟁상대의 병을 진맥하는 꿈
위급할 때 친구의 도움을 받는다.

🎴 수 술

수술을 받는 꿈
근심 걱정과 불쾌함이 전부 사라진다.

수술하는 것을 본 꿈
환자의 건강이 회복될 꿈이다.

수술을 해달라고 친척에게 부탁한 꿈
친척들 사이에 의견 충돌이 생긴다.

낯선 사람을 수술해 준 꿈
사람들이 당신을 몹시 미워하게 된다.

🎴 주 사

주사를 맞는 꿈
병에 시달릴 꿈이다.

다른 사람에게 주사를 놓는 꿈
신체가 건강해질 꿈이다.

남편에게 주사를 놓아주는 꿈
온갖 방법을 다하여 남편의 귀여움을 받는다.

❀ X - 선

X-선 촬영을 한 꿈
환자는 건강이 회복된다.

환자에게 X-선 촬영을 한 꿈
의사는 병원을 차리면 부자가 된다.

❀ 고약

상처에 고약을 바른 꿈
큰 액운을 만나게 된다.

고약을 산 꿈
당신이나 가족이 부상을 입는다.

❀ 키니네(말라리아 특효약)

키니네를 본 꿈
운수가 대통한다.

키니네를 먹는 꿈
노인은 자식이 부유해지고, 환자는 건강이 회복된다. 하지만 병이 나은
지 얼마 되지 않은 사람은 병이 재발하고 의사는 수입이 감소된다.

키니네를 산 꿈
건강 상태가 갈수록 나빠질 꿈이다.

키니네를 파는 꿈
좋은 날이 찾아올 꿈이다.

남에게 키니네를 먹이는 꿈
이름이 세상에 날릴 꿈이다.

❀ 약

아내와 자식에게 약을 준 꿈
집안이 화목하고 행복해질 것이다.

약을 먹는 꿈
모든 재산을 탕진하고 몰락한다.

남에게 약을 주는 꿈

많은 돈을 번다.

약장사를 하는 꿈

질병으로 심한 고통을 겪는다.

👹 독약

독약이 보인 꿈

의사는 수입이 계속 증가되고, 약사는 고객이 줄줄이 찾아 온다. 하지만
남성은 실직하게 된다.

독약을 먹은 꿈

여성은 집과 가족을 잃게 되나 실업자는 일자리를 찾게 되고, 회사원은
큰 손해를 입고 해고 위험도 있다. 환자는 건강 상태가 갈수록 악화되지
만 죄수는 곧 석방된다.

낯선 사람에게 독약을 준 꿈

겉과 속이 다른 친구를 경계해야 한다.

가장 친한 친구에게 독약을 준 꿈

사람들의 칭찬을 받을 것이다.

아내에게 독약을 준 꿈

부부생활이 행복해지고 백년해로할 것이다.

남편에게 독약을 준 꿈

남편의 신체가 건강해지고 장수할 징조이다.

자기 친척에게 독약을 주는 꿈

유산을 상속받을 꿈이다.

남이 독약을 준 꿈

신체가 건강해 장수할 것이다.

❀ 죽음

부고를 받은 꿈

서류상으로 어떤 통지나 편지를 받게 된다.

확실하지는 않지만 누군가가 죽었다는 생각이 든 꿈

자신과 연결되어 있는 어떤 일이 이루어진다.

사람이나 짐승 등 움직이는 생명체가 죽은 꿈

자신감이 없었던 일, 꺼려했던 일이 잘 해결된다.

자신이 아무런 고통도 느끼지 않고 안락사한 꿈

제출한 서류나 출품한 작품 등이 좋은 결과를 얻는다.

병원에서 수술을 받다가 죽은 꿈

물건, 부동산 등의 매매가 이루어지고 축하할 만한 소식을 전해 듣는다.

부모상을 당하고 대성통곡한 꿈

정신적인 안정과 물질적인 부를 누리고 계획했던 일에 착수한다.

죽은 사람의 소지품이나 유서 등이 배달된 꿈

텔레비전, 라디오 등에 출연하게 되거나 매스컴을 타게 된다.

자기가 죽은 사람의 영혼이라는 생각이 들었던 꿈

물질적인 만족감을 얻진 못하나 정신적으로 큰 만족감을 느끼게 될 일을 처리한다.

자신이 죽어 있는 꿈

남성은 돈 많은 여성과 곧 결혼할 것이다.

친구가 사망한 꿈

꿈에서 죽은 그 친구는 장수하게 된다.

경쟁상대가 죽었다는 소식을 들은 꿈

속이 넓고 충실하며 믿음이 가는 친구들을 사귀게 된다.

연인이 죽는 꿈

그들은 부부가 되어 사랑이 넘치고 부러움 없는 행복한 생활을 한다.

낯 모를 사람이 사망한 꿈

장사가 잘되어 큰 돈을 벌 꿈이다.

대통령이 세상을 뜨는 꿈

대통령이 고위 직책을 수여할 것이다.

❀ 자살

자살한 꿈

신체가 건강해질 꿈이다. 여성은 남편이 부유해지고, 상인에겐 이익이 생긴다. 환자는 곧 건강이 회복된다.

남이 자살한 꿈

경찰은 자신의 책임을 이행하지 못한 탓으로 강직 당하게 된다.

아내가 자살한 꿈

가정이 행복할 꿈이다.

남편이 자살한 꿈

남편과 오랫동안 별거한다.

친구가 자살한 꿈

곤란한 시기에 친구의 도움을 받지 못한다.

경쟁상대가 자살한 꿈

경쟁상대의 세력이 늘어가고 있음을 의미한다.

❀ 장례 · 제사

집에 초상이 난 꿈

직장이나 자기와 관련된 사업장에서 평소 생각했던 일이 이루어진다.

상여 앞에 수없이 많은 만장이 늘어서 있는 것을 본 꿈

하는 일마다 실패를 거듭하게 되지만 곧 기관의 협조를 받아 세상 사람들이 놀랄만한 일을 성사해 명성을 얻게 된다.

조상에게 제사를 지낸 꿈

권력층이나 자기보다 윗사람에게 부탁할 일이 생긴다.

초상집에 조의금을 낸 꿈

사업과 관련된 기관에 청탁하게 된다.

제사상에 직접 술을 따라 올린 꿈

개인의 힘으로는 해결할 수 없었던 일을 정부의 도움으로 해결한다.

혼사가 며칠 앞으로 다가왔는데 상대 집에 초상이 난 꿈

결혼식이 연기되거나 집안의 큰 일을 연기해야 할 일이 생긴다.

상여가 나가는데 뒤를 따르는 조문객이 많은 꿈

꿈 속의 망자를 숭상하거나 그의 정신을 기리는 사람이 많아진다.

남의 집에 초상난 것을 본 꿈

꿈에 보였던 초상집에 애사나 경사가 일어나 많은 사람이 모이게 된다.

대통령이나 정부 고관이 죽어 국장 행렬을 구경한 꿈

생애 최고의 명예가 될 일을 맡게 된다.

초상이 나서 울음소리가 천지를 진동하는데 상여를 들여온 꿈

널리 소문날 정도로 사업이 번창하거나 좋은 일이 생긴다.

ꕥ 죽은 사람

죽은 사람과 대화를 나눈 꿈

재물 운이 트이고 관운이 형통한다.

죽은 사람과 밥상을 함께 한 꿈

무병장수한다.

죽은 사람을 끌어안거나 그의 이름을 소리쳐 부른 꿈

머지 않아 세상을 하직한다.

죽은 아내를 본 꿈

남성은 교양있는 여성과 재혼하며 그녀는 사업도 도와준다.

죽은 사람과 언쟁한 꿈

신체가 건강하고 장수할 것이다.

ꕥ 송 장

송장을 본 꿈

부유하고 장수할 징조이다.

심하게 썩는 송장 냄새를 맡은 꿈

많은 재물을 얻게 된다.

싸늘하게 식은 시체를 밖으로 내다버린 꿈
힘들게 얻은 재물을 잃거나 명예가 땅에 떨어진다.

시체가 정확한 발음으로 말을 한 꿈
현상 공모에 응한 작품이 입상한다.

시체에 구더기가 우글거리는 꿈
사업이 성공을 거두어 많은 돈을 벌게 된다.

죽은 사람의 몸에서 소지품을 꺼내 가진 꿈
어떤 일을 하든 충분한 대가를 받게 되고 하는 일마다 번창한다.

사람들의 왕래가 많은 큰 길에 시체를 내놓은 꿈
남의 공을 자기 것인양 떠들어 댈 일이 생긴다.

시체가 들어 있지 않은 빈 관을 들고 있었던 꿈
부부간에 이혼에 대해 상의를 하거나 누구에겐가 사기를 당해 큰 손해를 입는다.

가족이나 가까운 친척이 사망하자 슬프게 울었던 꿈
심혈을 기울여 완성해 놓은 일을 돌아보게 된다.

시체를 운반하는 사람들을 본 꿈
자기에게 돌아오리라고 예상했던 일거리를 다른 사람이 가로채거나 일은 자기가 하고 칭찬은 다른 사람이 받는 일을 겪게 된다.

한 사람의 산 모습과 죽은 모습이 나란히 있는 꿈
동업을 하다가 헤어졌던 사람이 다시 나타나 심적 부담을 받는다.

가족이 죽었는데도 전혀 동요되지 않은 꿈
획기적인 일이 일어났는데도 당연한 것처럼 행동해 남들에게 손가락질
을 받는다.

썩은 송장물이 시냇물처럼 흘러가는 꿈
사업이 번창하고 자신이 한 말에 많은 사람들이 감명을 받게 된다.

죽은 조상의 시체 앞에서 예를 갖추어 서 있는 꿈
조상으로부터 유산을 상속받거나 승진을 하게 된다.

물에 불어 몹시 커진 시체가 자꾸 뒤를 쫓아온 꿈
사업이 도산해 많은 빚을 지게 되고 채권자들을 피해 도망다니게 된다.

죽은 사람이 다시 살아난 꿈
성공 직전까지 간 일이 한순간에 수포로 돌아가고 발전하던 사업도 원
점으로 돌아온다.

슬피 울며 시체에 절을 한 꿈
유산을 상속받을 일이 생긴다.

시체가 담긴 관이 마당에 놓여 있는 꿈
사업을 하던 도중 어떤 일이 잘 풀려 목돈이 들어온다.

시체를 화장하는 불길이 유난히 거센 꿈
사업이 나날이 발전하게 되거나 하는 일마다 성공을 거두게 된다.

뚜껑이 열린 관 속에 시체가 들어 있는 꿈
어떤 일의 좋은 성과를 얻거나 값비싼 물건을 관리할 일이 생긴다.

시체에서 피가 쏟아져 목욕탕 욕조에 가득 고인 꿈
자기가 발표한 의견이나 작품이 사람들에게 감명을 주거나 자신으로 인하여 획기적인 일이 일어난다.

시체가 관 속에 들어 있는데 뼈만 남아 있었던 꿈
자기 작품의 내용이나 프로필 등이 매스컴에 오르내린다.

시체를 매장한 꿈
저축할 일이 생기거나 신변 보호를 부탁할 일이 생긴다.

시체 때문에 도망쳤던 꿈
재물이 생길 기회가 있으나 성사되지 않으며 무슨 일을 하든 나쁜 결과가 뒤따른다.

🕸 장례

장례 지내는 꿈
질병과 감옥살이를 의미한다.

가깝게 지내던 사람의 장례식에 참석한 꿈

다른 집의 혼례식이나 축하 행사에 참석한다.

곡하는 소리를 들은 꿈

기쁜 소식이 있을 징조다.

화장할 시체가 나가는 행렬을 본 꿈

결혼식이나 축하 잔치에 가거나 소식을 듣는다.

송장을 메고 가는 행렬에 참가한 꿈

결혼식에 참석해 달라는 요청을 받게 된다.

🏵 무덤 · 공동묘지

무덤이 보이는 꿈

언행을 조심하고 생활을 규칙적으로 해야 한다. 그렇지 않으면 집안이
망하게 된다.

무덤에서 걸어 나오는 꿈

사업에 성과가 있다.

누가 무덤을 뚫고 들어간 꿈

친구가 사망할 징조다.

산 사람이 무덤을 파고 있는 꿈

무덤 파던 사람이 장수한다.

무덤을 파는 꿈
만수무강한다.

무덤에 밝은 햇살이 비친 꿈
사업을 시작하거나 혼담이 성사되고 회사원은 승진을 한다.

무덤에서 사람의 손이 나와 손짓을 한 꿈
빚쟁이에게 빚 독촉을 받아 심하게 시달린다.

무덤이 반쪽으로 갈라진 꿈
시험에 합격하거나 취직을 하며 잘 풀리지 않던 일이 풀린다.

무덤에 불이 활활 타는 것을 본 꿈
사업이 불길처럼 번창하고 이성 관계도 호전된다.

웃어른의 무덤이 즐비하게 늘어서 있는 것을 본 꿈
거래처에 근무하는 직원에게 많은 협조를 받는다.

무덤 앞에 서 있는 망주석을 본 꿈
사업상 직접 거래를 하지 못하고 중개인을 내세워야 할 일이 생긴다.

무덤 둘레가 유난히 길다고 생각됐던 꿈
뒷배경이 든든한 사람을 만나 사업상 일을 의논한다.

무덤옆에 아담한 정자가 있는 꿈
온 세상에 명성을 떨칠 유명인이 태어난다.

무덤 한 곳에서 빨간 피가 철철 흐르는 꿈
은행 융자 등을 통해서 금전적인 도움을 받거나 종교적으로 정신적인
안정감을 얻는다.

무덤에 타는 불이 꺼지지 않고 자꾸 번지는 꿈
자기가 행한 일들이 소문이 나서 협조자가 줄을 잇는다.

오래된 무덤 옆에 집을 짓거나 조상의 묫자리를 잡은 꿈
회사에서 전근 발령을 받거나 오래된 집으로 이사한다.

공동묘지가 있던 곳에 집을 지은 꿈
젊은 사람들의 힘이 단체를 장악하거나 새로운 일거리가 생겨 옛일을
소홀히 하게 된다.

묫자리를 선정한 꿈
생활에 안정되는 일을 찾게 되고 많은 재물을 얻을 일거리를 맡는다.

유난히 높은 묘를 본 꿈
사회적인 유명 인사나 사업가와 관계를 맺고 자신의 위치도 올라간다.

시체를 공동 묘지에 묻는 꿈
사회사업에 참여하라는 부탁을 받고 돈을 기부한다.

조상의 묘에 성묘를 한 꿈
평소 가깝게 지내던 사람에게 부탁할 일이 생긴다.

시체를 매장하는 꿈

남에게 밝히기를 꺼려하며 혼자만의 비밀로 해둘 일이 생긴다.

관을 넣고 무덤을 만드는 것을 본 꿈

중요 물건을 보관할 금고를 사거나 비밀로 간직해야 할 일이 생긴다.

비석에 새겨져 있는 비문을 자세히 읽은 꿈

외국 서적을 번역하는 일거리를 얻거나 회고록 등 원고 청탁을 받는다.

✿ 천국 · 지옥

천국이 보인 꿈

환자는 건강이 회복되고, 남성은 사랑이 넘치는 생활을 한다. 여행자는 목적지에 도달해 부자가 되고, 상인은 판매량이 급증하여 큰 돈을 번다.

지옥을 본 꿈

큰 재난이 닥칠 징조이다.

지옥에 떨어진 꿈

죽을 날이 닥쳤음을 알리는 꿈이다.

지옥에서 친구을 만난 꿈

자신과 친구들의 생활이 행복할 꿈이다.

지옥에서 쫓겨난 꿈

한 차례 죽음의 위험을 피하게 된다.

제 12 장
물건에 관한 꿈

❀ 짐 · 배낭

여행을 떠나려는데 짐이 많아 불편해 한 꿈
생활에 해결하기 어려운 문제들이 많이 생긴다.

자기가 배낭을 짊어진 꿈
압력에 굴복하여 억지로 여행을 떠난다.

배낭을 잃은 꿈
여행중 의외의 재난이 닥친다.

❀ 쓰레기

쓰레기 위를 걸어간 꿈
좋은 운수가 생긴다.

쓰레기를 머리 위로 들고 나른 꿈
모욕과 멸시를 당한다.

집안 구석구석이 쓰레기로 가득 찬 꿈
큰 돈을 벌고 생활이 행복해진다.

✿ 침대

침대에 누워 있는 꿈
고통과 위험이 닥친다.

침대에 누웠지만 잠들지 않은 꿈
병이 생길 흉조이다.

더러운 침대에 누워 지는 꿈
심한 재정적 압박에 빠져 업신여김을 받거나 병에 걸린다.

침대가 불타는 꿈
남편이 꾸면 아내가 병에 걸리고, 아내가 꾸면 남편이 병에 걸린다.

침대를 본 꿈
미혼 여성은 곧 시집갈 것이다.

낡은 침대를 본 꿈
가난해져 굶주림을 당한다.

남의 침대를 강제로 빼앗은 꿈
배우자로부터 버림받을 수도 있다.

침대에서 바닥으로 떨어진 꿈
세상을 하직할 날이 머지 않았다.

⊛ 가구

가구를 정성 들여 배열해 놓은 꿈
좋은 운수가 트일 꿈이다.

가구가 난잡스레 널려진 꿈
부인이 병에 걸린다.

가구를 파는 꿈
부부 싸움이 일어난다.

⊛ 탁자

탁자를 본 꿈
지출이 초과된다. 여성은 가정에 분쟁이 생긴다.

탁자에서 식사한 꿈
명성과 위엄을 널리 떨친다.

남편과 함께 탁자에서 식사한 꿈
부인은 아이를 낳게 된다. 상인은 판로가 해외까지 확대되고, 회사원은 직장에서 승진한다.

탁자를 닦은 꿈
고위직에 오르게 된다.

탁자를 구입한 꿈

새로운 사업을 시작하게 된다.

✿ 의자

의자를 본 꿈

종교나 사회 단체의 최고 책임자가 된다.

망가진 의자에 앉아 있는 꿈

밥도 배불리 못 먹고 명예도 떨어진다.

왕의 옥좌에 앉아 있던 꿈

재난이 닥친다. 여성은 남편과 헤어지게 된다.

안락 의자에 앉아 있는 꿈

높은 직위에 오른다.

안락 의자의 다리 한쪽이 부러진 꿈

강직당하거나 싫어할 자리로 발령난다.

✿ 욕조

욕조를 본 꿈

가정 살림에 능수능란하게 된다.

욕조에서 목욕을 한 꿈

액운에 부딪친다. 기혼 여성은 임신하게 되고, 미혼 여성은 혼사 일로 근심 걱정이 가득하게 된다.

목욕통을 사는 꿈

질병에 걸리게 된다.

❀ 항아리 · 물동이

물이 가득 담긴 항아리를 본 꿈

마음이 유쾌해진다. 환자는 병이 곧 낫게 된다.

텅 빈 항아리를 본 꿈

재난에 부딪친다.

항아리가 깨진 꿈

자식이 일찍 죽게 된다.

물이 가득 찬 항아리를 머리에 든 꿈

재산이 많은 남성을 만나 호화롭게 살게 된다.

물동이를 파는 꿈

집안 재정 사정이 악화된다.

여성이 우유나 물이 담긴 동이를 머리에 든 꿈

남성은 용모가 뛰어난 여성을 아내로 삼게 된다.

동이로 우물의 물을 푸는 꿈

여행을 떠나게 된다.

단지에 우유가 가득 담긴 꿈

몸이 아주 건강해진다.

단지가 낡아 새는 꿈

가정의 소비가 늘어나 경제적으로 악화된다.

물동이를 이고 있는 꿈

생활을 위해 힘써 일해야 함을 의미한다.

큰 항아리에서 목욕을 한 꿈

여성은 착실한 남성에게 시집을 가고, 환자는 병이 낫는다.

❀ 통

물건을 가득 담은 통을 본 꿈

낙심하고 실망할 일이 생긴다.

빈통을 본 꿈

즐거운 일상을 보내게 된다.

빈통을 들고 서 있는 꿈

집안 살림이 부유해진다.

텅 빈 기름통을 본 꿈

시끄러운 일이 생길 것이다.

통에 기름이 가득 찬 꿈

운수가 좋을 길조이다.

❀ 병

낡은 병을 본 꿈

운수 좋을 꿈이다.

깨진 병을 본 꿈

불행이 생길 꿈이다.

❀ 컵·잔

컵에 물이 가득 찬 꿈

많은 돈을 벌게 된다.

컵에 물이 없는 꿈

재물과 사람을 모두 잃게 된다.

물이 가득 담긴 컵을 잘못하여 엎지른 꿈

재난이 닥칠 것이다.

유리잔이 보인 꿈

남성은 근검하고 알뜰하게 집안 살림을 꾸릴 것이고 여성은 집안에 식량이 떨어진다.

유리잔으로 물이나 술을 마신 꿈

상인은 장사를 하면 큰 돈을 벌게 된다. 환자는 다른 의사에게 치료 받아 병이 호전된다.

새 유리잔을 산 꿈

머지않아 가정에 결혼식이 있다.

❀ 담요

담요를 몸에 덮는 꿈

평생 편안한 생활을 한다.

담요를 구입하는 꿈

곧 결혼할 꿈이다.

헌 담요를 덮는 꿈

배우자를 잃을 꿈이다.

자기 담요를 잃거나 도둑맞은 꿈

직위에서 물러나거나 명예를 잃게 된다.

🏵 이불

이불을 본 꿈
좋은 운수를 만나게 된다.

이불을 덮는 꿈
기혼 남성은 아내와 헤어지고, 기혼 여성은 남편이 갈수록 부유해져 자신도 매우 행복해진다. 미혼 남성은 예쁘고 건강한 처녀와 결혼하게 되고, 미혼 여성은 신체가 건장한 연구원에게 시집가게 된다. 상인은 해외에서 장사를 해서 큰 돈을 벌고, 환자는 병이 오래도록 낫지 않는다.

이불을 사는 꿈
자식이 결혼할 꿈이다.

헌 이불을 덮는 꿈
직장에서 승진한다.

작은 이불을 덮는 꿈
재난이 닥친다.

이불을 옮기는 꿈
누군가의 위협을 받는다.

남에게 이불을 주는 꿈
집안에 가난과 병이 생긴다.

이불을 푹 덮어쓰고 깊은 잠에 든 꿈

미혼 남성은 결혼운이 없다.

❀ 커튼 · 깔개

커튼을 본 꿈

먼 곳에 있던 아내와 곧 만나게 된다.

깔개를 보았거나 혹은 깔개에 앉은 꿈

수입이 몇 배로 늘어난다.

❀ 테이블보

테이블보를 편 꿈

돈을 벌게 될 암시이다. 여성이라면 그 남편이 부유해진다.

테이블보를 본 꿈

머지 않아 연회에 초청되어 참석한다.

테이블보를 산 꿈

실업자는 일자리를 찾게 되고, 상인은 장사에서 돈을 벌게 된다.

테이블보를 짠 꿈

지금 사업에서 큰 돈을 벌게 된다.

남에게 테이블보를 준 꿈
새 친구를 사귀게 된다.

⊛ 수 건

수건을 본 꿈
기혼 여성은 남자아이를 낳는다. 상인은 장사에서 큰 이익을 보게 된다.

남에게 수건을 준 꿈
가정에 결혼식이 있다.

남이 선물한 수건을 받은 꿈
권세가 더욱 커진다.

수건을 구입한 꿈
좋은 일자리를 찾거나 장사에서 이익을 보게 된다.

⊛ 빗 · 부채

빗을 본 꿈
좋은 운이 트이거나 신체가 건강해진다. 환자는 건강이 빨리 회복된다.

부채가 보인 꿈
친구의 도움을 받아 곤경에서 벗어나게 된다.

여자 손에 부채가 쥐어진 꿈

장사가 잘 될 꿈이다.

경쟁상대에게 부채질을 해준 꿈

경쟁상대가 당신에게 굴복하게 된다.

부채가 낡았거나 못쓰게 된 꿈

아랫사람이 배반할 꿈이다.

❀ 숟가락

숟가락이 보인 꿈

군자인 척하는 사람에게 간접적 고통을 당한다.

숟가락을 꺾어 버리는 꿈

남편의 사랑을 잃는다. 도둑은 물건을 훔치는 즉시 붙잡히고 만다.

❀ 거울

거울을 본 꿈

신체가 건강하고 재물운이 왕성해진다. 기혼 여성은 남편이 다른 여성에게 관심을 가질 수 있으니 조심해야 한다.

손에 쥔 거울이 땅에 떨어져 깨진 꿈

큰 어려움이 닥친다.

거울 속의 자신을 본 꿈

신체가 건강하여 장수한다. 미혼 여성은 마음에 꼭 드는 남편을 얻고, 기혼 여성은 남편을 더욱 사랑하게 된다. 이발사는 영업에 이익이 있다.

거울 하나를 얻은 꿈

환자는 앓던 병이 더욱 심해진다.

✿ 난로

난로를 본 꿈

운수가 좋을 징조이다.

난로에 곡식을 말리는 꿈

양식이 모자라 고생한다.

난로에 일하는 사람을 본 꿈

힘든 일을 고생스레 해야 돈을 다소 벌 수 있다.

난로에서 연기가 나는 꿈

돈을 벌 꿈이다.

난로를 피우는 꿈

남편이 사망할 꿈이다.

난로에 밥을 지은 꿈

부자가 될 꿈이다. 여성은 귀한 손님이 찾아올 것이다.

난로를 구입한 꿈

이사하거나 전직하게 된다.

남에게 난로를 선물한 꿈

집에 혼례가 있을 꿈이다.

🎀 냅킨

종이 냅킨을 본 꿈

기혼 여성은 아들을 낳을 것이다.

종이 냅킨을 사용하는 꿈

집안에 경사가 있을 꿈이다.

종이 냅킨을 이미 사용한 꿈

연회에 초청될 것이다.

종이 냅킨을 고른 꿈

좋지 않은 일이 생기거나 생명이 위태롭다.

어떤 사람이 냅킨을 준 꿈

새로운 친구를 사귈 수 있다.

낡고 더러운 냅킨을 사용한 꿈

사회적 지위가 떨어질 것이다.

❀ 바늘

바늘을 본 꿈
고난과 고통의 징조이다.

바늘이 부러진 꿈
해직당할 위험이 있다.

바늘에 찔린 꿈
상대편의 공격을 받아 손해를 입는다.

바느질을 한 꿈
여성은 부유해지고, 남성은 생활이 몹시 곤궁해진다.

❀ 기름

향기가 없는 기름을 머리에 바른 꿈
사업이 실패할 꿈이다.

몸에 기름칠을 하는 꿈
병이 생길 징조이다.

머릿기름을 바른 꿈
소비가 급격히 증가한다.

향기 나는 머릿기름을 바른 꿈

몸이 건강해진다.

기름 장사를 하는 꿈

장사가 부진해진다.

기름을 쏟았거나 기름병을 깬 꿈

장사가 성공할 것이다.

향기 나는 기름을 만드는 꿈

가정이 화목하고 평안해진다.

향기 있는 기름을 여인에게 선물한 꿈

연인의 사랑을 받게 된다.

면도칼

이발사의 면도칼을 본 꿈

손실을 볼 일이 있다.

면도를 한 꿈

지금 장사하면 큰 돈을 벌게 된다. 이발사은 수입이 증가되고, 상인은
해외에서 큰 돈을 벌게 된다.

날이 무딘 면도칼을 사용한 꿈

장사에서 손해를 보게 된다.

날이 끊긴 면도칼을 사용한 꿈

장사가 망한다.

면도를 할 때 칼날에 살이 베인 꿈

성공를 하려면 끊임없는 노력이 필요하다.

면도칼을 산 꿈

직업을 바꾸게 된다.

면도칼을 판매한 꿈

친구가 당신을 배신한다.

면도칼날을 끼우는 꿈

성공할 희망이 있다.

사이가 좋지 않은 사람이 면도칼을 쥐고 있는 꿈

재난이 닥칠 것이다.

사이가 좋지 않은 사람이 면도칼로 남을 내리 찍은 꿈

당신의 은혜를 받은 친구의 보답을 받게 된다.

✿ 취사도구

취사도구를 본 꿈

장사에서 이익을 보거나 사업에서 수입이 좋을 것이다. 여성은 가정 살림을 훌륭히 해낸다.

취사 도구를 닦은 꿈
귀한 손님이 방문한다.

주방에서 취사 도구가 사방에 걸려 있는 꿈
가정 내에 분쟁이 끊이지 않는다.

취사 도구가 파손되어 있는 꿈
재산 손실이 있을 것이다.

남이 취사 도구를 씻고 닦아준 꿈
위신이 떨어질 일이 생긴다.

새 취사 도구를 구입한 꿈
결혼을 하게 된다.

❀ 시계

시계를 본 꿈
남성은 재난이 닥친다. 임산부는 분만이 순조롭지 못하고, 상인은 기차를 타고 여행을 떠난다.

손목시계를 찬 꿈
앞일에 장애가 생길 것이다. 여성은 시댁 여자들과 말다툼을 하게 된다.

자명종을 본 꿈
사업으로 인해 항상 고민하게 된다.

시계가 멎은 꿈

경쟁상대가 당신에게 굴복한다.

✿ 가위

가위가 보인 꿈

집안일이 뜻대로 되어간다.

가위질을 한 꿈

기혼 남성은 아내와 헤어지고, 여성은 근면하고 알뜰히 살림을 꾸리게 된다.

가위를 사용한 꿈

청첩장을 받게 된다. 재봉사는 사업 중 손실을 보게 된다.

남이 가위를 사용한 꿈

좋은 일이 일어난다.

✿ 옷

남성이 새 옷을 입는 꿈

앞으로 세상에 명성을 떨치게 된다.

여성이 새 옷을 입는 꿈

자신도 모르는 사이에 남의 속임수에 넘어갈 것이다.

옷을 벗는 꿈
생활이 사치하고 방탕함을 의미한다.

남이 옷 벗는 꿈
가정이 유쾌해진다.

주인이나 직장상사가 옷을 벗는 꿈
남이 당신을 노예처럼 부릴 것이다.

아내가 옷을 벗는 꿈
기쁜 소식이 있을 것이다.

다른 사람이 옷을 벗는 꿈
남의 사적 비밀을 알게 된다.

옷을 갈아입는 꿈
남의 비밀을 알아내 어떤 이득을 얻는다.

남이 옷을 갈아입는 꿈
경쟁상대가 당신의 비밀을 알아내어 손해를 끼친다.

옷을 갈아입은 친구를 알아보지 못한 꿈
동료에게 배신을 당하게 된다.

깨끗한 옷을 본 꿈
기분 좋은 일이 있을 것이다.

더러운 옷을 본 꿈
기혼 여성은 외도를 하게 되고 남성은 부인과 말다툼을 할 꿈이다.

더러운 옷을 세탁한 꿈
살림이 부유해진다.

경찰복을 입고 있는 꿈
형사 사건에 연루된다.

옷을 수선하는 꿈
좋은 운수가 생긴다.

다른 사람이 옷을 수선하는 꿈
좋지 않은 일에 부딪친다.

고객의 옷을 수선한 꿈
사업에서 돈을 많이 벌게 된다.

경쟁상대의 옷을 수선한 꿈
지혜롭게 경쟁 상대를 이기게 된다.

옷옷을 수선한 꿈
회사에서 해직당할 꿈이다.

옷을 꿰매는 꿈
기혼 여성은 현명한 아내가 되고, 미혼 여성은 능력있는 남성과 결혼하게 된다.

낡은 옷을 꿰매는 꿈

남성은 생활이 갈수록 부유해진다. 하지만 여성은 남편 수입이 감소된다.

재봉사가 의복을 만드는 꿈

당신이 재봉사가 되면 돈을 크게 벌 것임을 의미한다.

재봉으로 돈을 번 꿈

장사에서 큰 돈을 벌게 된다.

옷감을 짜는 꿈

기혼 여성은 사람들의 주목을 받게 되고, 미혼 남성은 아름답고 재능 많은 여성과 결혼하게 된다. 미혼 여성은 속이 넓고 강한 남성과 결혼하게 된다.

비단옷 속에 옷을 또 입은 꿈

장사에 적자가 난다.

비단옷을 판 꿈

유익한 사업에 착수한다.

비단 옷을 구입한 꿈

자녀가 결혼하여 자립한다.

비단옷을 남에게 선물한 꿈

머지않아 기쁜 소식이 올 것이다.

낡은 옷이 쌓여 있는 꿈
생활이 행복하고 부유해진다.

낡고 떨어진 옷을 본 꿈
높은 자리에 오르게 된다.

아내가 헌 옷을 입고 있는 꿈
운수가 좋아져 머지않아 많은 돈을 모으게 된다.

남편이 헤진 옷을 입고 있는 꿈
사내아이를 낳을 태몽이다.

친구가 떨어진 옷을 입고 있는 꿈
다른 사람의 사적인 비밀을 듣게 된다.

낡은 옷을 입은 여성이 당신을 향해 걸어온 꿈
여러 분야에서 성공한다.

✿ 재킷

털실로 짠 재킷을 입은 꿈
병에 걸릴 꿈이다.

가죽 점버를 입은 꿈
여성은 마음에 흡족한 남성에게 시집을 가게 되고 남성은 경찰서나 군대에 들어간다.

다른 사람에게 재킷을 선물 받은 꿈

좋은 직업에 종사하게 된다.

⸙ 바지

바지를 입는 꿈

직장인은 벼슬이 높아지고 직위가 오른다. 상인은 해외로 여행을 떠난다.

재봉사에게 새 바지를 만든 꿈

불행한 일이 닥친다. 재봉사는 수입이 감소된다.

낡은 바지나 더러운 바지를 입은 꿈

돈을 벌려면 많은 노력을 해야 한다.

자신의 바지를 수선한 꿈

수입이 줄어든다.

⸙ 셔츠

셔츠를 입고 있는 꿈

몸이 건강해진다.

양털 셔츠를 입은 꿈

건강이 갈수록 나빠져 병에 걸리게 된다.

실크 셔츠를 입은 꿈

여성은 남의 결혼식에 초대된다. 남성은 아름다운 여성과 결혼한다.

재봉사를 불러서 새 셔츠를 만든 꿈

집안에 혼례가 있을 것이다.

새 셔츠를 산 꿈

갑자기 장거리 여행을 떠나게 된다. 죄인은 머지않아 출옥하게 된다. 환자는 건강이 곧 회복된다.

다른 사람에게 셔츠를 선물한 꿈

새로운 친구를 사귄다.

남이 선물한 셔츠를 받은 꿈

높은 영예를 수여받는다.

셔츠를 판 꿈

가난에 쪼들리게 된다.

실크 셔츠를 입은 꿈

좋은 일이 많아진다.

⹕ 속옷

실크 속옷을 입은 꿈

머지않아 약혼식을 거행한다.

사람을 불러서 많은 속옷을 만든 꿈

딸이 결혼을 하게 된다.

낡은 속옷을 입은 꿈

경제적으로 쪼들린다.

❀ 양말

양말을 신은 꿈

여성은 남편 혹은 연인의 사랑을 받게 된다.

양말을 산 꿈

곧 여행을 떠난다.

양말을 다른 사람에게 선물하는 꿈

새 친구를 사귀게 된다.

남이 당신에게 양말을 선물한 꿈

근심 걱정이 끊이지 않는다.

떨어진 양말을 신은 꿈

계속 병의 시달림을 받는다.

헌 양말을 신은 꿈

여행자는 여행이 즐겁고 순조로울 것이고, 상점 주인은 장사에서 이익이
있다.

양말이 없어진 꿈

재산을 잃을 위험이 해소된다.

🎴 단추

새 단추를 본 꿈

운수 좋을 꿈이다.

헌 단추를 본 꿈

운이 나쁠 꿈이다.

낡은 옷에 새 단추가 달린 꿈

미혼 남성은는 젊고 아름다운 여인을 아내로 맞이하고, 아내가 있는 사람은 호화로운 주택을 사게 된다. 여성 역시 같은 결과가 있을 것이다.

새 옷에 헌 단추가 달린 꿈

남녀를 막론하고 불운을 만나 감옥살이를 하거나 거지가 된다.

🎴 모 자

모자를 산 꿈

모자 쓰는 습관이 있는 사람은 사업에서 성공한다. 그러나 모자를 평소에 쓰지 않는 사람은 생활이 무계획적이고 돈을 낭비할 징조이다.

낡은 모자를 쓴 꿈

경제적으로 궁색해진다.

모자를 벗는 꿈

배은망덕한 일을 한다

모자를 선물 받은 꿈

청첩장을 받을 꿈이다.

모자가 불에 타는 꿈

중병으로 세상을 등진다.

⚜ 신 발

새 신발을 본 꿈

새로운 친구을 사귀게 된다.

새 신발을 신은 꿈

미혼 여성은 속이 넓고 총명한 남성과 결혼하게 되고, 미혼 남성은 연인의 사랑을 얻게 된다. 기혼 여성은 부부간에 사랑이 깊어진다.

헌 신을 본 꿈

배우자와 헤어져 근심 걱정으로 속태우게 된다.

헌 신을 신은 꿈

좋지 않은 날이 닥쳐온다.

신을 사는 꿈
여행을 떠나게 된다. 상인은 장사가 번창한다.

신을 잃어버린 꿈
재난이 닥쳐온다.

남의 신을 훔친 꿈
친구와 사이가 멀어진다.

신으로 사람을 때린 꿈
어떤 자리에 발탁된다.

신을 남에게 선물한 꿈
청첩장을 받아 결혼식에 참석하게 된다.

❀ 슬리퍼

슬리퍼가 보인 꿈
결혼한 여성은 남편과 헤어지고, 미혼 남성은 연구 사업에 성과가 있어 행복해진다. 미혼 여성은 고상하고 경건한 종교인과 결혼하다.

은으로 만든 슬리퍼를 신은 꿈
명성을 날리고 고위직으로 승진한다.

금으로 된 슬리퍼를 신은 꿈
병자는 경제적으로 어렵게 된다.

새 가죽 슬리퍼를 신은 꿈

모든 일이 순조롭게 풀린다.

슬리퍼가 낡아 떨어진 꿈

머지않아 이사하게 된다.

슬리퍼를 산 꿈

새 집으로 이사하게 된다.

슬리퍼를 잃어 버린 꿈

남의 꾀임에 빠져 손실을 입는다.

🎴 허리띠

낡은 허리띠를 본 꿈

고난에 부딪칠 꿈이다.

새 허리띠를 본 꿈

명예와 좋은 운이 생길 징조이다.

허리띠가 끊어진 꿈

퇴직을 당하거나 처지가 매우 불리해진다.

❀ 우 산

우산이 보인 꿈
모든 걱정이 없어진다.

우산을 쓴 꿈
사람들의 사랑을 받게 된다.

낡고 떨어진 우산을 쓴 꿈
좋지 않은 날이 다가온다. 하지만 기혼 남성은 부부 사이가 좋아진다.

우산을 산 꿈
재난에 떨어진다. 상인은 장사가 망하게 된다.

연인이 주는 우산을 받은 꿈
연인들은 행복한 시간을 보낸다.

자신이 연인의 우산을 빼앗은 꿈
둘 사이는 멀어질 것이다.

❀ 장 갑

장갑을 본 꿈
친구을 사귈 꿈이다.

털장갑을 낀 꿈
경제적 능력이 왕성해진다.

실장갑을 손에 낀 꿈
돈을 계획없이 소비한다.

구멍난 장갑을 낀 꿈
무능력한 사람과 사귀게 된다.

✿ 손수건

손수건을 본 꿈
손님이 찾아온다.

손수건을 받은 꿈
마음에 맞는 사람과 곧 결혼한다.

침대에서 남의 손수건을 발견한 꿈
부부사이가 악화된다.

손수건을 찾아 헤맨 꿈
사랑하는 사람과 사이가 멀어진다.

팔 다리에 손수건이 매어 있는 꿈
불행한 일이 생겨 마음의 상처를 입는다.

✽ 양산

양산이 보인 꿈
기혼 남녀는 가정이 행복하고 모든 일이 뜻대로 잘된다. 미혼 남녀는 짝 사랑하던 사람과 사랑을 이룬다.

뙤약볕 밑에서 양산을 쓰고 있는 꿈
기쁜 소식이 연달아 전해 온다.

양산을 구입한 꿈
친구의 결혼식에 가게 된다.

양산을 잃어버린 꿈
모든 일이 엉망진창이 된다.

연인에게서 양산을 받은 꿈
연인과 결혼하게 된다.

✽ 지갑

많은 돈이 든 지갑을 본 꿈
모든 일이 성공하게 된다. 하지만 여성은 남편을 배반하고, 도둑은 죗값을 받는다.

텅 빈 돈지갑을 본 꿈
기혼 남녀는 더욱 아끼며 사랑하게 되고, 회사원은 급여가 줄어든다.

다른 사람의 밭에서 돈이 가득 찬 주머니를 주은 꿈

기혼 여성은 남편의 사랑을 받지 못하고, 미혼 여성은 연인과 머지않아 결혼을 한다.

상사가 빈 지갑을 준 꿈

회사에서 해고당할 위험이 있다.

남에게 돈 지갑을 준 꿈

남편이 아내에게 불룩한 돈지갑을 주면 아내가 사내아이를 낳는다. 상인이 돈지갑을 친구에게 주면 새로운 판로를 개척하게 된다.

남의 돈지갑을 훔친 꿈

사람들의 존중을 받게 된다.

지갑을 잃어버린 꿈

집과 토지를 구입할 일이 생긴다.

✿ 향수

향수 냄새를 맡은 꿈

수입이 증가된다. 미혼 남녀는 마음에 드는 애인을 찾지 못해 혼자 지낼 것이고, 기혼 여성은 남편을 더욱 아끼고 사랑하게 된다.

옷에 향수를 뿌린 꿈

쓸데없는 소비가 크게 증가한다.

향수 판매점에 들어간 꿈

지도층 사람과 친분을 맺게 된다.

향수 판매점을 경영한 꿈

돈을 많이 벌고 당신의 친구들도 덩달아 이익을 얻게 된다.

향수를 산 꿈

사람들의 환영을 받을 일이 생긴다.

다른 사람 옷에 향수를 뿌려 준 꿈

어떤 일에 발탁될 꿈이다.

연인의 옷에 향수를 뿌려 준 꿈

미혼 남녀는 연인의 사랑을 받게 되고, 기혼 여성은 잘생긴 아들을 낳게
된다.

❀ 지팡이

지팡이를 본 꿈

보통 이 꿈을 꾸면 건강이 쇠약해진다. 상인은 장사가 밑져 빚을 많이
지게 되고, 학생은 조건이 좋은 학교에 입학한다.

지팡이를 짚는 꿈

생활이 어려워질 꿈이다. 여성은 도둑이나 강도가 집에 들게 되지만 노
인은 말년 생활이 행복하고 평안할 것이고, 환자는 병이 점차 낫는다.

친구가 지팡이를 짚는 꿈

위급한 시기에 친구의 도움을 받게 된다.

지팡이로 사람을 때린 꿈

당신의 단점이 사람들에게 알려진다.

남이 지팡이로 당신을 때린 꿈

명성이 사람들에게 알려진다.

다른 사람이 지팡이를 준 꿈

중요한 일에 발탁된다.

🎴 장신구

장신구가 보인 꿈

가정 소비가 많이 늘어난다.

여러 가지의 장신구를 본 꿈

여성은 남편이 부자가 된다.

장신구를 한 꿈

아내나 연인과 사별할 꿈이다.

금 장신구를 한 꿈

친척 결혼에 참석하게 된다.

남이 장신구를 훔치는 꿈

부자가 되고자 하는 희망이 실현하기 어렵다.

🎴 반지

반지가 보인 꿈

남성은 사랑을 하게 되고, 기혼 여성은 아들을 낳게 된다.

금 반지를 낀 꿈

미혼 여성은 낯선 사람과 첫눈에 반하게 되고, 열애중인 남성은 애인과 결혼하게 된다.

은 반지를 낀 꿈

몸에 이상이 생길 꿈이다.

쇠로 된 반지를 낀 꿈

경제적 상황이 악화된다.

반지를 산 꿈

가정에 혼사가 있다. 상인은 큰 돈을 벌게 된다.

남편으로부터 반지를 선물 받은 꿈

생활이 행복하고 부유해진다.

연인이 선물하는 반지를 받은 꿈

머지않아 결혼하여 자립한다.

반지를 잃어버린 꿈

기혼 남성은 부부간의 말다툼이 생기고, 기혼 여성은 남편과 오랫동안 별거하게 된다.

✿ 목걸이

금 목걸이를 찬 꿈

좋은 소식이 있을 것이다.

은 목걸이를 한 꿈

외도중인 부녀자는 죄값을 치르게 되고, 남편은 부유하게 된다.

목걸이를 선물 받은 꿈

남성은 부잣집 여성과 결혼할 꿈이다.

목걸이를 사는 꿈

가정에 경사가 있다.

목걸이를 잃어버린 꿈

공금을 횡령해서 커다란 손해를 입는다.

목걸이를 만든 꿈

많은 이익이 창출되는 장사를 하게 된다.

쇠로 된 목걸이가 끊어진 꿈

모든 장애가 없어지고 좋은 일이 생긴다.

쇠로 된 목걸이를 찬 꿈

보통 감옥에 가게 되는 꿈이다. 그러나 여성은 사람들의 존경을 받는 부
자와 결혼할 꿈이기도 하다.

❀ 귀걸이

귀걸이를 찬 꿈

결혼 생활이 행복하고 아름다울 것이다.

금 귀걸이를 찬 꿈

여성은 인물이 좋은 아들을 낳고, 남성은 현명하지 못해 고생하며 산다.

은 귀걸이를 찬 꿈

아내가 곧 임신하게 된다.

다른 사람이 구리 귀걸이를 차고 있는 꿈

수입이 줄어들 꿈이다.

남이 귀걸이를 선물한 꿈

용모가 훌륭한 아들을 낳는다.

❀ 장난감

장난감을 본 꿈

임산부는 곧 분만하게 되고, 미혼 여성은 결혼을 하지 못한다.

장난감을 산 꿈

집사람이 아이를 낳게 된다.

장난감을 판 꿈

생활이 부유하고 행복해진다.

장난감이 부서진 꿈

어린 자식을 일찍 여의게 된다.

여성에게 장난감을 선물 받은 꿈

애인이나 아내를 더욱 아끼면 사랑해야 좋은 일이 있다.

❀ 종이 · 봉투

종이를 본 꿈

재물운이 열릴 꿈이다.

봉투가 보인 꿈

새로운 친구를 사귀게 된다. 상인은 장사가 잘 되어 이득을 많이 본다.

긴 봉투를 본 꿈

직장에서 고위직에 오른다.

푸른색이나 노란색 봉투를 본 꿈

가정 생활이 행복하고 유쾌해진다. 미혼 남녀는 사랑하는 사람과 곧 결혼할 것이다.

헌 봉투가 보인 꿈
친한 사람이 생명이 위태롭다는 소식을 접하게 된다.

봉투에다 주소를 써넣은 꿈
실업자는 일자리를 얻는다.

남이 자기에게 봉투를 주는 꿈
즐거운 잔치에 참석하게 된다.

봉투를 사는 꿈
해외로 나간 친구에게 변고가 생긴다.

⊛ 잉크

잉크가 보인 꿈
모든 일이 당신 뜻대로 이루어진다.

잉크가 쏟아진 꿈
장사가 호황을 이룰 징조이다.

잉크를 만든 꿈
이익이 많이 창출될 장사를 하게 된다.

잉크를 다른 사람에게 준 꿈
친구의 도움이 있어야만 무엇이든 성공할 수 있다.

🎱 필기구

등사판용의 철필을 본 꿈
위신이 매우 높아질 것이다.

만년필이 보인 꿈
장사가 번창할 것이다. 미혼 남성은 매력적이고 교양 있는 여성과 결혼한다.

석필을 본 꿈
장사가 망해 육체적, 정신적으로 고생하게 된다.

거위 깃털로 만든 펜으로 글을 쓴 꿈
보통 새로운 장사를 시작할 꿈이다. 여성은 친정에서 받은 예물로 남편을 도와 사업이 더 번창하게 되며, 공무원은 고위직으로 승진한다. 실업자는 머지않아 편한 직장을 얻는다.

낡은 펜 혹은 끝이 무더진 펜으로 글을 쓴 꿈
사정이 좋지 않은 기업의 대표로 위임되어 경제상 손실을 보게 된다.

글을 한참 쓰는데 펜 끝이 빠진 꿈
책을 편집하는 직업을 가진 사람은 어떤 특정에 치우친 글을 쓰게 되어 고난을 당하게 된다.

많은 펜을 본 꿈
큰 기관의 책임자를 맡는다.

펜 장사를 한 꿈

남에게 빚독촉을 하지만 성과는 없을 것이다.

❀ 펀치

펀치를 본 꿈

남성은 직장운이 형통하고, 여성은 모욕을 당하고 모함을 당하게 된다. 상인은 큰 돈을 벌고, 회사원은 승진한다. 실업자는 일자리를 얻게 된다.

펀치로 종이나 혹은 가죽에 구멍을 뚫는 꿈

보통 당신의 위신이 추락할 꿈이다. 여성은 머지않아 남편과 이혼을 하고, 가죽을 만지는 사람은 큰 회사에 입사하게 된다.

펀치로 금속에 구멍을 뚫은 꿈

큰 재난에 부딪친다. 환자는 병상에 오랫동안 누워 있게 된다.

구멍 뚫는 일을 한 꿈

배고픔에 시달릴 징조이다.

❀ 회초리

회초리가 보인 꿈

학생은 시험에 낙제하고, 회사원은 해직 아니면 강직당하며, 기혼 여성은 부부 사이가 나빠진다.

✿ 도구

평소 사용하던 도구를 본 꿈
농민은 전례 없는 대풍이 들 것이다. 수공업자는 전에 없던 좋은 운수가
생긴다.

도구를 잃은 꿈
농민은 흉년이 들거나 재난이 닥칠 징조이다.

새 도구를 구입한 꿈
장사가 흥하여 재물이 많이 들어온다.

✿ 망치

망치가 보인 꿈
머지않아 승진할 꿈이다.

망치질을 한 꿈
곧 닥치게 될 난관을 현명하게 이겨낼 것이다.

누가 망치로 당신을 내리치는 꿈
사업에 많은 경쟁자가 나타난다.

✿ 호미

호미질을 신나게 하는 꿈
평생 고생만 하다가 말년에 가서야 편안한 생활을 한다.

호미질을 하는 일에 종사한 꿈
오직 부지런히 일해야만 생활을 유지할 수 있다.

✿ 구유

짐승의 구유를 본 꿈
기쁜 소식이 잇달아 전해진다. 미혼 여성은 재력이 있는 남성과 결혼하게 된다.

구유에 꽃이 가득 담긴 꿈
많은 돈을 벌 것이다.

자신이 구유에 들어가 누워 있는 꿈
경쟁상대의 사정이 날이 갈수록 안 좋아진다.

✿ 쟁기

쟁기가 보인 꿈
부유하고 행복해진다. 농민은 풍년이 든다.

쟁기질을 한 꿈

결혼한 남성은 가족이 늘어난다.

남이 쟁기질하는 것을 본 꿈

여성은 자수성가한 남성에게 시집가게 되고, 남성은 많은 여성과 연애를 하다가 결국에는 젊은 과부하고 결혼하게 된다. 노인은 죽음이 가까이 오고 상인은 장사가 갈수록 번창한다.

쟁기질하는 농민을 본 꿈

재력이 있는 사람의 일을 도와주게 된다.

불모지를 경작한 꿈

의외의 금전과 재물을 얻게 된다.

쟁기질을 하다가 쟁기가 부러진 꿈

오랫동안 직장을 구하지 못한다.

❀ 나사 · 나사못

나사를 본 꿈

남성은 사업에 곤란이 생긴다. 여성은 남편과 별거하는 고통을 참고 견디면 좋은 날이 있다.

나무에 나사못을 박는 꿈

사업이 성공할 꿈이다. 목공은 그 일이 잘 맞지 않다는 뜻이고, 회사원은 상사의 칭찬을 받아 승진하게 된다.

🎱 열쇠

잃었던 열쇠를 다시 찾은 꿈
기쁜 일이 끊임없이 생긴다.

열쇠를 잃은 꿈
모든 희망이 수포로 돌아간다.

열쇠를 사는 꿈
손실을 입을 꿈이다.

남편의 열쇠를 가진 꿈
남편의 돈, 재물을 관리하게 된다.

열쇠가 부러진 꿈
장사가 파산할 꿈이다.

강도가 있는 곳에서 열쇠를 찾는 꿈
죄를 짓고 수감생활을 하게 된다.

🎱 자물쇠

자물쇠로 잠근 문을 본 꿈
장애가 없어져 성공하게 된다.

지물쇠를 사는 꿈

가정 살림이 부유해진다.

지물쇠를 만든 꿈

장사에서 많은 이익을 남길 수 있다.

지물쇠를 억지로 비튼 꿈

생명과 재산이 위협을 받는다.

지물쇠를 억지로 비틀어 문을 연 꿈

사업이 성공할 것이다.

❀ 사다리

사다리에 오른 꿈

전국에 이름을 날린다. 학생은 시험에 합격한다.

사다리에서 떨어진 꿈

남에게 무시 당하고 무례한 대우를 받는다. 학생은 시험에서 떨어진다.

사다리에서 내려오는 꿈

경제적 손실과 명예 손상이 있다. 학생은 수험 자격을 취소당하고, 임산부는 유산할 수 있다.

사다리를 잃어버릴 꿈

도난을 당할 우려가 있으니 조심해야 한다.

✿ 그물

그물을 본 꿈
허풍이 심한 친구를 사귀게 된다.

그물로 고기잡이를 하는 꿈
좋지 않은 일이 생긴다.

그물로 새를 잡은 꿈
경쟁상대에게 이길 꿈이다.

어떤 사람이 그물을 들고 당신 쪽으로 걸어온 꿈
경쟁상대가 음모를 꾀하고 있다.

그물을 잘라 버린 꿈
모든 고난을 극복하게 된다.

✿ 총

총을 쏘는 꿈
불행이 있을 징조이다.

총을 쏘려는데 총신이 터진 꿈
위급한 시기에 친구이든 믿던 사람이든 아무 도움을 주지 않는다.

누가 당신을 향해 총을 쏘았지만 탄알이 빗나간 꿈

누명을 쓰지만 얼마 안 있어 어려움에서 벗어나게 된다.

권총으로 사람을 쏘아 죽인 꿈

사랑하는 사람과 헤어지게 된다.

권총을 내던진 꿈

장사가 번창할 것이다. 군인은 어떤 자리에 발탁된다.

당신이 권총에 맞은 꿈

결혼을 하거나 친척의 혼례에 참석하게 된다.

권총을 구입하는 꿈

직위가 오르고 권세도 커진다.

권총을 판 꿈

형사 사건에 연관되어 많은 돈을 잃는다.

권총장사를 한 꿈

영예로운 직함을 얻는다.

남의 권총을 빼앗는 꿈

강도를 만나 곤경에 처한다.

권총에 탄알을 넣은 꿈

위급한 시기에 친구들의 도움을 받게 된다.

권총 한 자루 얻은 꿈

덕과 명망이 높아지고 심지어 상대편의 칭찬까지 받게 된다.

남에게 권총을 준 꿈

경쟁자에게 도전하여 큰 재난을 당한다.

권총을 훔친 꿈

어려운 생활을 하게 된다.

권총을 분실한 꿈

가족과 생사고락을 함께 한다.

🎞 화약

화약을 본 꿈

수험생은 시험에서 좋은 성적을 받는다.

화약을 만든 꿈

좋은 자리로 전직된다.

🎞 칼 · 검

칼을 본 꿈

재난이 생길 징조이다. 군대의 지휘관은 상대편과의 전쟁에서 전멸의 우려가 있다.

예리한 검을 본 꿈

위험에 부딪치게 된다. 여성은 도둑이나 강도가 집에 찾아온다.

검이 칼집에 들어 있는 꿈

위급한 시기에 친구들의 도움을 받는다.

검이 벽에 걸려 있는 꿈

생활이 즐겁고 편안해진다.

검으로 남을 찌른 꿈

상대편의 공격을 받게 된다.

남이 검으로 찌른 꿈

모든 근심 걱정이 사라진다.

남에게 검을 준 꿈

관운이 형통하게 된다.

다른 사람이 선물하는 검을 받은 꿈

군인은 훈장을 받고, 상인은 경쟁자를 밀어낸다.

✵ 삼지창

삼지창을 본 꿈

모든 곤란이 순조롭게 풀린다.

삼지창으로 다른 사람을 공격한 꿈

경쟁자가 당신에게 손해를 끼친다.

남이 삼지창을 들고 진격해 온 꿈

생활이 편안하고 안락해진다.

⑧ 화살

다른 사람이 쏜 화살을 맞는 꿈

어떤 기관이나 관청을 통해 일이 크게 풀린다. 미혼 남녀는 중매가 들어오거나 청혼을 받는다.

자신이 누군가에게 화살을 쏘는 꿈

그 사람에 대한 애정을 숨기지 않고 열정과 집착이 나타내게 된다.

화살이 꺾어진 꿈

계획을 보류하고 때를 기다려야 한다.

제 13 장

문자 · 숫자에 관한 꿈

✿ 문서

문서를 찢거나 태워버린 꿈
직위, 권리 등이 박탈되고 어떤 사건을 처리하게 된다.

문서를 태워 재가 남거나 구기거나 찢어서 간직해 둔 꿈
사건 수습이 안 되고 어떤 증거물을 남기게 된다.

경비원에게 여행증을 제시하고 통과한 꿈
하는 일을 재검토해 보고 병원에서 진찰 받을 일이 생긴다.

계약서를 작성해서 주고 받는 꿈
어떤 계약이 성립되어 일이 진행된다.

공공단체에서 어떤 통지서가 온 꿈
어떤 통지서를 받거나 신문·잡지 등에서 새로운 정보를 입수한다.

문서를 얻은 꿈
어떤 권리나 사명이 자기에게 주어진다.

영장에 빨간 줄이 그어져 있는 것을 받아 본 꿈
어떤 작품의 당선 통지서 또는 남의 사망 소식을 듣게 된다.

상대방에게 각서나 시말서를 받은 꿈
상대방에게 명령을 하거나 신변 조사할 일이 생긴다.

행정 관청에 부동산을 등기한 꿈

큰 권리가 주어지고 그 일을 많은 사람들에게 공개할 일이 있다.

병원에서 진찰권을 받는 꿈

어떤 사업을 하거나 병원에 입원하여 치료할 일이 생긴다.

신령스러운 존재가 문서를 가져다 준 꿈

태몽이라면 학문을 연구하는 후계자를 얻게 된다.

⊛ 책

상대방이 읽고 있는 책을 어깨너머로 본 꿈

상대방의 마음을 살피거나 그 사람의 비밀을 알려고 한다.

책을 얻어서 읽어본 꿈

학문 연구에 관련된 직업에 종사하거나 책을 구입하게 된다.

상대방에게 책을 빌려온 꿈

남의 명령에 따라 행동하게 된다.

남에게 책에 쓰여진 문구를 읽게 한 꿈

상대방과의 의견이 일치되고 그의 뜻에 따르게 된다.

가까운 사람에게 노트를 빌려 온 꿈

친구 간에 우정이 두터워지고 상대방과 약속을 하게 된다.

책을 얻거나 많은 책을 가진 꿈
태몽이라면 학문 연구에 종사할 후계자를 얻게 된다.

책을 찢거나 던져버린 꿈
상대방에게 반항하거나 학대를 한다.

⿻ 문 자

남의 이름이 새겨진 도장을 얻은 꿈
협조자를 만나거나 권리를 확보하게 된다.

도장을 새로 만든 꿈
새로운 직분이나 권리가 주어진다.

상관에게 결재 도장을 받는 꿈
다른 사람의 도움으로 소원이 성취되고, 사업에 있어서 성과를 얻는다.

계산서에 많은 사람의 도장이 찍혀 있는 것을 본 꿈
일을 추진하는데 많은 사람들의 도움을 받는다.

자기의 흰 옷에 누군가가 붓글씨를 쓴 꿈
직분이 새로워지거나 간판을 새로 바꾸게 된다.

명함을 남에게 건네준 꿈
어떤 권리나 책임을 남에게 넘겨준다.

땅 속에서 대통령의 도장을 캐낸 꿈

사업을 추진해 나가거나 자기에게 권리가 주어진다.

남에게 도장을 찍어준 꿈

일을 끝마치거나 남의 일을 대신해 주게 된다.

새로 만든 명함을 가진 꿈

새로운 직분이나 권리가 주어진다.

공공단체에 자기의 성명이 기재된 꿈

어떤 회사에 취직을 하거나 전근가게 된다.

🎱 숫 자

다른 사람이 주판이나 계산기를 들고 방으로 들어온 꿈

사업에 협조를 하거나 금전 관계로 찾아오는 사람이 있다.

공중이나 머릿속에 어떤 숫자가 나타난 꿈

그 숫자와 관계되는 일이나 사회적인 체험을 얻게 된다.

계산을 하는 꿈

어떤 사업을 계획하고 있거나 사람의 심리를 파악하려고 한다.

지폐가 눈처럼 떨어져 집안에 수북이 쌓인 꿈

사회단체를 통하여 재물이 생긴다.

품삯을 요구하지만 상대방이 주지 않은 꿈

정신적 · 육체적 고통을 당한다.

돈을 많이 소유한 꿈

만족할 일이나 재물 등이 생긴다.

곗돈을 타오는 꿈

재물, 보험, 예금, 복권 등으로 성공을 볼 수 있다.

거리에서 동전을 주워 주머니에 넣은 꿈

친구들과 사소한 일로 다투게 된다.

금고가 열려 있는 꿈

재물이 생기거나 학문 등을 통해 진리를 깨닫는다.

상점에서 물건 값을 지불한 꿈

어떤 소득이 있거나 취업을 하게 된다.

길바닥에서 여러 개의 녹슨 동전을 주운 꿈

가까운 사람이 병사해서 슬퍼하게 된다.

길에서 빳빳한 지폐를 주운 꿈
펜팔 혹은 선물 등을 주고 받게 된다.

남이 지폐를 줍는 것을 본 꿈
근심 걱정할 일이 생긴다.

금고를 집에 들여온 꿈
무언가에 투자할 일이 생긴다.

깨끗한 동전을 얻는 꿈
새로운 친구를 소개받거나 직장에 취직이 된다.

모르는 사람이 돈이 가득 찬 가방을 가져가라고 한 꿈
주택을 구입하거나 사업을 계획한다.

돈을 헤아리는 동안에 갑자기 솔가지로 변한 꿈
사업을 시작하는데 자본금이 한없이 들어간다.

어떤 사람이 준 돈이 종이로 변한 꿈
누군가의 강압적인 요구, 지시, 명령 등을 따르게 된다.

곗돈을 타러 가는데 버스 운전기사가 돈 보따리를 준 꿈
남의 도움으로 재물을 얻는다.

우연히 주운 보따리를 풀어보니 돈이 방안에 가득 찬 꿈
태몽이라면 자수성가하여 부자가 될 자손을 얻는다.

누군가에게 수표를 주는 꿈

자기 능력이나 권세 등을 과시할 일이 생기거나 누군가에게 지시나 명령을 내리게 된다.

수표인 줄 받았는데 아무것도 씌여 있지 않아 의아한 꿈

무리한 투자로 적자가 누적되거나 사기를 당해 피해를 본다.

✿ 유가증권 · 계약서

유가증권, 계약서를 본 꿈

계약, 명령, 약속, 권리 이양, 선전물 등에 관련한 일이 발생한다.

교환권을 받는 꿈

사람을 소개받는다.

제 14 장
건물 · 주택에 관한 꿈

🎴 건물 · 장소

금융기관과 접촉했던 꿈
출판사나 언론계열에서 원고 청탁을 받게 된다.

호텔이나 여관 등 숙박업소와 관계된 꿈
회사에 임시직으로 취직 되거나 한없이 기다려야 할 일이 생긴다.

보석류를 취급하는 금은방과 관계된 꿈
심사기관, 연구기관 등에 출입하게 되거나 그 일에 적극적으로 참여하게
된다.

식물원을 구경한 꿈
멀리 관광을 하게 되거나 등산, 산책을 하게 된다.

유흥업소와 관계된 꿈
많은 사람에게 알릴 목적으로 자신과 관계된 광고를 하게 된다.

가게에 셀 수 없을 정도로 많은 양복이 걸려 있는 꿈
취직을 하거나 승진 등 축하할 만한 일이 생기게 된다.

근엄한 마음으로 사당이나 종묘를 거닐던 꿈
정부에서 인정해 주는 단체에서 큰 업적을 이룩하게 된다.

어떤 건물의 4층에서 무슨 일인가를 했던 꿈
4년 정도의 선배와 동업을 하게 되며 그로 인해 이득을 취하게 된다.

허허벌판에서 배설을 한 꿈

모든 걸 공개하게 되거나 타인에 의해 공개된다.

일곱 계단을 내려온 꿈

7년 동안 사업이 부진하거나 불행을 겪게 된다.

차로 들이받아 담을 무너뜨린 꿈

능력 있는 사람이 자신의 사업 진로를 제공해 준다.

암벽에 글씨가 새겨져 있는 것을 본 꿈

누군가 자기의 이름을 참고해 책의 제목을 짓거나 승진을 하게 된다.

하천이나 시내 등 야외 자연수에서 목욕한 꿈

사회단체나 법인 회사 등에서 욕구를 충족시켜 준다.

무너진 담 사이로 밖이 훤히 내다보인 꿈

운세가 트여서 사업 등 모든 일이 활발하게 진행된다.

부엌에서 서성거린 꿈

사업을 시작하거나 성공의 기반을 다질 일이 생긴다.

까마득하게 보일 정도로 높은 돌계단을 오른 꿈

자기가 쌓았던 업적이 발표되거나 그로 인해 표창을 받는다.

사다리를 타고 올라갔는데 내려올 수 없었던 꿈

직장을 옮기려던 계획이나 진행 중인 일이 중단된다.

지하실로 들어간 꿈

암거래를 하거나 비밀단체에 가입 유혹을 받는다.

학생이 담 위에 올랐던 꿈

시험에 응시했으면 합격 통지서를 받게 되는 등 좋은 소식이 있다.

담벼락을 끼고 순찰을 돌았던 꿈

외근 부서로 발령을 받거나 파견 근무 명령을 받는다.

천천히 계단을 내려온 꿈

진행 중이던 일이 역행하거나 위법적인 일을 저지르게 된다.

벽에 갖가지 물건을 걸어둔 꿈

단체나 언론기관을 통해서 자신의 명예를 과시하게 된다.

벽면에 그림을 그리거나 글씨를 써두었던 꿈

작품을 발표하여 업적, 명성 등이 문서로 기록되어 영원히 남게 된다.

크고 호화로운 저택의 마루에 올라선 꿈

취직을 하거나 진급이 되고 남들이 자신을 고귀한 인품의 소유자로 평가해 준다.

마루에서 서성댔던 꿈

중개소나 소개업에 관계된 사람을 만나 상의할 일이 생긴다.

동일한 목욕탕에 여러 번 들어갔던 꿈

한 기관에서 자신의 청탁을 목욕탕에 들어간 횟수만큼 들어준다.

건물 · 주택

수도꼭지에서 떨어지는 물방울로 샤워를 한 꿈

어떤 일을 하든 물질적인 이득을 보게 된다.

담을 뚫고 도둑이 든 꿈

자신의 일을 도와줄 동업자나 배우자를 만나 결속하게 된다.

목욕탕에 들어가서 목욕을 한 꿈

불만이 해소되고 바라던 바를 이루게 된다.

화장실로 숨은 꿈

크고 작고를 불문하고 어떤 부정을 저지르게 된다.

한 쌍의 남녀가 한 화장실로 동시에 들어가는 꿈

자기가 일한 대가를 가로채려는 사람이 나타난다.

❀ 주택 · 장소

텅빈 집에 혼자 누워 있었던 꿈

계약할 일이나 혼담 등이 쉽게 이루어지지 않고 계속 연기된다.

집이 무너진 꿈

노력하지 않아도 이익될 일이 생긴다.

증축을 목적으로 집을 고친 꿈

많은 사람들을 사귀게 되거나 사업을 확장하게 된다.

빌딩을 신축하고 있는 꿈

어떤 단체를 만들거나 사업체를 조직하게 된다.

벽에 페인트를 칠하는 등 꾸미는 꿈

사업상 내면을 공개하거나 광고할 일이 생긴다.

새로 지은 집으로 이사한 꿈

직장을 옮기거나 이사를 하는 등 새로운 일이 생긴다.

움막집에 들어갔던 꿈

여성과 관계된 음모에 빠지게 되고, 중병에 걸릴 위험이 있다.

외로이 떨어져 있는 초가집을 본 꿈

관청에 들어갈 일이 생기거나 취업을 하게 된다.

친구 집을 방문했던 꿈

친분이 있는 사람의 회사를 찾아가 부탁할 일이 생긴다.

이사할 집이 완전히 파괴된 꿈

평생 동안 만날 행운 중에서 제일 큰 행운을 잡게 된다.

집 밖으로 나갔던 꿈

사업을 시작하게 되거나 계획했던 일을 착수하게 된다.

가구 등의 물건을 집안으로 들여온 꿈

큰 이득을 보게 되거나 돈과 관계된 사건을 떠맡게 된다.

집을 짓고 있는 공사 현장을 본 꿈

남의 일에 지나친 관심을 갖거나 어떤 일을 감독, 책임지게 된다.

집터를 일군 꿈

사업과 관련된 능력자를 영입할 일이 생기고 직접적으로 그 영향이 나타나게 된다.

많은 사람들이 집으로 몰려왔던 꿈

자신과 관련된 일에 참견할 사람이 많아지게 된다.

이사할 준비를 했던 꿈

직장을 옮길 마음이 생겨 곳곳에 부탁을 하게 된다.

남의 집을 방문했던 꿈

많은 사람들이 찾아오거나 갖가지 부탁을 받게 된다.

이사한 집으로 이삿짐을 들여놓는 꿈

부탁했던 일들이 이루어지고 사업이 활기를 띠게 된다.

주택을 수리하는 것을 본 꿈

사업이 완벽하게 자리가 잡히고 투자할 일이 많이 생긴다.

무당 집에 가서 푸닥거리를 한 꿈

자기와 관련된 기사가 신문이나 잡지 등에 실리게 된다.

두 채의 집을 놓고 어느 집으로 이사할까 망설였던 꿈

사업을 시작하는데 크게 할 것인가, 작게 할 것인가에 대해 고민한다.

사람들이 건물 안으로 들어갔는데 건물이 무너진 꿈

막강하게 형성되어 오던 세력이 무너지고 새로운 세력이 주도권을 잡게
된다.

술집에서 술을 마시고 집에 와서 배뇨를 한 꿈

어떤 기관의 일을 맡으나 다른 기관의 도움을 받아 일을 성사시킨다.

남의 집 담장 안을 들여다 본 꿈

조용한 장소를 찾아 오랫동안 학문의 탐구 등의 연구 때문에 머문다.

친정을 향해 가던 도중 발길을 돌려 시집으로 간 꿈

의욕을 갖고 진행하던 일을 포기하거나 헤어졌던 사람을 다시 만난다.

집이 아무 이유 없이 반파된 꿈

질병에 걸리게 되거나 지위가 땅에 떨어진다.

고층 건물에 볼 일이 있어 출입했던 꿈

거대한 일을 하거나 사람들이 기억할 만한 지위에 오른다.

외출에서 돌아와 집으로 들어갔던 꿈

사업체를 해체하거나 직장에서 퇴직을 하게 된다.

이삿짐을 밖으로 내놓거나 차에 싣는 것을 구경한 꿈

사업 계획을 바꾸거나 주변 환경을 새롭게 정리하게 된다.

남이 자기 집을 마구 허물어 내린 꿈

타의에 의해서 자신의 진로를 바꾸게 되거나 자포자기 할 일이 생긴다.

친정에 있던 여성이 시집으로 간 꿈

관공서에 가거나 멀리 출장을 간다.

이삿짐 꾸리는 것을 본 꿈

오랫동안 해결 되지 않은 일이나 계약, 혼사가 쉽게 이루어진다.

주택을 구입한 꿈

사업의 기반을 탄탄히 다지게 되고 배우자를 만나게 된다.

갖가지의 건축자재를 산더미처럼 쌓아두었던 꿈

쪼들렸던 사업 자금이 풀리거나 귀중한 연구 자료를 얻는다.

이사한 집의 방을 일일이 살펴본 꿈

시댁온 며느리의 됨됨이를 살피거나 생김새 등에 많은 궁금증을 갖는다.

왔던 손님들이 돌아간 꿈

꿈속의 손님들과 연인이 끊길 사건이 생기거나 반대로 원수지간이던 관계가 원만하게 풀린다.

전통적 한옥이나 초가집과 관계된 꿈

시골길을 걷거나 고고학적인 일을 한다.

화장실에 들어 갔던 꿈

사업 목적을 이룰 수 있는 곳을 찾게 된다.

이삿짐이 산더미처럼 많았던 꿈

사업자금을 대줄 사람이 나타나게 되지만 그만큼 근심 걱정이 많아진다.

환자가 새로 지은 집에 들어가서 문을 잠그고 나오지 않았던 꿈

병이 최악으로 악화되거나 가까운 시일 안에 사망하게 된다.

집을 허물었던 꿈

계획이 변경되거나 국가적 변동 사항이 생겨 담화문 등을 발표한다.

새로운 집에 들어간 꿈

혼담이 성립되거나 취직, 또는 새로운 사업을 하게 된다.

아파트 단지 건물 사이로 지나간 꿈

무슨 일을 하든 여러 기관에서 사사건건 간섭하는 일이 많게 된다.

많은 사람들이 자기 집과 그 주위에서 웅성댄 꿈

친척 중의 누군가 사망하거나 불상사를 당해 사람들이 많이 모인다.

연립 주택이나 아파트 등 현대식 건물과 관계된 꿈

문화 사업을 시작하거나 그와 관련한 작품을 발표하게 된다.

음식점 옆에 붙어 있는 화장실에서 용변을 본 꿈

누군가를 접대하는 과정에서 윤락녀와 관계를 하게 된다.

한 쌍의 남녀가 화장실로 들어간 꿈

간통 소식을 듣거나 자신의 이익을 가로채는 사람이 나타난다.

철조망을 끊고 내부로 침입한 꿈

상상조차 할 수 없을 정도의 능력을 발휘하여 정부기관을 술렁이게 하고 어려웠던 일을 쉽게 해결한다.

동물이 천장을 뚫고 들어온 꿈

단명하거나 양친 부모를 일찍 잃는다.

총 천연색의 기와로 지붕이 장식되어 있는 꿈

사업장에서 이상한 일이 일어난다.

대문을 나선 여성이 공동묘지나 산으로 걸어간 꿈

진행 중이던 혼담이 성립되거나 취직을 하게 된다.

지붕을 수리하거나 기와를 잇는 것을 본 꿈

하던 일이 완성되거나 확실하던 거래처가 거래를 옮기게 된다.

담 위에서 고양이가 내려다보는 꿈

자기 일에 간섭할 사람이 나타나거나 누군가에게 감시당할 일이 생긴다.

문구멍을 통해서 안을 엿본 꿈

정보 수집을 하거나 누군가에게 폭력을 가하게 된다.

누군가가 자신의 방을 들여다본 꿈

누가 자기의 모든 것을 알려 하거나 싸움을 걸어온다.

천장에 붙은 불이 거세게 번진 꿈

누구에겐가 은밀하게 청탁할 일이 남의 입에 오르내리게 되고 그로 인하여 타격을 입는다.

문턱에 있던 구렁이가 갑자기 없어진 꿈

진행 중인 혼담이 성사되지만 불화로 인하여 이혼한다.

문턱에 누군가 걸터 앉아 있는 꿈

상대방이 진퇴양난의 상황에 처해 있거나 애인이 결혼을 망설이고 있다는 암시이다.

아랫목에 손님을 모시는 꿈

직장 상사나 선배, 윗사람을 잘 받들고 존경하며 보호할 일이 있다.

어느 집 울타리 안에 있는 과일나무에서 집주인이 과일을 따준 꿈

상상하지 않았던 보너스를 받게 되거나 좋은 직장에 취직이 된다.

제 15 장
광물 · 보석에 관한 꿈

🎴 금

금을 보거나 받는 꿈
실패의 징조이다.

금덩이를 줍는 꿈
주택복권 1등에 당첨될 수도 있다. 그러나 자신이 두 팔로 끌어안지도 못할 만큼 큰 금덩이는 오히려 불운과 실패를 상징한다.

금화를 줍거나 받는 꿈
사업가는 후원자를 만나 이득을 보게 되고, 직장인은 주변인의 도움을 받아 승진하며 실업자는 직장을 얻고 작가는 좋은 작품을 내놓는다.

금을 캐려고 금광을 찾아다니는 꿈
기대하고 바라던 목표를 이루려고 분주한 나날을 보낼 것이다.

금송아지 · 금두꺼비를 받거나 줍는 꿈
길몽이다. 로또 복권 1등에 당첨된다.

숨겨 놓은 금은보화를 본 꿈
불행에 부딪친다.

🎴 은

은을 본 꿈
부자가 된다. 그러나 여성은 자녀에게 병이 생긴다.

은 장신구를 한 꿈

여성은 가난에 쪼들리게 된다. 미혼 여성은 혼삿일로 속을 썩게 된다.

은을 잃어버린 꿈

친구를 잃을 징조이다.

은장신구를 남에게 선물한 꿈

친구의 미움을 받게 된다.

은이 생긴 꿈

좋은 자리에 발탁될 것이다.

은화를 줍거나 캐내거나 받은 꿈

뜻밖에 재물이 들어오는 등 경제적 혜택을 받을 것이다. 또한 후원자나
협력 업체의 도움을 받는다.

은비녀를 꽂거나 받은 꿈

사랑하는 연인에게 정신적인 도움을 받게 된다.

은화를 버리는 꿈

실패, 손실을 암시한다.

은반지를 끼거나 받는 꿈

애정 등 정신적인 힘을 얻게 될 것이다.

❀ 수은

수은을 본 꿈
남성은 아내가 다른 남성을 사랑하게 되고, 여성은 남편에게 불행이 닥친다. 환자는 병이 완치되고, 상인은 장사에서 적은 돈을 벌게 된다.

수은을 사용한 꿈
머지않아 중요한 사명을 짊어지게 된다.

❀ 아연

아연이 보인 꿈
건강이 갈수록 나빠진다. 여성은 집안 여성들과 말다툼을 하게 되고, 환자는 병이 호전되지 않는다.

아연을 산 꿈
사기죄로 감옥살이를 하게 된다.

남에게 아연을 준 꿈
모든 근심 걱정이 다 사라진다.

❀ 청동

청동이 보인 꿈
성공할 징조이다.

청동기를 닦은 꿈
장차 유산을 물려받는다.

청동기가 보인 꿈
믿을 만하다고 생각한 사람에게 속임을 당한다.

❀ 금강석 · 니켈

금강석으로 만든 반지를 낀 꿈
연인과 싸움이 생긴다. 여성은 돈 많고 마음에 드는 남성과 결혼한다.

니켈을 본 꿈
어떤 손실이 있을 것이다.

니켈 장신구를 한 꿈
부모에게 의외의 일이 생긴다.

❀ 철

철물 장사를 한 꿈
돈을 벌게 된다.

철공이 된 꿈
힘을 많이 쓰는 노동자가 된다.

철분이 포함된 약을 제조하는 꿈
몸이 건강해질 꿈이다.

철제 취사 도구를 사용한 꿈
남편의 수입이 줄어들고 살림이 궁핍해진다.

철을 만들어 나른 꿈
구사일생으로 살아난다.

제철 공장에 출근하는 꿈
추진중인 사업이 어려워진다.

❀ 보석

보석을 보거나 선물 받는 꿈
보석을 실제로 갖거나 머지 않아 그만한 가치의 인기·명성·지위·재물을 얻을 수 있음을 암시한다.

보석으로 몸을 치장하거나 보석 장신구를 몸에 치는 꿈
큰 명성이 나고 인기와 함께 명예를 얻게 된다.

보석을 캐려고 찾아다니거나 보석을 가지려고 애쓰는 꿈
자신의 명성이나 명예, 지위를 얻는다. 그러나 그것을 얻고 난 뒤 노력을 게을리하면 지위가 땅에 떨어진다.

보석을 줍는 꿈

명성을 얻지만 불을 조심해야 하며 질투, 시기, 증오 등 감정을 특히 주의해야 한다.

보석을 잃어 버린 꿈

명예·권세·재물·명성·지위 등을 잃어 버린다. 그러나 자신이 들고 갈 수 없을 정도로 큰 보석은 실수·실패·불명예·모욕·좌천 등을 암시하므로 그것을 잃어버리면 불운에서 벗어난다.

보석을 사는 꿈

남성은 강도에게 재산을 모두 강탈당한다.

진귀한 보물을 쌓아두는 꿈

비참한 생활을 하게 된다.

보석을 숨긴 꿈

기혼 여성은 분만하고, 미혼 여성은 부유한 남성에게 시집간다. 상인은 장사에 적자가 난다.

보석을 본 꿈

여성은 좋지만 남성은 액운에 부딪친다.

자기의 재산, 보석을 남에게 준 꿈

큰 돈을 벌게 된다. 상인은 장사가 번창한다.

보석의 색깔이 변하거나 빛이 나지 않는 꿈

지위나 권세에 좋지 않은 변화를 의미하며 명예 명성이 떨어지거나 재물에 손실을 가져온다.

인조 보석을 받거나 줍는 꿈

아주 작은 행운을 의미한다. 어떤 이득에 대한 수수료와 같이 아주 적은 것에 불과하거나 돈을 꿔 주고 겨우 이자를 받는다.

🏵 다이아몬드

다이아몬드에 관한 꿈

다이아몬드는 바탕이 가장 견고한 광물로 변하지 않으므로 흔히 약혼 결혼 반지에 쓰이는 보석이다. 그러므로 굳은 결심이나 이상, 변하지 않은 약속·사랑을 상징한다.

다이아몬드 반지 또는 백금 반지를 받는 꿈

변심하지 않을 애인·연인을 만나게 될 것이고 사업가는 고정 거래처로부터 이익을 꾸준히 얻어 기반을 튼튼히 쌓는다.

책갈피 속에 다이아몬드가 반짝거리고 있는 꿈

학문과 진리를 탐구하여 새로운 사실을 발견하게 되고 학생은 성적이 좋아지며 직장인은 서류와 관련하여 좋은 일이 있다.

🏵 진주

진주가 보인 꿈

재산에 손해가 있을 꿈으로 남성은 수입이 감소되고 여성의 장신구를 잃게 된다. 하지만 은행가는 영업이 호전되어 큰 돈을 번다.

어두운 빛깔의 옷에 진주 장식을 한 꿈
슬픈 일이나 슬픈 마음을 암시한다.

진주 목걸이를 목에 걸은 꿈
아내와 딸이 고생을 하게 된다.

진주를 잃어버린 꿈
가정에 혼사가 있을 것이다. 실업자는 머지 않아 일자리를 찾게 된다.

진주를 산 꿈
고위직에 등용될 꿈이다.

상대에게 진주를 선물한 꿈
상대방이 당신에게 굴복할 것이다.

친구에게 진주를 선물한 꿈
명성을 크게 떨칠 것이다.

아내에게 진주를 선물하는 꿈
부부간의 애정이 더욱 짙어진다.

남편에게 진주를 선물한 꿈
남편의 파산으로 고통에 싸일 것이다.

남편에게서 진주를 선물 받는 꿈

남편이 좋은 자리에 발탁될 것이다.

집 주위에 진주를 잔뜩 뿌려 놓는 꿈

가정에 내분이 생긴다.

다른 보석이나 장신구가 갑자기 진주로 바뀌는 꿈

머지않아 슬픈 사건이 일어날 조짐이다.

진주를 받거나 줍는 꿈

행운이 트인다. 슬프고 마음 아픈 일들이 사라지고 좋은 일이 생긴다.

진주를 먹는 꿈

환자는 건강을 회복한다. 여성은 마음을 사로잡는 힘이 생겨 인기가 오른다. 부인에겐 태몽이다.

🐾 상아

온전한 상아를 본 꿈

행복, 장수할 꿈이다. 여성은 새 장신구를 산다.

금이 가거나 부러진 상아를 본 꿈

불운에 부딪칠 꿈이다. 임신부는 유산의 위험성이 있다.

긴 상아를 본 꿈

상인은 큰 돈을 벌게 된다.

상아로 만든 물건을 본 꿈

자녀가 곧 결혼한다.

상아 장사를 한 꿈

부유하게 살게 된다.

상아 팔지를 한 꿈

여성은 고향에 재난이 들 것이다.

상아를 조각하는 꿈

배를 타고 해외로 떠난다.

🪟 기타 보석

비취를 본 꿈

사람들로부터 인기가 오르고 명성이 나며 불운을 행운으로 바꾸어 소원을 성취한다. 환자는 병세가 호전되어 건강을 회복한다.

루비를 본 꿈

정열 · 명성 · 승리 같은 행운이 뒤따른다.

에메랄드를 본 꿈

환자는 병세가 호전되어 병이 낫는다. 기대하거나 바라던 일이 뜻대로 이루어지고, 경쟁자와 겨루어 이기며 재판에서도 승소한다.

사파이어를 본 꿈

참되고 성실한 삶을 산다면 자연히 행운이 찾아온다는 암시이다. 속임수
나 사기 또는 감언이설에 넘어가지 말고 진실을 깨달으라는 뜻이다.

모르는 사람에게서 예쁜 산호 반지를 받는 꿈

집안에 경사가 생기며 미혼인 경우 배우자를 만나 결혼하게 된다.

푸른 옥이 영롱하게 반짝이는 꿈

학문을 깊이 있게 연구하여 새로운 진리를 발견하게 된다. 재물에 횡재
수가 있거나 애정관계에 좋은 일이 있다.

제 16 장
교통 · 통신에 관한 꿈

🎀 비행기

비행기를 본 꿈
여행을 떠나며 오랫동안 만나지 못했던 친구를 곧 만난다.

비행기를 타고 여행을 한 꿈
친척 중의 누가 병을 앓거나 죽게 된다.

비행접시나 인공위성을 타고 다닌 꿈
지금보다 나은 곳에서 생활하게 된다.

비행기가 폭격하는 꿈
일을 변경하지만 개선이 안된다.

비행기의 폭격으로 사람들이 도망친 꿈
출품한 작품이 탈락된다.

비행기를 격추시킬 수 있었던 꿈
계획한 일이나 소원이 협조자에 의해서 무난히 성취된다.

비행기가 공중에서 폭파되거나 추락한 꿈
자신의 신변이 새롭게 바뀐다.

많은 비행기가 비행하는 것을 본 꿈
사업이 점차 발전되어 간다.

물건을 비행기가 실어다 준 꿈

어떤 단체에서 책임을 맡거나 일을 가져다 준다.

공무원이나 대통령의 전용기를 탄 꿈

정부 기관이나 고위층 간부급으로 발탁되어 승진한다.

엔진이나 프로펠러가 달린 큰 비행기가 바다에 착륙한 꿈

어떤 연구 기관이 해외에 정착해서 큰 빛을 보게 된다.

비행기가 크고 높은 빌딩을 폭파시킨 꿈

구태의연한 봉건 사상, 기성 세대 등을 타파한다.

🎴 자동차

짐을 잔뜩 실은 차를 본 꿈

운수가 좋을 꿈이다.

텅 빈 차를 본 꿈

장사에서 밑진다.

기분이 좋아서 자가용을 운전하는 꿈

어떤 기업체를 운영하거나 지휘권을 갖게 된다.

많은 사람이 차 주위에 몰려 있는 꿈

어떤 기관에 많은 사람이 청원하거나 시비가 있다.

차 바퀴가 펑크 나서 고친 꿈
하고 있는 일을 다시 재검토할 필요성이 있다.

자신이 승차한 차가 수렁에 빠진 꿈
사업이 운영난에 허덕인다.

차가 강물에 떠내려가 사라진 꿈
어떤 강한 세력의 압력에 밀려 사업 기반을 잃는다.

여러 대의 자가용이 자기 집 마당에 정차되어 있는 꿈
사업상 협조자가 많이 생긴다.

차를 놓쳐 탑승하지 못한 꿈
취직, 입학, 현상 모집 등에서 탈락한다.

차에 휘발유를 넣는 꿈
사업에 자금을 많이 투자하게 된다.

애인과 함께 차를 타고 드라이브한 꿈
애인이 생기며 혼담이나 결혼 생활이 원만하게 이루어진다.

트럭에 이삿짐 싣는 것을 본 꿈
어떤 기관에서 많은 일을 부탁받거나 사업을 새롭게 변경한다.

버스에 운전기사와 자신만 타고 간 꿈
방해물이나 시비의 대상 없이 자기 권한을 마음대로 과시하게 된다.

버스 안에 서 있다가 빈자리가 생겨 앉았던 꿈

외근직에서 내근직으로 발령이 나거나 막중한 책임을 맡는다.

차를 탄 채 자기 집으로 들어온 사람을 본 꿈

어떤 단체의 대표와 여러 가지 일로 타협하게 된다.

방에 버스가 들어와 있는 꿈

어떤 기관에 추대를 받으나 항의에 부딪혀 권세가 흔들린다.

차를 탄 채 하늘을 나는 꿈

하고 있는 사업에 세인의 관심이 쏠려 번창하며 현실에 만족한다.

차 앞이 밖으로 향해 있는 꿈

일이 계획성 있고 조속하게 잘 추진된다.

버스의 차창 밖으로 어떤 사건을 본 꿈

자신에게 발생된 문제는 해결하지도 않고, 남의 일에 관심을 갖는다.

차를 가는 도중에 탄 꿈

취직되거나 어떤 단체에 가입한다.

길을 닦거나 집터를 닦고 있는 중장비를 본 꿈

어떤 기관에서 계몽 사업, 개척 사업 등에 종사한다.

사이렌을 크게 울리며 소방차가 달리는 꿈

군대나 경찰 등을 동원하여 시위를 진압할 일이 있다.

여러 대의 승용차 중 한 대에만 사람이 타고 나머지는 빈 차인 꿈
여러 회사에 부탁한 일이 한 회사에서 성사된다.

고장이나 사고로 인해서 차가 멈춘 꿈
계획한 일이나 모임 등이 취소된다.

강물에 차가 빠진 꿈
어떤 일이나 소원의 결과가 큰 기업체에 흡수되거나 억압을 받는다.

검은 택시가 방으로 들어와 있는 꿈
결혼을 서두르게 되고, 가족 중에 누가 사망한다.

차에 송장을 싣고 달린 꿈
오랫동안 재운이 트인다.

차만 쳐다보고 타지 않은 꿈
청탁한 기관, 혼담자의 내부 사정 등을 자세하게 알아 볼 일이 생긴다.

자기 집 분뇨를 분뇨차가 퍼간 꿈
재물의 손실이 있거나 세금을 납부하게 된다.

분뇨차가 냄새를 풍기면서 옆을 지나간 꿈
어떤 기관에서 좋지 않은 소문이 퍼지거나 자신에 관한 소문이 난다.

❀ 화물차

물건을 가득 실은 화물차를 본 꿈
재산의 손해를 본다. 여성은 남편과 별거하고, 상인은 고객이 트집을 잡아 돈 나갈 일이 생긴다.

화물차를 본 꿈
이사할 꿈이다. 직원은 전근가게 된다.

빈 화물차를 본 꿈
죄인은 다른 감옥으로 가게 되고, 여행가는 여행이 편안하고 즐겁다.

짐이 가득찬 화물차를 운전한 꿈
돈을 크게 번다.

나무 사이로 검은 화물차가 달리거나 서 있는 꿈
방비가 소홀한 틈을 타서 범죄 집단이 침범한다.

트럭을 본 꿈
다른 사람과의 충돌로 재판을 하게 된다.

트럭을 탄 꿈
장사가 부진할 것이다.

트럭을 운전한 꿈
겸허하고 온화한 생활을 하게 된다.

트럭을 판 꿈
큰 돈을 번다.

❀ 자전거 · 오토바이

경사진 곳을 자전거를 타고 오르는 꿈
어떤 일을 추진하는데 장애물을 만나 어려움을 겪는다.

어떤 사람이 청과물을 자전거에 가득 실은 꿈
다른 회사의 도움을 받거나 과일 선물을 받는다.

오토바이 호위를 받으며 거리를 달린 꿈
어떤 단체의 책임자가 되거나 지위가 높아진다.

오토바이를 타고 달리는 꿈
협조자의 도움으로 자신의 지위가 높아진다.

두 사람이 오토바이를 타는 꿈
사소한 일로 의견 충돌이 있다.

❀ 마 차

바퀴가 두 개이고 장막을 치지 않은 마차를 본 꿈
온 집안이 즐겁고 행복해진다.

남에게 마차를 준 꿈

돈을 벌도록 친구가 도와준다.

마차를 도난당한 꿈

장사에서 큰 소실을 보거나, 회사원은 해직당한다.

마차를 타는 꿈

남편과 이혼하게 된다.

마차가 한 줄로 늘어선 꿈

큰 돈이 들어올 좋은 꿈이다.

❀ 바 퀴

돌아가는 바퀴를 본 꿈

생활이 안정되지 않는다.

돌아가는 차 바퀴를 본 꿈

별거 생활이나 이혼을 하지만 후에 재결합을 하게 된다.

바퀴가 돌아가는 소리를 들은 꿈

행복한 생활을 한다. 여행자는 여행을 원만히 마친다.

수레바퀴 자국을 본 꿈

여성은 친정에 좋은 일이 있고, 상인은 장사가 번창한다. 농부는 풍년이
들고 여행자는 여행이 무사히 끝난다. 환자는 도시로 가 병을 치료한다.

❀ 기차

여러 개의 철길을 지나거나 기차 밑을 지나간 꿈

어려운 난관을 지혜롭게 잘 극복한다.

기차가 철로 위를 마음껏 달린 꿈

하고 있는 일이 순리대로 잘 진행된다.

기차가 레일도 없는 산을 달리는 꿈

단체나 조직체가 자유롭게 운영되고 세상에 과시할 일이 생긴다.

기차가 폭파되거나 뒤집혀서 엎어진 꿈

어떤 기관의 기능이 마비되거나 사업을 갱신하게 된다.

기차의 불빛이 자신에게 비친 꿈

어떤 단체에서 자기 일을 빛내주거나 기용할 일이 있다.

기차 사고로 죽는 꿈

정치적인 일, 작품 등이 어떤 기관 혹은 언론사나 출판사에 의해서 성사된다.

대합실에서 출발 시간을 무료하게 기다린 꿈

계획한 일이 어떤 기관이나 회사에 의해서 보류되어 기다리게 된다.

기차표나 전철표를 산 꿈

고달픈 장거리 여행을 떠나게 된다. 여성은 남편과 별거하게 되고, 상인은 적자가 난다. 환자는 병이 악화된다.

교통 · 통신

기차표나 전철표를 본 꿈
이익이 아주 적은 일에 종사하게 된다.

차표를 잃어 버린 꿈
사이가 좋지 않은 사람이 소란을 피울 것이다.

❀ 배

혼자서 배를 젓는 꿈
해외로 여행을 떠나거나 친구들과 헤어질 일이 생긴다.

다른 사람과 함께 배를 젓는 꿈
좋은 운수가 트인다.

아내나 애인과 함께 배를 젓는 꿈
기분 좋은 소식이 연달아 있다.

친구와 함께 배를 젓는 꿈
모든 곤란을 다 이겨낸다.

맑게 개인 날에 배를 젓는 꿈
모든 일이 성공한다.

자신이 탄 배가 침몰한 꿈
장사가 흥하고 재물이 늘어난다.

배가 돛을 내리는 꿈
염원이 전부 실현된다.

돛을 올리는 꿈
먼 여행을 시작하게 된다.

키가 보인 꿈
운수가 좋다.

키가 손에서 떨어진 꿈
모든 일이 다 실패하고 만다.

갈라져 금이 난 기를 본 꿈
불운에 부딪치게 된다.

방향타를 잡고 있는 꿈
안팎으로 모든 일이 잘 처리된다. 선원은 항해가 순조로울 것이다.

몹시 험한 날씨에 배를 젓는 꿈
많은 곤란에 부딪칠 것이다.

물고기가 배 안으로 뛰어든 꿈
사람의 목숨을 구하거나 재물이 생긴다.

배가 뒤집혀서 공중을 나는 꿈
어떤 단체에서 동맹 파업을 일으키거나 시위를 하게 된다.

혼자 배를 타고 떠내려간 꿈
일을 제대로 수습하지 못하거나 병원에 갈 일이 생긴다.

배 안에 불이 난 꿈
사업이나 가정 형편이 좋아진다.

바람을 받는 돛단배가 잘 가는 꿈
하고 있는 일이 순조롭게 이루어진다.

배에서 목재를 내려 쌓는 꿈
남을 통해서 많은 재물을 얻는다.

배 안에 물이 흥건히 고여 있는 꿈
하고 있는 일이 점차 성과를 보이기 시작한다.

선원이 접대부를 손으로 더듬은 꿈
배의 기물이 파괴되거나 사소한 일로 다투게 된다.

수많은 사람이 기선에서 내린 꿈
동등한 위치에 있는 사람이 부임하거나 퇴직한다.

갯벌에 엎어진 보트를 타고 하천으로 가는 꿈
포기했던 일을 새로운 각오로 다시 시작한다.

배 안에서 음식을 먹는 꿈
다른 사람이 부탁한 일을 책임감을 가지고 해결해 준다.

교통 · 통신

수평선 너머로 배가 사라진 꿈
시작한 일의 성과를 기다리거나 외국에 나갈 일이 생긴다.

배의 선수에 깃발이 꽂히고 자기 혼자만 탄 꿈
가까운 시일 안에 불행한 일이 생긴다.

선장실이나 갑판에서 회의하는 꿈
새로운 단체를 조직하거나 어떤 세미나에 참석하게 된다.

짐을 가득 실은 화물선이 부두에 닿은 꿈
뜻밖의 사업 자금이 생겨서 이득을 본다.

보트를 저어서 가는 꿈
주어진 조건의 일을 잘 처리하게 된다.

보트를 타고 벌판에 있는 하천에서 물고기를 잡은 꿈
어떤 잡지에 작품을 연재하여 후한 원고료를 받게 된다.

기적소리를 내며 기선이 항구에 들어온 꿈
일의 성사를 위해서 나름대로 좋은 아이디어를 생각한다.

기선이 기적을 올리며 항구를 떠난 꿈
어떤 새로운 일을 계획한다.

뱃길에 물이 말라 벌린 꿈
하고 있는 일을 도중에 포기하게 된다.

항구 도시의 술집에서 술을 많이 마신 꿈

남에게 꾸지람을 듣거나 사기당할 일이 있다.

작은 배에서 큰 기선으로 올라가는 사람을 본 꿈

사람을 기다리게 되거나 병상에 눕게 된다.

배에서 여성과 만족스럽게 성관계를 한 꿈

물고기를 배 가득 잡거나 어떤 회사와 유리한 계약을 맺는다.

유람선을 탄 꿈

장사가 번창할 것이다. 환자는 건강이 빨리 회복된다.

아내와 함께 요트를 온전한 꿈

부부생활이 원만해진다.

남이 요트를 타는 꿈

큰 재난이 닥쳐온다.

남편이 요트를 모는 꿈

부부사이가 화목하지 못한다.

기선이 부두에 정박해 있는 꿈

남성은 머지않아 기선을 타고 출국하고, 기혼 여성은 남편과 헤어지게 된다. 미혼 여성은 돈 있는 상인과 결혼하게 된다.

기선이 앞으로 지나간 꿈

재산에 손해를 보게 된다.

기선이 자신을 향해 다가온 꿈

큰 돈을 벌게 된다. 상인은 해외로 나가 장사를 하면 큰 돈을 벌게 된다.

화물을 가득 실은 기선을 본 꿈

좋은 일자리를 얻게 된다.

텅 빈 화물선을 본 꿈

경제력을 잃게 된다.

수많은 기선을 본 꿈

운수가 좋을 것이다.

기선을 제작하는 꿈

급료가 낮은 일을 하게 된다.

기선에 큰 틈이 난 꿈

재난에 부딪치게 된다.

🎴 뗏 목

뗏목을 본 꿈

고난이 닥칠 것이다.

혼자 뗏목을 탄 꿈

새로운 친구가 생긴다.

아내와 함께 뗏목을 타는 꿈

가정 살림이 원만해진다.

적과 함께 뗏목을 타는 꿈

불운에 부딪친다.

뗏목을 묶는 꿈

풍년이 들고 큰 돈을 벌 것이다.

✿ 전화 · 텔레비전 · 라디오

수화기를 붙잡고 웃거나 짜증을 낸 꿈

상대방을 제압하거나 자기의 소원을 이루게 된다.

요란한 전화벨 소리를 들은 꿈

외부로부터 뉴스거리나 새로운 소식을 듣게 된다.

상대방을 전화로 불러낸 꿈

어떤 기관에 부탁할 일이 생긴다.

아버지의 부고를 전화로 들은 꿈

실제로 부고를 받거나 사업이나 소원이 제대로 이루어지지 않는다.

수화기에서 상대방의 말소리만 들린 꿈

상대방의 소식을 듣거나 명령에 복종할 일이 있다.

상대방과 전화로 대화하는 꿈

상대방과의 대화 내용이 청탁이나 사건에 관한 일이다.

공중전화 부스에서 전화를 거는 꿈

남을 통해서 상대방에게 청탁할 일이 생긴다.

높은 곳에 전화기가 매달려 있어 전화를 걸지 못한 꿈

남에게 부탁한 일이 뜻대로 이루어지지 않는다.

통화 내용이 불확실한 꿈

자기 혼자 일을 판단하게 된다.

많은 새가 전신주에 앉았다가 날아간 꿈

언론 기관에서 여러 사람의 작품이나 기삿거리를 발표할 일이 있다.

자기 집에 전선줄을 설치한 꿈

어떤 기관을 통해서 많은 협조를 구하게 된다.

가족이 모여 텔레비전을 본 꿈

윗사람의 명령에 복종하게 되고 어떤 기관에서 교육받을 일이 생긴다.

새로 구입한 텔레비전을 설치한 꿈

어떤 기관을 통해서 자기를 선전하거나 가전 제품을 바꾼다.

라디오를 통해 연설을 들은 꿈

윗사람에게 꾸지람을 듣게 된다.

새 라디오를 산 꿈

청탁한 일이 순조롭게 이루어진다.

✸ 컴퓨터

컴퓨터를 본 꿈

자기 능력 개발의 전환점을 맞는다.

새 컴퓨터를 사는 꿈

사업의 변화, 자신의 운명에도 전환점이 생긴다.

컴퓨터로 게임을 하는 꿈

심리적, 정신적 스트레스에 의해 육신의 고통이 있다.

컴퓨터가 고장나서 수리하는 꿈

안전하게 수리했다면 사업이나 현실의 복잡함에서 벗어난다.

컴퓨터를 도난 당한 꿈

사업면이나 학업면에서 노력한 만큼의 성과를 내기가 어렵다. 중요한 문서, 지식, 정보면에서 도난 손실의 위험이 있다.

컴퓨터로 채팅하는 꿈

자기 능력의 부족함으로 타인의 도움을 받아야 될 일이 있다.

컴퓨터로 프린트하는 꿈

중요한 문서나 정보면에서 도난 손실을 볼 수 있다.

컴퓨터로 친구의 메일을 받는 꿈

어려운 현실에서 타협자가 생기지만 인간 관계나 동업자와의 갈등이 생겨 난처한 일이 생길 수 있으니 인간 관계에 주의해야 한다.

✸ 휴대폰

휴대폰을 본 꿈

중개인, 동업자 등 인연 관계에 소식이 있다.

휴대폰을 사는 꿈

새로운 사람과의 인연을 만나게 된다. 일을 추진하는데 있어서 협조자가 나타난다.

휴대폰을 줍는 꿈

애인이나 직장 동료와 나쁜 관계가 있을 경우 제3자가 중재 역할을 하게 된다.

휴대폰을 분실하는 꿈

일이나 이성 문제에 있어서 의욕을 상실한다.

휴대폰을 물에 빠뜨리는 꿈

사업이나 이성 관계에 있어 차질이나 곤경에 처한다.

휴대폰을 화장실에 빠뜨리는 꿈

중요한 문제에 결단력이 필요하나 타인에게 설득력이 부족하다.

휴대폰을 새로 바꾸는 꿈

새로운 협조자나 이성을 만난다. 직장을 바꾼다.

휴대폰이 고장나 수리하는 꿈

주변의 구설, 언쟁이 있을 수 있다. 완전히 고쳤다면 주변의 문제가 해결 정리 된다.

휴대폰의 문자 메세지를 본 꿈

간절히 바라는 소식을 기다린다.

❀ 우편

연애편지를 받은 꿈

어떤 사업이나 작품 관계로 타기관에서 부탁해 올 일이 있다.

소포를 받아 풀어보니 돌아가신 은사의 유물과 사진이 들어 있는 꿈

은사나 협조자가 저술한 서적을 선물 받는다.

봉투에 파란 도장이 찍혀 있는 꿈

누군가가 등기 우편으로 돈을 붙여 온다.

집배원이 가방에 편지를 가득 담아 걸어 오는 꿈

오랫동안 많은 편지를 받게 된다.

우체국이나 우편함에 편지를 넣는 꿈

어떤 기관에 부탁했던 일이 뜻대로 이루어진다.

편지 봉투 안에 수표가 들어 있는 꿈
주소 불명으로 편지가 반환되어 온다.

누런 봉투의 편지를 받아 본 꿈
신문기사를 읽거나 청접장을 받아 본다.

편지 발신인의 주소를 읽는데 점점 희미하게 보인 꿈
발신인의 주소가 바뀌게 된다.

제 17 장
문화 · 스포츠에 관한 꿈

❀ 그네

아이와 그네를 타고 논 꿈
부유해질 꿈이다.

어떤 사람이 그네를 타고 있는 꿈
기혼 여성은 산부인과 관련 직종에 종사하게 되고, 미혼 여성은 유부남을 만나게 된다.

자신이 그네를 타는 꿈
머지않아 죽음이 다가오니 조심해야 한다.

❀ 주사위

주사위를 본 꿈
사람들의 질책을 받을 일이 생긴다.

주사위를 던진 꿈
재난이 닥치게 된다.

❀ 연

연을 날리는 꿈
계획은 허사가 되고 거래에서는 크게 손해를 본다.

연을 본 꿈

재난으로 집과 가족을 잃게 된다. 미혼 여성은 부잣집의 방탕한 남성을 좋아하게 된다.

🎰 굴렁쇠

굴렁쇠를 본 꿈

여성은 남편과 헤어지고, 상인은 소득이 적을 것이다.

굴렁쇠 놀이를 하는 꿈

추진하던 일이 힘 없이 실패할 것이다.

🎰 음악

반주에 맞춰 노래한 꿈

어떤 단체의 주도권을 잡고 리드해 나간다.

상쾌한 기분으로 산꼭대기에서 노래한 꿈

남 앞에 과시하거나 권세와 명예를 얻는다.

악기를 연주한 꿈

어떤 일을 통해서 기대한 만큼의 목적을 달성한다.

낮은 언덕 밑에서 노래한 꿈

부모님에게 어떤 화근이 생긴다.

칠판에 악기를 그려놓고 학생들에게 가르쳐 준 꿈
계획을 세우거나 고용인에게 일을 분담시킨다.

연주를 하다가 중도에 악기줄이 끊어진 꿈
하고 있는 일이 중도에 하차하거나 연인들이 이별을 한다.

노랫소리가 계속해서 들려온 꿈
어떤 소문이나 작품이 계속해서 널리 알려진다.

합창단에 소속되어 노래를 부른 꿈
공동 성명, 단체 모임 등에 가담할 일이 생긴다.

타인의 노랫소리를 듣는 꿈
제3자가 자기에게 호소하거나 자신의 주장이 남에게 불쾌감을 안겨준다.

상대방이 흥겹게 춤추며 노래한 것을 본 꿈
상대방이 자기 주장을 내세워 공박하고 시비할 일이 생긴다.

대중 앞에서 노래를 부르는 꿈
사상을 피력하거나 선전, 호소를 하여 많은 사람들을 따르게 한다.

혼자서 노래를 부르는 꿈
주장을 강력히 내세워 사람의 마음을 동요시킨다.

저명한 음악가나 인기 가수와 함께 데이트를 한 꿈
인기 있는 직업을 갖거나 인기 작품을 쓴다.

문
화

행진곡을 연주하며 행진하는 군악대를 많은 사람과 함께 지켜본 꿈

어떤 단체나 회사의 선전 광고물을 보거나 자기가 하고 싶은 일을 잘 추진해 나간다.

음악소리에 도취되어 감격한 꿈

정신적으로 남에게 도움을 받거나 광고에 매혹된다.

합창단의 합창을 듣는 꿈

어떤 단체가 압력, 선전 등을 가해서 마음의 혼란과 동요를 가져온다.

노래소리가 가냘프고 크지 못한 꿈

남과 사소한 일로 말다툼을 하거나 어떤 소문을 듣는다.

노래를 하는데 반주가 안 맞거나 가사를 잊어 잘 부르지 못한 꿈

어떤 청원이나 선전 등이 개인이나 단체에 의해서 승인되지 않는다.

자신이 악기를 연주하는 것을 남이 본 꿈

애정 표현을 하거나 자기 선전, 종교적인 전도를 상대방이 해온다.

현악기를 가지고 있는 꿈

애인이 생기거나 협조자의 도움을 받는다.

🎱 피아노

피아노가 보인 꿈

근심 걱정이 없어진다.

집안 사람이 남이 피아노를 연주하는 것을 듣는 꿈
수입이 증가될 것이다.

피아노 연주곡을 들은 꿈
기혼 여성은 남편과 행복하게 지내고, 미혼 남성은 연인과 헤어지게 되고 상인은 큰 돈을 벌게 된다.

스스로 피아노를 친 꿈
가정의 소비가 증가되고, 기혼 여성은 다른 여성과 말싸움을 할 것이다.

한참 치던 피아노가 갑자기 못 쓰게 된 꿈
명절에 불길한 소식이 전해 온다.

피아노를 산 꿈
자식이 결혼할 것이다.

피아노를 힘있게 쳐서 멜로디가 울려퍼진 꿈
소원했던 일이 성취되고 명성을 얻게 된다.

피아노의 건반을 두드리자 소리가 난 꿈
완고한 성격을 가진 사람의 마음을 움직여 반응을 보이게 한다.

피아노를 파는 꿈
가정이 파산할 것이다.

상대방에게 피아노를 준 꿈
송사 때문에 처지가 몹시 어렵게 된다.

문
화

어떤 사람에게서 피아노를 받는 꿈

성실하지 못한 친구와 왕래가 잦아질 것이다.

많은 피아노가 보인 꿈

바다 건너 외국에 가서 장사를 하면 돈을 벌 수가 있다.

❀ 나팔

나팔을 부는 꿈

몸이 건강해지나 가정에 불쾌한 일이 발생한다. 여성은 모욕을 당한다.

나팔 소리를 들은 꿈

죄수는 곧 출옥하고, 환자는 건강이 회복한다.

남의 나팔을 분 꿈

상대방의 마음을 움직여 권세나 명성을 떨친다.

피리를 분 꿈

상대방의 마음을 동요시키고 남을 부추겨 소문을 낸다.

❀ 북

북을 본 꿈

경축 의식에 참석할 징조이다. 군인은 고위직으로 승진된다.

남이 노래하는데 어울려서 북을 치며 장단을 맞추는 꿈

주장하는 것을 남들이 반대하지 않고 따르거나 대변자 역할을 해준다.

북을 두드리는 꿈

곤란한 일에 봉착할 꿈이다. 하지만 미혼 여성은 곧 시집을 가게 되고, 기혼 여성은 임신하여 자식을 낳는다.

자기집 문 앞에서 누가 북을 친 꿈

집에 귀한 아들을 낳을 경사가 생긴다.

✖ 미술

그림을 그리는데 자기 뜻대로 그려지지 않는 꿈

계획이나 소원이 자기 뜻대로 이루어지지 않는다.

그림을 다른 사람이 보내온 꿈

서적, 청첩장, 편지, 경고장 등을 받게 된다.

풍경화나 사생활을 그린 꿈

사적인 일을 캐묻거나 자기 소원, 사업운, 혼담 등을 결정할 일이 있다.

필기도구가 없어서 당황한 꿈

권력자의 지시대로 움직이게 된다.

나체 모델을 세워 놓고 화가가 그림 그리는 꿈

상대방의 심리 변화나 신상 문제에 관해서 알고 싶어한다.

그림을 새로 구입한 꿈

어떤 단체에서 자신의 성실함을 많은 사람들이 인정해 준다.

남의 그림을 감상한 꿈

남의 청원, 연애편지, 신용장 등을 읽거나 다시 검토할 일이 있다.

상상화를 그리는 꿈

전혀 예기치 못한 일을 겪게 된다.

추상화를 그린 꿈

어떤 계획을 추진해 나간다.

한 폭의 풍경화를 감상한 꿈

소원이나 계획한 일을 그 한 폭의 그림 내용으로 알 수 있다.

인형그림이 말을 한 꿈

개과천선하게 된다.

✿ 사진

사진기를 새것으로 구입한 꿈

동업자의 도움을 받거나 연인을 만나게 된다.

사진첩을 펼쳐본 꿈

남의 사생활을 조사하거나 고전을 읽게 된다.

사진을 찍으려 하는데 필름이 없어서 찍지 못한 꿈

일의 성취가 불가능해진다.

여러 가지 그림이 담긴 사진첩을 본 꿈

어떤 사람을 추적하거나 도서목록, 이력서, 프로그램 등을 보게 된다.

고적이나 풍경을 사진 찍는 꿈

어떤 사건이나 업적을 기록에 의해서 남겨둔다.

포즈를 취하고 있는 자신을 찍는 꿈

남이 자신의 문제에 관해 옳고 그름을 따진다.

애인이 다른 사람과 사진 찍는 것을 보고 온 꿈

상대방이 하고 있는 일이 순리대로 잘 풀려 나간다.

결혼 사진을 찍는 꿈

소속 단체가 공공이익을 위하여 서로 화합한다.

상대방이 내 사진을 찍어준 꿈

신변에 이상이 생기거나 자신의 신상 문제가 불명예스러운 일오 기사화
된다.

다른 사람의 사진을 찍어준 꿈

다른 사람의 행동거지를 일일이 체크하게 된다.

집안 사람들과 함께 사진을 찍는 꿈

사업이나 계약 등의 일을 문서화하거나 남에게 도움을 주게 된다.

🎭 가면

가면을 본 꿈
친구의 속임수에 넘어간다.

얼굴에 가면 쓴 사람을 만난 꿈
낯선 사람으로부터 폭언을 듣거나 폭행을 당함을 암시하므로 주의해야
한다.

여성이 가면을 쓰고 당신 쪽으로 걸어온 꿈
속임수에 넘어가 용모가 추한 여성을 아내로 맞이하게 된다.

남의 가면을 벗긴 꿈
숨겨둔 재물과 보물를 발견할 것이다.

자기가 가면을 쓴 꿈
어려운 상황이 지나갈 것을 의미한다. 죄수는 머지않아 석방된다.

가면을 벗어버린 꿈
자신의 실수로 손실을 입는다.

아내가 면사포를 쓴 꿈
아내의 속임수에 넘어간다.

모르는 여성의 면사포를 걷어 올린 꿈
심한 모욕을 당하게 된다.

문
화

✿ 조각상

조각한 상을 본 꿈

남성은 기쁜 소식이 들려 오고, 여성은 남편의 명성이 널리 알려진다.

자신의 조각상을 본 꿈

발탁되어 승진할 것이다.

동으로 만든 조각상을 본 꿈

몸이 건강하고 장수할 꿈이다.

백색의 조그만 조각상을 본 꿈

높은 직위에 오르게 된다.

조각한 상을 부숴 버린 꿈

상대편의 음모나 계략에 빠진다.

어느 큰 인물의 동상 제막식에서 테이프를 끊은 꿈

나라의 영예를 수여 받는다.

✿ 영화 · 연극

유명한 배우가 입던 옷을 입은 꿈

유명한 사람의 지도를 받거나 협조를 얻어 비슷한 일을 하게 된다.

줄타기를 하다가 떨어져 죽은 꿈

어렵고 힘든 일이 어떤 기관을 통해서 이루어진다.

유명한 탤런트와 함께 데이트를 한 꿈

인기인이 되거나 자기를 과시할 일이 생긴다.

똑같은 화면이 영화 스크린에 여러 번 비친 꿈

신문이나 잡지에 같은 내용 또는 비슷한 내용의 기사가 실린다.

야외 촬영을 하는데 많은 사람이 몰려 있는 꿈

사업상 여러 가지 보완해 고칠 일이 많거나 관심을 갖는 사람이 많다.

서커스를 구경한 꿈

선전 광고, 잡지의 외설물 등을 보게 되고, 사업이 위태로운 고비를 넘기고 잘 운영된다.

❀ 오 락

방안에 화투가 여기저기 흩어져 있는 꿈

어떤 일을 마무리짓지 못하고 심적 갈등을 겪는다.

화투장을 늘어 놓고 오관을 떼어본 꿈

소원 성취나 계획한 일이 예지와 판단을 위해 심사숙고하게 된다.

상대방과 함께 화투를 친 꿈

어떤 단체에서 시비가 생겨 옥신각신할 일이 있다.

화투를 치려다가 그냥 옆으로 밀어놓은 꿈
남이 청원한 서류를 뒤로 미루어 둔다.

시골 노인들이 한꺼번에 몰려와 화투를 치자고 한 꿈
어떤 기관에 청탁한 일이 쉽게 해결되지 않는다.

노름 도구를 사용해서 돈을 잃거나 딴 꿈
하고 있는 일이 흥망성쇠를 가름하게 된다.

기계를 조작해서 노름한 꿈
어떤 기관을 통해서 행운을 얻게 된다.

자신이 술래가 되어 숨어 있는 사람을 찾아 다닌 꿈
시험이나 잊어버린 일로 심적 고통을 겪게 된다.

보물을 찾기 위해서 흙을 헤치자 해골이 나온 꿈
자신의 성실함을 인정받거나 재물, 증서 등을 얻게 된다.

세계적으로 유명한 산 위에서 행동을 한 꿈
유명한 단체, 기업에서 자기의 능력을 마음껏 과시한다.

높고 험한 산을 정복한 꿈
자신이 하고 있는 일이 사회적으로 인정을 받는다.

등산 장비를 짊어지고 산을 정복한 꿈
사회적 지위를 얻고 소원이 뜻대로 이루어진다.

낚시도구를 얻은 꿈
사람을 판단하는 방법과 일에 대한 방도를 찾게 된다.

낚싯줄로 물고기를 잡아올린 꿈
계략이나 지혜로 돈을 벌거나, 도움을 줄 사람을 만나 일거리를 얻는다.

낚싯줄이 길게 늘어져 있는 꿈
사업이나 계획하던 일을 성사시키는 데 오랜 시간과 많은 노력이 필요하게 됨을 예시하지만 끈기 있게 해내면 좋다.

장기를 두는데 옆에서 훈수하는 꿈
남의 일을 옆에서 참견하거나 방해를 한다.

동갑내기와 장기를 둔 꿈
자기와 동격이거나 상대가 될만한 사람과 사업상 승부를 가린다.

바둑과 장기 두는 것을 본 꿈
세력 다툼, 국제 정세의 변화 등을 한눈에 보게 된다.

흰돌을 쥔 자신이 상대편의 흑돌을 따내며 바둑을 둔 꿈
처음부터 자기에게 유리한 쪽으로 치우쳐 있으므로 상대방을 쉽게 공략할 수 있다.

어린 아이와 장기를 두면서 아이의 연령을 헤아린 꿈
벅차고 고통스런 일과 남의 간섭을 받을 일이 생긴다.

문

화

국수급에 속하는 윗사람과 바둑을 두어 이긴 꿈

최고의 세력, 권리 등을 확보할 수 있다.

🎱 스포츠

공을 차고 노는 꿈

부모의 재산을 물려받을 징조이다.

공을 서로 주고 받는 꿈

시비가 붙어 상대방과 사이가 좋지 않게 된다.

자신이 찬 공이 높이 떠오르거나 경기장 밖으로 나간 꿈

능력을 발휘해서 공로를 치하 받거나 하는 일마다 성공한다.

공을 상대편 코트로 넘기지 못한 꿈

패배의식을 느끼고 일에 대한 불안감을 느끼게 된다.

경기장에 많은 관중이 모인 꿈

인원에 비례해서 일이 난관에 부딪힌다.

마라톤에서 꼴등으로 달리고 있는 꿈

하고 있는 일이 순리대로 풀리고 안정이 된다.

마라톤에서 일등으로 들어온 꿈

사업이 성공하고 명예도 얻는다.

마라톤 선수가 되어 달리고 있는데 아무리 달려도 결승점에 도달하지 못하는 꿈

계획 자체가 잘못 되었거나 방법이 잘못되어 목적을 달성하기 어렵게 된다.

이어달리기를 하는데 앞 주자가 넘겨준 방통을 쥐고 힘껏 달려 우승을 하는 꿈

기업의 후계자가 되거나 위대한 예술가의 문하생이 된다. 또한 단체나 개인 사업 등을 인수하여 잘 운영하게 된다.

자신이 아닌 타인이 일등으로 달리는 꿈

사업 성과를 많은 사람들 앞에서 발표한다.

경기장에서 체조하는 것을 본 꿈

사업이나 학술 발표에 호응해 주는 사람들을 만난다.

자신의 구령에 맞춰 여러 사람이 체조를 하는 꿈

지휘 능력을 발휘하여 여러 사람이 협조를 한다.

다른 사람이 넘겨준 릴레이 바통을 받아 힘껏 뛴 꿈

단체나 개인 사업, 학문 등을 인수받아 잘 운영해 나간다.

외국 팀과 축구시합을 하는데 우리 선수들이 승리한 꿈

자기가 내세운 주장이 어떤 어려움을 극복하고 관철된다.

검도나 펜싱 시합을 한 꿈

상대방과 열띤 논쟁을 벌인다.

문
화

운동경기에서 선두로 나선 꿈

어떤 일에 실패하기 쉽다.

관중석에 관람자가 아무도 없는 꿈

스스로 판단해 복잡한 문제를 어려움 없이 해결한다.

우리 나라 선수가 국제 경기에서 승리한 꿈

단체 경기, 작품 응모, 사업 등에서 우리편 주장이 난관을 뚫고 관철된다.

메달, 우승컵, 상금, 우승기를 탄 꿈

난관을 극복한 다음 소원이나 계획한 일이 성취된다.

우승을 해서 많은 사람들 앞에서 상장을 받은 꿈

사회적으로 손꼽힐만한 회사로 취직되거나 전근을 간다.

문
화